KB076920

노래로 배우는 한국어 1

español(스페인어)
edición traducida(번역판)

- 노래 (sustantivo) : canción, canto
  Música con que se canta una composición lírica. O la acción de cantar tal música.

- 로 : No hay expresión equivalente
  Posposición que indica el método o la forma de cierto lugar.

- 배우다 (verbo) : aprender, asimilar
  Adquirir nuevos conocimientos.

- -는 : No hay expresión equivalente
  Desinencia que hace que la palabra antecedente ejerza la función de un componente determinante, e indica que un suceso o una acción se produce en el presente.

- 한국어 (sustantivo) : idioma coreano, lengua coreana
  Idioma que se usa en Corea.

※ 이 책의 폰트는 '함초롬 바탕체'를 사용하였습니다.

< 저자(autor) >

㈜한글2119연구소

- 연구개발전담부서
- ISO 9001 : 품질경영시스템 인증
- ISO 14001 : 환경경영시스템 인증
- 이메일(correo electrónico) : gjh0675@naver.com

< 동영상(vídeo) 자료(documento) >

HANPUK_español(traducción)
https://www.youtube.com/@HANPUK_Spanish

HANPUK

제 2024153361 호

연구개발전담부서 인정서

1. 전담부서명: 연구개발전담부서

[소속기업명: (주)한글2119연구소]

2. 소　재　지: 인천광역시 부평구 마장로264번길 33
상가동 제지하층 제2호 (산곡동, 뉴서울아파트)

3. 신고 연월일: 2024년 05월 02일

과학기술정보통신부

「기초연구진흥 및 기술개발지원에 관한 법률」 제14조의2제1항 및 같은 법 시행령 제27조제1항에 따라 위와 같이 기업의 연구개발전담부서로 인정합니다.

2024년 5월 13일

한국산업기술진흥협회장

G-CERTI *certificate*

hereby certifies that

Hangul 2119 Research Institute Co., Ltd.

Rm. 2, Lower level, Sangga-dong, 33, Majang-ro 264beon-gil,
Bupyeong-gu, Incheon, Korea

meets the Standard Requirements & Scope as following

ISO 9001:2015
Quality Management Systems

Creation of Media Content, Publication
of Korean Paper and Electronic Textbooks, Production
and Release of Albums for Korean Language Education

Certificate No:	**GIS-6934-QC**	**Code**	**: 08, 39**
Initial Date	**: 2024-05-21**	**Issue Date**	**: 2024-05-21**
Expiry Date	**: 2027-05-20**	**Valid Period**	**: 2024-05-21 ~ 2027-05-20**

Signed for and on behalf of GCERTI
President I.K Cho

G-CERTI *certificate*

hereby certifies that

Hangul 2119 Research Institute Co., Ltd.

Rm. 2, Lower level, Sangga-dong, 33, Majang-ro 264beon-gil,
Bupyeong-gu, Incheon, Korea

meets the Standard Requirements & Scope as following

ISO 14001:2015
Environmental Management Systems

Creation of Media Content, Publication
of Korean Paper and Electronic Textbooks, Production and
Release of Albums for Korean Language Education

Certificate No:	**GIS-6934-EC**	**Code**	**: 08, 39**
Initial Date	**: 2024-05-21**	**Issue Date**	**: 2024-05-21**
Expiry Date	**: 2027-05-20**	**Valid Period**	**: 2024-05-21 ~ 2027-05-20**

Signed for and on behalf of GCERTI
President I.K.Cho

< 목차(índice) >

< 1 >

한글송

한글(alfabeto coreano)
송(canción)

[발음(pronunciación)]

< 전주(introducción) >

바 빠 파 다 따 타 가 까 카 자 짜 차 사 싸 하 마 나 아 라
바 빠 파 다 따 타 가 까 카 자 짜 차 사 싸 하 마 나 아 라
ba ppa pa da tta ta ga kka ka ja jja cha sa ssa ha ma na a ra

자음 열아홉 개 소리
자음 여라홉 개 소리
jaeum yeorahop gae sori

아 어 오 우 으 이 애 에 외 위 야 여 요 유 얘 예 와 워 왜 웨 의
아 어 오 우 으 이 애 에 외 위 야 여 요 유 얘 예 와 워 왜 웨 의
a eo o u eu i ae e oe wi ya yeo yo yu yae ye wa wo wae we ui

모음 스물한 개 소리
모음 스물한 개 소리
moeum seumulhan gae sori

< 1 절(verso) >

다 같이 말해 봐
다 가치 말해 봐
da gachi malhae bwa

아설순치후
아설순치후
aseolsunchihu

다 함께 불러 봐
다 함께 불러 봐
da hamkke bulleo bwa

아설순치후
아설순치후
aseolsunchihu

우리 모두 느껴 봐
우리 모두 느껴 봐
uri modu neukkyeo bwa

발음 기관을 본뜬
바름 기과늘 본뜬
bareum gigwaneul bontteun

기역, 니은, 미음, 시옷, 이응
기역, 니은, 미음, 시옫, 이응
giyeok, nieun, mieum, siot, ieung

다섯 글자
다섣 글짜
daseot geulja

세상의 모든 소리를 들어 봐
세상에 모든 소리를 드러 봐
sesange modeun sorireul deureo bwa

또 하고 싶은 말을 다 외쳐 봐
또 하고 시픈 마를 다 외처 봐
tto hago sipeun mareul da oecheo bwa

신비로운 사연
신비로운 사연
sinbiroun sayeon

감추었던 비밀
감추얻떤 비밀
gamchueotdeon bimil

진실을 전해 줘
진시를 전해 줘
jinsireul jeonhae jwo

< 후렴(estribillo) >

아 야 어 여 오 요 우 유 으 이
아 야 어 여 오 요 우 유 으 이
a ya eo yeo o yo u yu eu i

가 나 다 라 마 바 사 아 자 차 카 타 파 하
가 나 다 라 마 바 사 아 자 차 카 타 파 하
ga na da ra ma ba sa a ja cha ka ta pa ha

이제부터 들려 줘 너의 마음을
이제부터 들려 줘 너에 마으믈
ijebuteo deullyeo jwo neoe maeumeul

지금부터 전해 줘 너의 사랑을
지금부터 전해 줘 너에 사랑을
jigeumbuteo jeonhae jwo neoe sarangeul

아 야 어 여 오 요 우 유 으 이
아 야 어 여 오 요 우 유 으 이
a ya eo yeo o yo u yu eu i

가 나 다 라 마 바 사 아 자 차 카 타 파 하
가 나 다 라 마 바 사 아 자 차 카 타 파 하
ga na da ra ma ba sa a ja cha ka ta pa ha

모음 스물하나에 자음 열아홉을 더해
모음 스물하나에 자음 여라호블 더해
moeum seumulhanae jaeum yeorahobeul deohae

마흔 가지 소리로 세상을 느껴 봐
마흔 가지 소리로 세상을 느껴 봐
maheun gaji soriro sesangeul neukkyeo bwa

< 2 절(verso) >

하늘과 땅이 만나 ㅗ, ㅜ
하늘과 땅이 만나 ㅗ, ㅜ
haneulgwa ttangi manna o, u

사람과 만난다면 ㅏ, ㅓ
사람과 만난다면 ㅏ, ㅓ
saramgwa mannandamyeon a, eo

하루면은 충분해
하루며는 충분해
harumyeoneun chungbunhae

하늘, 땅, 사람을 본뜬
하늘, 땅, 사라믈 본뜬
haneul, ttang, sarameul bontteun

아 어 오 우 야 여 요 유 으 이
아 어 오 우 야 여 요 유 으 이
a eo o u ya yeo yo yu eu i

열 글자
열 글짜
yeol geulja

세상의 모든 소리를 들어 봐
세상에 모든 소리를 드러 봐
sesange modeun sorireul deureo bwa

또 하고 싶은 말을 다 외쳐 봐
또 하고 시픈 마를 다 외처 봐
tto hago sipeun mareul da oecheo bwa

신비로운 사연
신비로운 사연
sinbiroun sayeon

감추었던 비밀
감추얻떤 비밀
gamchueotdeon bimil

진실을 전해 줘
진시를 전해 줘
jinsireul jeonhae jwo

< 후렴(estribillo) >

아 어 오 우 야 여 요 유 으 이
아 어 오 우 야 여 요 유 으 이
a eo o u ya yeo yo yu eu i

가 나 다 라 마 바 사 아 자 차 카 타 파 하
가 나 다 라 마 바 사 아 자 차 카 타 파 하
ga na da ra ma ba sa a ja cha ka ta pa ha

이제부터 들려 줘 너의 마음을
이제부터 들려 줘 너에 마으믈
ijebuteo deullyeo jwo neoe maeumeul

지금부터 전해 줘 너의 사랑을
지금부터 전해 줘 너에 사랑을
jigeumbuteo jeonhae jwo neoe sarangeul

아 어 오 우 야 여 요 유 으 이
아 어 오 우 야 여 요 유 으 이
a eo o u ya yeo yo yu eu i

가 나 다 라 마 바 사 아 자 차 카 타 파 하
가 나 다 라 마 바 사 아 자 차 카 타 파 하
ga na da ra ma ba sa a ja cha ka ta pa ha

모음 스물하나에 자음 열아홉을 더해
모음 스물하나에 자음 여라호블 더해
moeum seumulhanae jaeum yeorahobeul deohae

마흔 가지 소리로 세상을 느껴 봐
마흔 가지 소리로 세상을 느껴 봐
maheun gaji soriro sesangeul neukkyeo bwa

들려 줘요
들려 줘요
deullyeo jwoyo

이 소리 들리나요.
이 소리 들리나요.
i sori deullinayo.

달콤하게, 부드럽게 우리 모두 말해 봐요.
달콤하게, 부드럽께 우리 모두 말해 봐요.
dalkomhage, budeureopge uri modu malhae bwayo.

< 전주(introducción) >

바 빠 파 다 따 타 가 까 카 자 짜 차 사 싸 하 마 나 아 라

ㅂ : 한글 자모의 여섯째 글자. 이름은 '비읍'으로, 소리를 낼 때의 입술 모양은 'ㅁ'과 같지만 더 세게 발음되므로 'ㅁ'에 획을 더해서 만든 글자이다.

No hay expresión equivalente

Sexta letra del alfabeto coreano que lleva el nombre de 'bieup'. La forma en que se cierran los labios para pronunciarla es igual a la de la letra 'ㅁ'. Pero como dicha letra suena más fuerte que ésta última, se le ha añadido una raya a 'ㅁ' para representar la diferencia en la pronunciación.

ㅃ : 한글 자모 'ㅂ'을 겹쳐 쓴 글자. 이름은 쌍비읍으로, 'ㅂ'의 된소리이다.

No hay expresión equivalente

Letra del alfabeto coreano que lleva dos consonantes 'ㅂ'. Su nombre es ssangbieup y es el sonido glotalizado de 'ㅂ'.

ㅍ : 한글 자모의 열셋째 글자. 이름은 '피읖'으로, 'ㅁ, ㅂ'보다 소리가 거세게 나므로 'ㅁ'에 획을 더하여 만든 글자이다.

No hay expresión equivalente

Décima tercera letra del hangul. Su nombre es '피읖' y tiene una pronunciación más fuerte que 'ㅁ' y 'ㅂ'. Es una letra creada agregando barras a 'ㅁ'.

ㄷ : 한글 자모의 셋째 글자. 이름은 '디귿'으로, 소리를 낼 때 혀의 모습은 'ㄴ'과 같지만 더 세게 발음되므로 한 획을 더해 만든 글자이다.

No hay expresión equivalente

Tercera letra del alfabeto coreano. Su nombre es ´digeut´ y es la letra creada añadiendo un trazo más a ´ㄴ´, pues se pronuncia con mayor intensidad, aunque la forma en que la punta de la lengua se mueve al pronunciar es similar.

ㄸ : 한글 자모 'ㄷ'을 겹쳐 쓴 글자. 이름은 쌍디귿으로, 'ㄷ'의 된소리이다.

No hay expresión equivalente

Letra formada por dos consonantes del alfabeto coreano 'ㄷ' yuxtapuestos. Lleva el nombre de 'ssangdigeud' y es el sonido glotalizado de la consonante 'ㄷ'.

ㅌ : 한글 자모의 열두째 글자. 이름은 '티읕'으로, 'ㄷ'보다 소리가 거세게 나므로 'ㄷ'에 한 획을 더하여 만든 글자이다.

No hay expresión equivalente

Duodécima letra del hangul. Su nombre es '티읕' y tiene una pronunciación más fuerte que 'ㄷ'. Es una letra creada agregando una barra a 'ㄷ'.

ㄱ : 한글 자모의 첫째 글자. 이름은 기역으로 소리를 낼 때 혀뿌리가 목구멍을 막는 모양을 본떠 만든 글자이다.

No hay expresión equivalente

Primera letra del alfabeto coreano. Su nombre es giyeok y simboliza la forma en que la raíz de la lengua tapa la garganta al pronunciarla.

ㄲ : 한글 자모 'ㄱ'을 겹쳐 쓴 글자. 이름은 쌍기역으로, 'ㄱ'의 된소리이다.

No hay expresión equivalente

Letra formada con dos 'ㄱ'. Su nombre es ssanggiyeok y es el sonido glotalizado de la consonante 'ㄱ' .

ㅋ : 한글 자모의 열한째 글자. 이름은 '키읔'으로 'ㄱ'보다 소리가 거세게 나므로 'ㄱ'에 한 획을 더하여 만든 글자이다.

No hay expresión equivalente

Undécima letra del hangul. Su nombre es '키읔' y tiene una pronunciación más fuerte que 'ㄱ'. Es una letra creada agregando una barra a 'ㄱ'.

ㅈ : 한글 자모의 아홉째 글자. 이름은 '지읒'으로, 'ㅅ'보다 소리가 더 세게 나므로 'ㅅ'에 한 획을 더해 만든 글자이다.

No hay expresión equivalente

Novena letra del alfabeto coreano. Su nombre es 'jieut'. Fue formada agregando una línea a la 'ㅅ' por sonar un poco más fuerte que ésta.

ㅉ : 한글 자모 'ㅈ'을 겹쳐 쓴 글자. 이름은 쌍지읒으로, 'ㅈ'의 된소리이다.

No hay expresión equivalente

Letra del hangul que consiste en dos 'ㅈ'. Su nombre es '쌍지읒' y es el sonido glotalizado de la consonante 'ㅈ'.

ㅊ : 한글 자모의 열째 글자. 이름은 '치읓'으로 '지읒'보다 소리가 거세게 나므로 '지읒'에 한 획을 더해서 만든 글자이다.

No hay expresión equivalente

Décima letra del hangul. Su nombre es '치읓' y tiene una pronunciación más fuerte que 'ㅈ'. Es una letra creada agregando una barra encima de 'ㅈ'.

ㅅ : 한글 자모의 일곱째 글자. 이름은 '시옷'으로 이의 모양을 본떠서 만든 글자이다.

No hay expresión equivalente

Séptima letra del consonante del alfabeto coreano. Su nombre es siot y es una letra creada en base a la forma del diente.

ㅆ : 한글 자모 'ㅅ'을 겹쳐 쓴 글자. 이름은 쌍시옷으로, 'ㅅ'의 된소리이다.

No hay expresión equivalente

Letra formada con dos 'ㅅ'. Su nombre es ssangsiot y es el sonido glotalizado de la consonante 'ㅅ'.

ㅎ : 한글 자모의 열넷째 글자. 이름은 '히읗'으로, 이 글자의 소리는 목청에서 나므로 목구멍을 본떠 만든 'ㅇ'의 경우와 같지만 'ㅇ'보다 더 세게 나므로 'ㅇ'에 획을 더하여 만든 글자이다.

No hay expresión equivalente

Décima cuarta letra del hangul. Su nombre es '히읗' y para la pronunciación, el sonido sale desde las cuerdas vocales. Por ello, tiene una pronunciación es similar a 'ㅇ' pero un poco más fuerte. Es una letra agregando barras a 'ㅇ'.

ㅁ : 한글 자모의 다섯째 글자. 이름은 '미음'으로, 소리를 낼 때 다물어지는 두 입술 모양을 본떠서 만든 글자이다.

No hay expresión equivalente

Quinta letra del alfabeto coreano. Su nombre es 'mieum' y simboliza jeroglíficamente la forma en que se cierran los labios al pronunciar su sonido.

ㄴ : 한글 자모의 둘째 글자. 이름은 '니은'으로 소리를 낼 때 혀끝이 윗잇몸에 붙는 모양을 본떠 만든 글자이다.

No hay expresión equivalente

Segunda letra del alfabeto coreano. Su nombre es ´nieun´ y es la letra que simboliza la forma en que la punta de la lengua se sujeta a la encía superior al ser pronunciada dicha letra.

ㅇ : 한글 자모의 여덟째 글자. 이름은 '이응'으로 목구멍의 모양을 본떠서 만든 글자이다. 초성으로 쓰일 때 소리가 없다.

No hay expresión equivalente

Octava letra del alfabeto coreano. Su nombre es "ieung" y fue creada imitando la forma de una garganta. Y no representa sonido alguno si se utiliza como sonido inicial de sílaba.

ㄹ : 한글 자모의 넷째 글자. 이름은 '리을'로 혀끝을 윗잇몸에 가볍게 대었다가 떼면서 내는 소리를 나타낸다.

No hay expresión equivalente

Cuarta letra del alfabeto coreano. Su nombre es 'lieul' y representa el sonido que se pronuncia articulando la punta de la lengua ligeramente contra las encías superiores.

자음 열아홉 개 소리

자음 (sustantivo) : 목, 입, 혀 등의 발음 기관에 의해 장애를 받으며 나는 소리.

consonante

Sonido que se pronuncia con la obstaculización de los órganos articulatorios tales como garganta, boca, lengua, etc.

열아홉 : 19

개 (sustantivo) : 낱으로 떨어진 물건을 세는 단위.

No hay expresión equivalente

Unidad de conteo de objetos.

소리 (sustantivo) : 물체가 진동하여 생긴 음파가 귀에 들리는 것.
sonido, resonancia
Sensación producida en el órgano del oído por el movimiento vibratorio de los cuerpos.

아 어 오 우 으 이 애 에 외 위 야 여 요 유 얘 예 와 워 왜 웨 의

ㅏ : 한글 자모의 열다섯째 글자. 이름은 '아'이고 중성으로 쓴다.
No hay expresión equivalente
Décima quinta letra del hangul. Su nombre es '아' y es una vocal que se usa como sonido intermedio de sílaba.

ㅓ : 한글 자모의 열일곱째 글자. 이름은 '어'이고 중성으로 쓴다.
No hay expresión equivalente
Decima séptima letra del hangul. Su nombre es '어' y es una vocal que se usa como sonido intermedio de sílaba.

ㅗ : 한글 자모의 열아홉째 글자. 이름은 '오'이고 중성으로 쓴다.
No hay expresión equivalente
Decima novena letra del hangul. Su nombre es '오' y es una vocal que se usa como sonido intermedio de sílaba.

ㅜ : 한글 자모의 스물한째 글자. 이름은 '우'이고 중성으로 쓴다.
No hay expresión equivalente
Vigésima primera letra del hangul. Su nombre es '우' y es una vocal que se usa como sonido intermedio de sílaba.

ㅡ : 한글 자모의 스물셋째 글자. 이름은 '으'이고 중성으로 쓴다.
No hay expresión equivalente
Vigésima tercera letra del hangul. Su nombre es '으' y se usa como sonido intermedio de sílaba.

ㅣ : 한글 자모의 스물넷째 글자. 이름은 '이'이고 중성으로 쓴다.
No hay expresión equivalente
Vigésima cuarta letra del hangul. Su nombre es '이' y se usa como sonido intermedio de sílaba.

ㅐ : 한글 자모 'ㅏ'와 'ㅣ'를 모아 쓴 글자. 이름은 '애'이고 중성으로 쓴다.
No hay expresión equivalente
Letra creada por la unión de 'ㅏ' y 'ㅣ' del hangul. Su nombre es '애' y es una vocal que se usa como sonido intermedio de sílaba.

ㅔ : 한글 자모 'ㅓ'와 'ㅣ'를 모아 쓴 글자. 이름은 '에'이고 중성으로 쓴다.
No hay expresión equivalente
Letra creada por la unión de 'ㅓ' y 'ㅣ'. Su nombre es '에' y es una vocal que se usa como sonido intermedio de sílaba.

ㅚ : 한글 자모 'ㅗ'와 'ㅣ'를 모아 쓴 글자. 이름은 '외'이고 중성으로 쓴다.
No hay expresión equivalente
Letra creada por la unión de 'ㅗ' y 'ㅣ'. Su nombre es '외' y es una vocal que se usa como sonido intermedio de sílaba.

ㅟ : 한글 자모 'ㅜ'와 'ㅣ'를 모아 쓴 글자. 이름은 '위'이고 중성으로 쓴다.
No hay expresión equivalente
Letra creada por la unión de 'ㅜ' y 'ㅣ'. Su nombre es '위' y se usa como sonido intermedio de sílaba.

ㅑ : 한글 자모의 열여섯째 글자. 이름은 '야'이고 중성으로 쓴다.
No hay expresión equivalente
Decima sexta letra del hangul. Su nombre es '야' y es una vocal que se usa como sonido intermedio de sílaba.

ㅕ : 한글 자모의 열여덟째 글자. 이름은 '여'이고 중성으로 쓴다.
No hay expresión equivalente
Decima octava letra del hangul. Su nombre es '여' y es una vocal que se usa como sonido intermedio de sílaba.

ㅛ : 한글 자모의 스무째 글자. 이름은 '요'이고 중성으로 쓴다.
No hay expresión equivalente
Vigésima letra del hangul. Su nombre es '요' y se usa como sonido intermedio de sílaba.

ㅠ : 한글 자모의 스물두째 글자. 이름은 '유'이고 중성으로 쓴다.
No hay expresión equivalente
Vigésima segunda letra del hangul. Su nombre es '유' y es una vocal que se usa como sonido intermedio de sílaba.

ㅒ : 한글 자모 'ㅑ'와 'ㅣ'를 모아 쓴 글자. 이름은 '얘'이고 중성으로 쓴다.
No hay expresión equivalente
Letra creada por la unión de 'ㅕ' y 'ㅣ'. Su nombre es '얘' y es una vocal que se usa como sonido intermedio de sílaba.

ㅖ : 한글 자모 'ㅕ'와 'ㅣ'를 모아 쓴 글자. 이름은 '예'이고 중성으로 쓴다.
No hay expresión equivalente
Letra creada por la unión de 'ㅕ' y 'ㅣ'. Su nombre es '예' y es una vocal que se usa como sonido intermedio de sílaba.

ㅘ : 한글 자모 'ㅗ'와 'ㅏ'를 모아 쓴 글자. 이름은 '와'이고 중성으로 쓴다.
No hay expresión equivalente
Letra creada por la unión de 'ㅗ' y 'ㅏ'. Su nombre es '와' y es una vocal que se usa como sonido intermedio de sílaba.

ㅝ : 한글 자모 'ㅜ'와 'ㅓ'를 모아 쓴 글자. 이름은 '워'이고 중성으로 쓴다.
No hay expresión equivalente
Letra creada por la unión de 'ㅜ' y 'ㅓ'. Su nombre es '워' y es una vocal que se usa como sonido intermedio de sílaba.

ㅙ : 한글 자모 'ㅗ'와 'ㅐ'를 모아 쓴 글자. 이름은 '왜'이고 중성으로 쓴다.
No hay expresión equivalente
Letra creada por la unión de 'ㅗ' y 'ㅐ'. Su nombre es '왜' y es una vocal que se usa como sonido intermedio de sílaba.

ㅞ : 한글 자모 'ㅜ'와 'ㅔ'를 모아 쓴 글자. 이름은 '웨'이고 중성으로 쓴다.
No hay expresión equivalente
Letra creada por la unión de 'ㅜ' y 'ㅔ'. Su nombre es '웨' y es una vocal que se usa como sonido intermedio de sílaba.

ㅢ : 한글 자모 'ㅡ'와 'ㅣ'를 모아 쓴 글자. 이름은 '의'이고 중성으로 쓴다.
No hay expresión equivalente
Letra creada por la unión de 'ㅡ' y 'ㅣ'. Su nombre es '의' y se usa como sonido intermedio de sílaba.

모음 스물한 개 소리

모음 (sustantivo) : 사람이 목청을 울려 내는 소리로, 공기의 흐름이 방해를 받지 않고 나는 소리.
vocal
Sonido que emite el hombre a través de la vibración de la laringe, que suena sin interrumpirse por el paso del aire.

스물한 : 21

개 (sustantivo) : 낱으로 떨어진 물건을 세는 단위.
No hay expresión equivalente
Unidad de conteo de objetos.

소리 (sustantivo) : 물체가 진동하여 생긴 음파가 귀에 들리는 것.
sonido, resonancia
Sensación producida en el órgano del oído por el movimiento vibratorio de los cuerpos.

< 1 절(verso) >

다 같이 말하+[여 보]+아.
말해 봐

다 (adverbio) : 남거나 빠진 것이 없이 모두.
todo
Enteramente, sin falta alguna.

같이 (adverbio) : 둘 이상이 함께.
junto a, con
Modo en que dos o más objetos o personas están unidos.

말하다 (verbo) : 어떤 사실이나 자신의 생각 또는 느낌을 말로 나타내다.
decir
Expresar oralmente un pensamiento, un hecho, una sensación, etc.

-여 보다 : 앞의 말이 나타내는 행동을 시험 삼아 함을 나타내는 표현.
No hay expresión equivalente
Expresión que indica la realización de la acción que indica el comentario anterior a modo de prueba.

-아 : (두루낮춤으로) 어떤 사실을 서술하거나 물음, 명령, 권유를 나타내는 종결 어미.
No hay expresión equivalente
(TRATAMIENTO DE MODESTIA GENERAL) Desinencia de terminación que se usa cuando se describe cierto hecho; o pregunta, ordena o reclama algo. **<orden>**

아설순치후

아 → 어금니 (sustantivo) : 송곳니의 안쪽에 있는 크고 가운데가 오목한 이.
muela
Diente grande y hundido en el centro que se encuentra en el lado interior de los colmillos.

설 → 혀 (sustantivo) : 사람이나 동물의 입 안 아래쪽에 있는 길고 붉은 살덩어리.
lengua
Órgano muscular alargado situado en la cavidad de la boca de los vertebrados, de tejido carnoso y color rojizo.

순 → 입술 (sustantivo) : 사람의 입 주위를 둘러싸고 있는 붉고 부드러운 살.
labios
Cada uno de los rebordes exteriores carnosos rojizos de la boca del hombre.

치 → 이 (sustantivo) : 사람이나 동물의 입 안에 있으며 무엇을 물거나 음식물을 씹는 일을 하는 기관.
diente
Órgano que se encuentra dentro de la boca de una persona o un animal y realiza el trabajo de masticar un alimento o morder algo.

후 → 목구멍 (sustantivo) : 목 안쪽에서 몸속으로 나 있는 깊숙한 구멍.
garganta inferior
Agujero profundo del lado interno de la garganta hacia dentro del cuerpo.

다 함께 부르(불ㄹ)+[어 보]+아.
불러 봐

다 (adverbio) : 남거나 빠진 것이 없이 모두.
todo
Enteramente, sin falta alguna.

함께 (adverbio) : 여럿이서 한꺼번에 같이.
juntos, todos juntos
Dicho de dos o más personas, todas juntas.

부르다 (verbo) : 곡조에 따라 노래하다.
cantar
Cantar de acuerdo a la melodía.

-어 보다 : 앞의 말이 나타내는 행동을 시험 삼아 함을 나타내는 표현.
No hay expresión equivalente
Expresión que indica la realización de la acción que indica el comentario anterior a modo de prueba.

-아 : (두루낮춤으로) 어떤 사실을 서술하거나 물음, 명령, 권유를 나타내는 종결 어미.
No hay expresión equivalente
(TRATAMIENTO DE MODESTIA GENERAL) Desinencia de terminación que se usa cuando se describe cierto hecho; o pregunta, ordena o reclama algo. **<orden>**

아설순치후

아 → 어금니 (sustantivo) : 송곳니의 안쪽에 있는 크고 가운데가 오목한 이.
muela
Diente grande y hundido en el centro que se encuentra en el lado interior de los colmillos.

설 → 혀 (sustantivo) : 사람이나 동물의 입 안 아래쪽에 있는 길고 붉은 살덩어리.
lengua
Órgano muscular alargado situado en la cavidad de la boca de los vertebrados, de tejido carnoso y color rojizo.

순 → 입술 (sustantivo) : 사람의 입 주위를 둘러싸고 있는 붉고 부드러운 살.
labios
Cada uno de los rebordes exteriores carnosos rojizos de la boca del hombre.

치 → 이 (sustantivo) : 사람이나 동물의 입 안에 있으며 무엇을 물거나 음식물을 씹는 일을 하는 기관.
diente
Órgano que se encuentra dentro de la boca de una persona o un animal y realiza el trabajo de masticar un alimento o morder algo.

후 → 목구멍 (sustantivo) : 목 안쪽에서 몸속으로 나 있는 깊숙한 구멍.
garganta inferior
Agujero profundo del lado interno de la garganta hacia dentro del cuerpo.

우리 모두 느끼+[어 보]+아.
느껴 봐

우리 (pronombre) : 말하는 사람이 자기와 듣는 사람 또는 이를 포함한 여러 사람들을 가리키는 말.
nosotros
Palabra que el hablante usa para referirse a sí mismo y al oyente u otras personas.

모두 (adverbio) : 빠짐없이 다.
todo, todos, totalmente, enteramente, completamente
Todos, sin excepción.

느끼다 (verbo) : 특정한 대상이나 상황을 어떻다고 생각하거나 인식하다.
sentir, percibir
Pensar o percibir el estado de cierto sujeto o cierta situación.

-어 보다 : 앞의 말이 나타내는 행동을 시험 삼아 함을 나타내는 표현.
No hay expresión equivalente
Expresión que indica la realización de la acción que indica el comentario anterior a modo de prueba.

-아 : (두루낮춤으로) 어떤 사실을 서술하거나 물음, 명령, 권유를 나타내는 종결 어미.
No hay expresión equivalente
(TRATAMIENTO DE MODESTIA GENERAL) Desinencia de terminación que se usa cuando se describe cierto hecho; o pregunta, ordena o reclama algo. **<orden>**

발음 기관+을 본뜨+ㄴ 기역, 니은, 미음, 시옷, 이응
본뜬

발음 기관 (sustantivo) : 말소리를 내는 데 쓰는 신체의 각 부분.
órgano vocal
Cada parte del cuerpo usada para emitir la voz.

을 : 동작이 직접적으로 영향을 미치는 대상을 나타내는 조사.
No hay expresión equivalente
Posposición que se usa para indicar el objeto que ha sido influido directamente por una acción.

본뜨다 (verbo) : 이미 있는 것을 그대로 따라서 만들다.
moldear, imitar
Producir algo igual que lo existente.

-ㄴ : 앞의 말이 관형어의 기능을 하게 만들고 사건이나 동작이 완료되어 그 상태가 유지되고 있음을 나타내는 어미.
No hay expresión equivalente
Desinencia que hace que la palabra antecedente ejerza la función de una palabra determinante, e indica que un suceso o una acción se mantiene en el mismo estado que cuando concluyó en un momento del pasado.

기역 (sustantivo) : 한글 자모 'ㄱ'의 이름.
No hay expresión equivalente
Nombre de la letra 'ㄱ' del alfabeto coreano.

니은 (sustantivo) : 한글 자모 'ㄴ'의 이름.
No hay expresión equivalente
Nombre de la letra ´ㄴ´ del alfabeto coreano.

미음 (sustantivo) : 한글 자모 'ㅁ'의 이름.
No hay expresión equivalente
Nombre de la consonante 'ㅁ' del alfabeto coreano.

시옷 (sustantivo) : 한글 자모 'ㅅ'의 이름.
siot
Nombre de la letra “ㅅ” del alfabeto coreano.

이응 (sustantivo) : 한글 자모 'ㅇ'의 이름.
No hay expresión equivalente
Nombre de la consonante 'ㅇ' del hangeul (alfabeto coreano).

다섯 글자

다섯 (determinante) : 넷에 하나를 더한 수의.
cinco
Cuatro más uno.

글자 (sustantivo) : 말을 적는 기호.
letra
Cada uno de los signos con los que se escriben las palabras.

세상+의 모든 소리+를 듣(들)+[어 보]+아.
들어 봐

세상 (sustantivo) : 지구 위 전체.
mundo
Todo sobre la tierra.

의 : 앞의 말이 뒤의 말에 대하여 소유, 소속, 소재, 관계, 기원, 주체의 관계를 가짐을 나타내는 조사.
No hay expresión equivalente
Posposición que se usa para indicar que la palabra anterior tiene una relación de posesión, pertenencia, integración, conexión, procedencia, sujeto con la posterior.

모든 (determinante) : 빠지거나 남는 것 없이 전부인.
todo
Que se comprende enteramente en el número de algo, sin que falte ni sobre.

소리 (sustantivo) : 물체가 진동하여 생긴 음파가 귀에 들리는 것.
sonido, resonancia
Sensación producida en el órgano del oído por el movimiento vibratorio de los cuerpos.

를 : 동작이 직접적으로 영향을 미치는 대상을 나타내는 조사.
No hay expresión equivalente
Posposición que indica el objeto que influye directamente en la acción.

듣다 (verbo) : 귀로 소리를 알아차리다.
oír
Percibir los sonidos a través del oído.

-어 보다 : 앞의 말이 나타내는 행동을 시험 삼아 함을 나타내는 표현.
No hay expresión equivalente
Expresión que indica la realización de la acción que indica el comentario anterior a modo de prueba.

-아 : (두루낮춤으로) 어떤 사실을 서술하거나 물음, 명령, 권유를 나타내는 종결 어미.
No hay expresión equivalente
(TRATAMIENTO DE MODESTIA GENERAL) Desinencia de terminación que se usa cuando se describe cierto hecho; o pregunta, ordena o reclama algo. **<orden>**

또 하+[고 싶]+은 말+을 다 외치+[어 보]+아.
외쳐 봐

또 (adverbio) : 그 밖에 더.
además
En adición a eso.

하다 (verbo) : 어떤 행동이나 동작, 활동 등을 행하다.
hacer, realizar
Llevar a cabo un acto o una acción.

-고 싶다 : 앞의 말이 나타내는 행동을 하기를 원함을 나타내는 표현.
No hay expresión equivalente
Expresión que se usa para mostrar el deseo de hacer un acto que representa el comentario anterior de la cláusula.

-은 : 앞의 말이 관형어의 기능을 하게 만들고 현재의 상태를 나타내는 어미.
No hay expresión equivalente
Desinencia que hace que la palabra antecedente ejerza la función de un componente determinante, e indica que el estado del presente.

말 (sustantivo) : 생각이나 느낌을 표현하고 전달하는 사람의 소리.
habla, palabra
Voz de una persona que expresa y transmite un pensamiento o un sentimiento.

을 : 동작이 직접적으로 영향을 미치는 대상을 나타내는 조사.
No hay expresión equivalente
Posposición que se usa para indicar el objeto que ha sido influido directamente por una acción.

다 (adverbio) : 남거나 빠진 것이 없이 모두.
todo
Enteramente, sin falta alguna.

외치다 (verbo) : 큰 소리를 지르다.
gritar
Gritar en voz alta.

-어 보다 : 앞의 말이 나타내는 행동을 시험 삼아 함을 나타내는 표현.
No hay expresión equivalente
Expresión que indica la realización de la acción que indica el comentario anterior a modo de prueba.

-아 : (두루낮춤으로) 어떤 사실을 서술하거나 물음, 명령, 권유를 나타내는 종결 어미.
No hay expresión equivalente
(TRATAMIENTO DE MODESTIA GENERAL) Desinencia de terminación que se usa cuando se describe cierto hecho; o pregunta, ordena o reclama algo. **<orden>**

신비롭(신비로우)+ㄴ 사연, 감추+었던 비밀
신비로운

신비롭다 (adjetivo) : 보통의 생각으로는 이해할 수 없을 정도로 놀랍고 신기한 느낌이 있다.
misterioso, enigmático
Que se siente tan sorprendente y maravilloso que es difícil de comprender con criterios normales.

-ㄴ : 앞의 말이 관형어의 기능을 하게 만들고 현재의 상태를 나타내는 어미.
No hay expresión equivalente
Desinencia que hace que la palabra antecedente ejerza la función de una palabra determinante, e indica el estado del presente.

사연 (sustantivo) : 일어난 일의 앞뒤 사정과 까닭.
historia, situación
Circunstancia y causa de un suceso.

감추다 (verbo) : 어떤 사실이나 감정을 남이 모르도록 알리지 않고 비밀로 하다.
esconder
Guardar en secreto un suceso o emoción frente a los otros.

-었던 : 과거의 사건이나 상태를 다시 떠올리거나 그 사건이나 상태가 완료되지 않고 중단되었다는 의미를 나타내는 표현.
No hay expresión equivalente
Expresión que indica la suspensión de un caso o un estado sin concluir, o recuerda otra vez a aquellos hechos del pasado.

비밀 (sustantivo) : 숨기고 있어 남이 모르는 일.
secreto
Hecho que la otra persona no sabe al ocultarlo.

진실+을 전하+[여 주]+어.
전해 줘

진실 (sustantivo) : 순수하고 거짓이 없는 마음.
sinceridad
Sentimiento verdadero sin mentiras.

을 : 동작이 직접적으로 영향을 미치는 대상을 나타내는 조사.
No hay expresión equivalente
Posposición que se usa para indicar el objeto que ha sido influido directamente por una acción.

전하다 (verbo) : 어떤 소식, 생각 등을 상대에게 알리다.
avisar, comunicar, notificar
Informar de cierta noticia, idea, etc. a otra persona.

-여 주다 : 남을 위해 앞의 말이 나타내는 행동을 함을 나타내는 표현.
No hay expresión equivalente
Expresión que indica la realización de una acción que indica el comentario anterior para el bien del otro.

-어 : (두루낮춤으로) 어떤 사실을 서술하거나 물음, 명령, 권유를 나타내는 종결 어미.
No hay expresión equivalente
(TRATAMIENTO DE MODESTIA GENERAL) Desinencia de terminación que se usa cuando se describe cierto hecho; o pregunta, ordena o reclama algo. **<orden>**

< 후렴(estribillo)>

아 야 어 여 오 요 우 유 으 이

가 나 다 라 마 바 사 아 자 차 카 타 파 하

이제+부터 들리+[어 주]+어 너+의 마음+을.
들려 줘

이제 (sustantivo) : 말하고 있는 바로 이때.
ahora
Justamente este momento en que se está hablando.

부터 : 어떤 일의 시작이나 처음을 나타내는 조사.
No hay expresión equivalente
Posposición que indica el inicio o la partida de cierta cosa.

들리다 (verbo) : 듣게 하다.
narrar
Contar cualquier cosa al alguien con el propósito de que la escuche.

-어 주다 : 남을 위해 앞의 말이 나타내는 행동을 함을 나타내는 표현.
No hay expresión equivalente
Expresión que indica la realización de una acción que indica el comentario anterior para el bien del otro.

-어 : (두루낮춤으로) 어떤 사실을 서술하거나 물음, 명령, 권유를 나타내는 종결 어미.
No hay expresión equivalente
(TRATAMIENTO DE MODESTIA GENERAL) Desinencia de terminación que se usa cuando se describe cierto hecho; o pregunta, ordena o reclama algo. **<orden>**

너 (pronombre) : 듣는 사람이 친구나 아랫사람일 때, 그 사람을 가리키는 말.
tú, vos
Pronombre que designa al oyente cuando éste es de la misma edad o menor que el hablante.

의 : 앞의 말이 뒤의 말에 대하여 소유, 소속, 소재, 관계, 기원, 주체의 관계를 가짐을 나타내는 조사.
No hay expresión equivalente
Posposición que se usa para indicar que la palabra anterior tiene una relación de posesión, pertenencia, integración, conexión, procedencia, sujeto con la posterior.

마음 (sustantivo) : 기분이나 느낌.
No hay expresión equivalente
Emoción o sentimiento.

을 : 동작이 직접적으로 영향을 미치는 대상을 나타내는 조사.
No hay expresión equivalente
Posposición que se usa para indicar el objeto que ha sido influido directamente por una acción.

지금+부터 전하+[여 주]+어 너+의 사랑+을.
전해 줘

지금 (sustantivo) : 말을 하고 있는 바로 이때.
ahora
En este preciso momento en que se está hablando.

부터 : 어떤 일의 시작이나 처음을 나타내는 조사.
No hay expresión equivalente
Posposición que indica el inicio o la partida de cierta cosa.

전하다 (verbo) : 어떤 소식, 생각 등을 상대에게 알리다.
avisar, comunicar, notificar
Informar de cierta noticia, idea, etc. a otra persona.

-여 주다 : 남을 위해 앞의 말이 나타내는 행동을 함을 나타내는 표현.
No hay expresión equivalente
Expresión que indica la realización de una acción que indica el comentario anterior para el bien del otro.

-어 : (두루낮춤으로) 어떤 사실을 서술하거나 물음, 명령, 권유를 나타내는 종결 어미.
No hay expresión equivalente
(TRATAMIENTO DE MODESTIA GENERAL) Desinencia de terminación que se usa cuando se describe cierto hecho; o pregunta, ordena o reclama algo. **<orden>**

너 (pronombre) : 듣는 사람이 친구나 아랫사람일 때, 그 사람을 가리키는 말.
tú, vos
Pronombre que designa al oyente cuando éste es de la misma edad o menor que el hablante.

의 : 앞의 말이 뒤의 말에 대하여 소유, 소속, 소재, 관계, 기원, 주체의 관계를 가짐을 나타내는 조사.
No hay expresión equivalente
Posposición que se usa para indicar que la palabra anterior tiene una relación de posesión, pertenencia, integración, conexión, procedencia, sujeto con la posterior.

사랑 (sustantivo) : 아끼고 소중히 여겨 정성을 다해 위하는 마음.
amor
Sentimiento de afecto con devoción por considerarlo valioso y precioso.

을 : 동작이 직접적으로 영향을 미치는 대상을 나타내는 조사.
No hay expresión equivalente
Posposición que se usa para indicar el objeto que ha sido influido directamente por una acción.

아 야 어 여 오 요 우 유 으 이

가 나 다 라 마 바 사 아 자 차 카 타 파 하

모음 스물하나+에 자음 열아홉+을 더하+여

더해

모음 (sustantivo) : 사람이 목청을 울려 내는 소리로, 공기의 흐름이 방해를 받지 않고 나는 소리.
\
vocal
Sonido que emite el hombre a través de la vibración de la laringe, que suena sin interrumpirse por el paso del aire.

스물하나 : 21

에 : 앞말에 무엇이 더해짐을 나타내는 조사.
No hay expresión equivalente
Posposición que se usa cuando se añade algo en la palabra anterior.

자음 (sustantivo) : 목, 입, 혀 등의 발음 기관에 의해 장애를 받으며 나는 소리.
consonante
Sonido que se pronuncia con la obstaculización de los órganos articulatorios tales como garganta, boca, lengua, etc.

열아홉 : 19

을 : 동작 대상의 수량이나 동작의 순서를 나타내는 조사.
No hay expresión equivalente
Posposición que indica la cantidad o el orden en que se realiza una acción

더하다 (verbo) : 보태어 늘리거나 많게 하다.
sumar
Aumentar una cosa o añadir algo a ella de modo que se agrande.

-여 : 앞의 말이 뒤의 말보다 먼저 일어났거나 뒤의 말에 대한 방법이나 수단이 됨을 나타내는 연결 어미.
No hay expresión equivalente
Desinencia conectora que se usa cuando la palabra anterior se realiza antes de que la posterior, o es un método o medio de la palabra posterior.

마흔 가지 소리+로 세상+을 느끼+[어 보]+아.
느껴 봐

마흔 (determinante) : 열의 네 배가 되는 수의.
cuarenta
Diez multiplicado por cuatro.

가지 (sustantivo) : 사물의 종류를 헤아리는 말.
tipo, clase, especie
Sustantivo dependiente que indica tipos de objetos.

소리 (sustantivo) : 물체가 진동하여 생긴 음파가 귀에 들리는 것.
sonido, resonancia
Sensación producida en el órgano del oído por el movimiento vibratorio de los cuerpos.

로 : 어떤 일의 수단이나 도구를 나타내는 조사.
No hay expresión equivalente
Posposición que indica el medio o el instrumento de cierta cosa.

세상 (sustantivo) : 지구 위 전체.
mundo
Todo sobre la tierra.

을 : 동작이 직접적으로 영향을 미치는 대상을 나타내는 조사.
No hay expresión equivalente
Posposición que se usa para indicar el objeto que ha sido influido directamente por una acción.

느끼다 (verbo) : 특정한 대상이나 상황을 어떻다고 생각하거나 인식하다.
sentir, percibir
Pensar o percibir el estado de cierto sujeto o cierta situación.

-어 보다 : 앞의 말이 나타내는 행동을 시험 삼아 함을 나타내는 표현.
No hay expresión equivalente
Expresión que indica la realización de la acción que indica el comentario anterior a modo de prueba.

-아 : (두루낮춤으로) 어떤 사실을 서술하거나 물음, 명령, 권유를 나타내는 종결 어미.
No hay expresión equivalente
(TRATAMIENTO DE MODESTIA GENERAL) Desinencia de terminación que se usa cuando se describe cierto hecho; o pregunta, ordena o reclama algo. <orden>

< 2 절(verso) >

하늘+과 땅+이 만나+(아) ㅗ, ㅜ
만나

하늘 (sustantivo) : 땅 위로 펼쳐진 무한히 넓은 공간.
cielo
Espacio infinitamente amplio que se extiende arriba de la tierra.

과 : 앞과 뒤의 명사를 같은 자격으로 이어 줄 때 쓰는 조사.
No hay expresión equivalente
Posposición que se usa para unir el sustantivo que antecede y otro que sucede, en calidad equivalente entre sí.

땅 (sustantivo) : 지구에서 물로 된 부분이 아닌 흙이나 돌로 된 부분.
tierra
Parte superficial del planeta compuesta por suelo o roca y que no está ocupada por el mar.

이 : 어떤 상태나 상황의 대상이나 동작의 주체를 나타내는 조사.
No hay expresión equivalente
Posposición que se usa para indicar el objeto de cierto estado o situación o el agente de un movimiento.

만나다 (verbo) : 선이나 길, 강 등이 서로 마주 닿거나 연결되다.
confluirse
Juntarse en un mismo punto o lugar varios caminos, líneas o corrientes.

-아 : 앞의 말이 뒤의 말보다 먼저 일어났거나 뒤의 말에 대한 방법이나 수단이 됨을 나타내는 연결 어미.
No hay expresión equivalente
Desinencia conectora que se usa cuando la palabra anterior se realiza antes de que la posterior, o es un método o medio de la palabra posterior.

ㅗ (sustantivo) : 한글 자모의 열아홉째 글자. 이름은 '오'이고 중성으로 쓴다.
No hay expresión equivalente
Decima novena letra del hangul. Su nombre es '오' y es una vocal que se usa como sonido intermedio de sílaba.

ㅜ (sustantivo) : 한글 자모의 스물한째 글자. 이름은 '우'이고 중성으로 쓴다.
No hay expresión equivalente
Vigésima primera letra del hangul. Su nombre es '우' y es una vocal que se usa como sonido intermedio de sílaba.

사람+과 만나+ㄴ다면 ㅏ, ㅓ

만난다면

사람 (sustantivo) : 생각할 수 있으며 언어와 도구를 만들어 사용하고 사회를 이루어 사는 존재.
persona, hombre, ser humano
Existencia que puede pensar, inventa el lenguaje y la herramienta que utiliza y vive formando una sociedad.

과 : 누군가를 상대로 하여 어떤 일을 할 때 그 상대임을 나타내는 조사.
No hay expresión equivalente
Posposición que indica que el referente es el objeto de una acción.

만나다 (verbo) : 선이나 길, 강 등이 서로 마주 닿거나 연결되다.
confluirse
Juntarse en un mismo punto o lugar varios caminos, líneas o corrientes.

-ㄴ다면 : 어떠한 사실이나 상황을 가정하는 뜻을 나타내는 연결 어미.
No hay expresión equivalente
Desinencia conectora que se usa cuando se supone cierto hecho o circunstancia.

ㅏ (sustantivo) : 한글 자모의 열다섯째 글자. 이름은 '아'이고 중성으로 쓴다.
No hay expresión equivalente
Décima quinta letra del hangul. Su nombre es '아' y es una vocal que se usa como sonido intermedio de sílaba.

ㅓ (sustantivo) : 한글 자모의 열일곱째 글자. 이름은 '어'이고 중성으로 쓴다.
No hay expresión equivalente
Decima séptima letra del hangul. Su nombre es '어' y es una vocal que se usa como sonido intermedio de sílaba.

<u>하루+(이)+면+은</u> <u>충분하+여</u>.
하루면은 충분해

하루 (sustantivo) : 밤 열두 시부터 다음 날 밤 열두 시까지의 스물네 시간.
día
Veinticuatro horas desde las doce de la noche hasta las doce de la noche del otro día.

이다 : 주어가 지시하는 대상의 속성이나 부류를 지정하는 뜻을 나타내는 서술격 조사.
No hay expresión equivalente
Posposición de caso atributivo, que se usa para designar el atributo o la clase del objeto al que se refiere el sujeto.

-면 : 뒤에 오는 말에 대한 근거나 조건이 됨을 나타내는 연결 어미.
No hay expresión equivalente
Desinencia conectora que se usa cuando es un fundamento o condición del contenido posterior.

은 : 강조의 뜻을 나타내는 조사.
No hay expresión equivalente
Posposición que indica énfasis.

충분하다 (adjetivo) : 모자라지 않고 넉넉하다.
suficiente, abundante
Que es suficiente y no falta.

-여 : (두루낮춤으로) 어떤 사실을 서술하거나 물음, 명령, 권유를 나타내는 종결 어미.
No hay expresión equivalente
(TRATAMIENTO DE MODESTIA GENERAL) Desinencia de terminación que se usa cuando se describe cierto hecho; o pregunta, ordena o reclama algo. **<narración>**

하늘, 땅, 사람+을 <u>본뜨+ㄴ</u> 아 어 오 우 야 여 요 유 으 이
본뜬

하늘 (sustantivo) : 땅 위로 펼쳐진 무한히 넓은 공간.
cielo
Espacio infinitamente amplio que se extiende arriba de la tierra.

땅 (sustantivo) : 지구에서 물로 된 부분이 아닌 흙이나 돌로 된 부분.
tierra
Parte superficial del planeta compuesta por suelo o roca y que no está ocupada por el mar.

사람 (sustantivo) : 생각할 수 있으며 언어와 도구를 만들어 사용하고 사회를 이루어 사는 존재.
persona, hombre, ser humano
Existencia que puede pensar, inventa el lenguaje y la herramienta que utiliza y vive formando una sociedad.

을 : 동작이 직접적으로 영향을 미치는 대상을 나타내는 조사.
No hay expresión equivalente
Posposición que se usa para indicar el objeto que ha sido influido directamente por una acción.

본뜨다 (verbo) : 이미 있는 것을 그대로 따라서 만들다.
moldear, imitar
Producir algo igual que lo existente.

-ㄴ : 앞의 말이 관형어의 기능을 하게 만들고 사건이나 동작이 완료되어 그 상태가 유지되고 있음을 나타내는 어미.
No hay expresión equivalente
Desinencia que hace que la palabra antecedente ejerza la función de una palabra determinante, e indica que un suceso o una acción se mantiene en el mismo estado que cuando concluyó en un momento del pasado.

아 (sustantivo) : 한글 자모의 열다섯째 글자. 이름은 '아'이고 중성으로 쓴다.
No hay expresión equivalente
Décima quinta letra del hangul. Su nombre es '아' y es una vocal que se usa como sonido intermedio de sílaba.

어 (sustantivo) : 한글 자모의 열일곱째 글자. 이름은 '어'이고 중성으로 쓴다.
No hay expresión equivalente
Decima séptima letra del hangul. Su nombre es '어' y es una vocal que se usa como sonido intermedio de sílaba.

오 (sustantivo) : 한글 자모의 열아홉째 글자. 이름은 '오'이고 중성으로 쓴다.
No hay expresión equivalente
Decima novena letra del hangul. Su nombre es '오' y es una vocal que se usa como sonido intermedio de sílaba.

우 (sustantivo) : 한글 자모의 스물한째 글자. 이름은 '우'이고 중성으로 쓴다.
No hay expresión equivalente
Vigésima primera letra del hangul. Su nombre es '우' y es una vocal que se usa como sonido intermedio de sílaba.

야 (sustantivo) : 한글 자모의 열여섯째 글자. 이름은 '야'이고 중성으로 쓴다.
No hay expresión equivalente
Decima sexta letra del hangul. Su nombre es '야' y es una vocal que se usa como sonido intermedio de sílaba.

여 (sustantivo) : 한글 자모의 열여덟째 글자. 이름은 '여'이고 중성으로 쓴다.
No hay expresión equivalente
Decima octava letra del hangul. Su nombre es '여' y es una vocal que se usa como sonido intermedio de sílaba.

요 (sustantivo) : 한글 자모의 스무째 글자. 이름은 '요'이고 중성으로 쓴다.
No hay expresión equivalente
Vigésima letra del hangul. Su nombre es '요' y se usa como sonido intermedio de sílaba.

유 (sustantivo) : 한글 자모의 스물두째 글자. 이름은 '유'이고 중성으로 쓴다.
No hay expresión equivalente
Vigésima segunda letra del hangul. Su nombre es '유' y es una vocal que se usa como sonido intermedio de sílaba.

으 (sustantivo) : 한글 자모의 스물셋째 글자. 이름은 '으'이고 중성으로 쓴다.
No hay expresión equivalente
Vigésima tercera letra del hangul. Su nombre es '으' y se usa como sonido intermedio de sílaba.

이 (sustantivo) : 한글 자모의 스물넷째 글자. 이름은 '이'이고 중성으로 쓴다.
No hay expresión equivalente
Vigésima cuarta letra del hangul. Su nombre es '이' y se usa como sonido intermedio de sílaba.

열 글자

열 (determinante) : 아홉에 하나를 더한 수의.
diez
Número que representa uno más nueve.

글자 (sustantivo) : 말을 적는 기호.
letra
Cada uno de los signos con los que se escriben las palabras.

세상+의 모든 소리+를 듣(들)+[어 보]+아.
들어 봐

세상 (sustantivo) : 지구 위 전체.
mundo
Todo sobre la tierra.

의 : 앞의 말이 뒤의 말에 대하여 소유, 소속, 소재, 관계, 기원, 주체의 관계를 가짐을 나타내는 조사.
No hay expresión equivalente
Posposición que se usa para indicar que la palabra anterior tiene una relación de posesión, pertenencia, integración, conexión, procedencia, sujeto con la posterior.

모든 (determinante) : 빠지거나 남는 것 없이 전부인.
todo
Que se comprende enteramente en el número de algo, sin que falte ni sobre.

소리 (sustantivo) : 물체가 진동하여 생긴 음파가 귀에 들리는 것.
sonido, resonancia
Sensación producida en el órgano del oído por el movimiento vibratorio de los cuerpos.

를 : 동작이 직접적으로 영향을 미치는 대상을 나타내는 조사.
No hay expresión equivalente
Posposición que indica el objeto que influye directamente en la acción.

듣다 (verbo) : 귀로 소리를 알아차리다.
oír
Percibir los sonidos a través del oído.

-어 보다 : 앞의 말이 나타내는 행동을 시험 삼아 함을 나타내는 표현.
No hay expresión equivalente
Expresión que indica la realización de la acción que indica el comentario anterior a modo de prueba.

-아 : (두루낮춤으로) 어떤 사실을 서술하거나 물음, 명령, 권유를 나타내는 종결 어미.
No hay expresión equivalente
(TRATAMIENTO DE MODESTIA GENERAL) Desinencia de terminación que se usa cuando se describe cierto hecho; o pregunta, ordena o reclama algo. **<orden>**

또 하+[고 싶]+은 말+을 다 외치+[어 보]+아.
외쳐 봐

또 (adverbio) : 그 밖에 더.
además
En adición a eso.

하다 (verbo) : 어떤 행동이나 동작, 활동 등을 행하다.
hacer, realizar
Llevar a cabo un acto o una acción.

-고 싶다 : 앞의 말이 나타내는 행동을 하기를 원함을 나타내는 표현.
No hay expresión equivalente
Expresión que se usa para mostrar el deseo de hacer un acto que representa el comentario anterior de la cláusula.

-은 : 앞의 말이 관형어의 기능을 하게 만들고 현재의 상태를 나타내는 어미.
No hay expresión equivalente
Desinencia que hace que la palabra antecedente ejerza la función de un componente determinante, e indica que el estado del presente.

말 (sustantivo) : 생각이나 느낌을 표현하고 전달하는 사람의 소리.
habla, palabra
Voz de una persona que expresa y transmite un pensamiento o un sentimiento.

을 : 동작이 직접적으로 영향을 미치는 대상을 나타내는 조사.
No hay expresión equivalente
Posposición que se usa para indicar el objeto que ha sido influido directamente por una acción.

다 (adverbio) : 남거나 빠진 것이 없이 모두.
todo
Enteramente, sin falta alguna.

외치다 (verbo) : 큰 소리를 지르다.
gritar
Gritar en voz alta.

-어 보다 : 앞의 말이 나타내는 행동을 시험 삼아 함을 나타내는 표현.
No hay expresión equivalente
Expresión que indica la realización de la acción que indica el comentario anterior a modo de prueba.

-아 : (두루낮춤으로) 어떤 사실을 서술하거나 물음, 명령, 권유를 나타내는 종결 어미.
No hay expresión equivalente
(TRATAMIENTO DE MODESTIA GENERAL) Desinencia de terminación que se usa cuando se describe cierto hecho; o pregunta, ordena o reclama algo. **<orden>**

<u>신비롭(신비로우)+ㄴ</u> 사연, 감추+었던 비밀
신비로운

신비롭다 (adjetivo) : 보통의 생각으로는 이해할 수 없을 정도로 놀랍고 신기한 느낌이 있다.
misterioso, enigmático
Que se siente tan sorprendente y maravilloso que es difícil de comprender con criterios normales.

-ㄴ : 앞의 말이 관형어의 기능을 하게 만들고 현재의 상태를 나타내는 어미.
No hay expresión equivalente
Desinencia que hace que la palabra antecedente ejerza la función de una palabra determinante, e indica el estado del presente.

사연 (sustantivo) : 일어난 일의 앞뒤 사정과 까닭.
historia, situación
Circunstancia y causa de un suceso.

감추다 (verbo) : 어떤 사실이나 감정을 남이 모르도록 알리지 않고 비밀로 하다.
esconder
Guardar en secreto un suceso o emoción frente a los otros.

-었던 : 과거의 사건이나 상태를 다시 떠올리거나 그 사건이나 상태가 완료되지 않고 중단되었다는 의미를 나타내는 표현.
No hay expresión equivalente
Expresión que indica la suspensión de un caso o un estado sin concluir, o recuerda otra vez a aquellos hechos del pasado.

비밀 (sustantivo) : 숨기고 있어 남이 모르는 일.
secreto
Hecho que la otra persona no sabe al ocultarlo.

진실+을 <u>전하+[여 주]+어</u>.
전해 줘

진실 (sustantivo) : 순수하고 거짓이 없는 마음.
sinceridad
Sentimiento verdadero sin mentiras.

을 : 동작이 직접적으로 영향을 미치는 대상을 나타내는 조사.
No hay expresión equivalente
Posposición que se usa para indicar el objeto que ha sido influido directamente por una acción.

전하다 (verbo) : 어떤 소식, 생각 등을 상대에게 알리다.
avisar, comunicar, notificar
Informar de cierta noticia, idea, etc. a otra persona.

-여 주다 : 남을 위해 앞의 말이 나타내는 행동을 함을 나타내는 표현.
No hay expresión equivalente
Expresión que indica la realización de una acción que indica el comentario anterior para el bien del otro.

-어 : (두루낮춤으로) 어떤 사실을 서술하거나 물음, 명령, 권유를 나타내는 종결 어미.
No hay expresión equivalente
(TRATAMIENTO DE MODESTIA GENERAL) Desinencia de terminación que se usa cuando se describe cierto hecho; o pregunta, ordena o reclama algo. **<orden>**

< 후렴(estribillo) >

아 야 어 여 오 요 우 유 으 이

가 나 다 라 마 바 사 아 자 차 카 타 파 하

이제+부터 들리+[어 주]+어 너+의 마음+을.
들려 줘

이제 (sustantivo) : 말하고 있는 바로 이때.
ahora
Justamente este momento en que se está hablando.

부터 : 어떤 일의 시작이나 처음을 나타내는 조사.
No hay expresión equivalente
Posposición que indica el inicio o la partida de cierta cosa.

들리다 (verbo) : 듣게 하다.
narrar
Contar cualquier cosa al alguien con el propósito de que la escuche.

-어 주다 : 남을 위해 앞의 말이 나타내는 행동을 함을 나타내는 표현.
No hay expresión equivalente
Expresión que indica la realización de una acción que indica el comentario anterior para el bien del otro.

-어 : (두루낮춤으로) 어떤 사실을 서술하거나 물음, 명령, 권유를 나타내는 종결 어미.
No hay expresión equivalente
(TRATAMIENTO DE MODESTIA GENERAL) Desinencia de terminación que se usa cuando se describe cierto hecho; o pregunta, ordena o reclama algo. **<orden>**

너 (pronombre) : 듣는 사람이 친구나 아랫사람일 때, 그 사람을 가리키는 말.
tú, vos
Pronombre que designa al oyente cuando éste es de la misma edad o menor que el hablante.

의 : 앞의 말이 뒤의 말에 대하여 소유, 소속, 소재, 관계, 기원, 주체의 관계를 가짐을 나타내는 조사.
No hay expresión equivalente
Posposición que se usa para indicar que la palabra anterior tiene una relación de posesión, pertenencia, integración, conexión, procedencia, sujeto con la posterior.

마음 (sustantivo) : 기분이나 느낌.
No hay expresión equivalente
Emoción o sentimiento.

을 : 동작이 직접적으로 영향을 미치는 대상을 나타내는 조사.
No hay expresión equivalente
Posposición que se usa para indicar el objeto que ha sido influido directamente por una acción.

지금+부터 전하+[여 주]+어 너+의 사랑+을.
전해 줘

지금 (sustantivo) : 말을 하고 있는 바로 이때.
ahora
En este preciso momento en que se está hablando.

부터 : 어떤 일의 시작이나 처음을 나타내는 조사.
No hay expresión equivalente
Posposición que indica el inicio o la partida de cierta cosa.

전하다 (verbo) : 어떤 소식, 생각 등을 상대에게 알리다.
avisar, comunicar, notificar
Informar de cierta noticia, idea, etc. a otra persona.

-여 주다 : 남을 위해 앞의 말이 나타내는 행동을 함을 나타내는 표현.
No hay expresión equivalente
Expresión que indica la realización de una acción que indica el comentario anterior para el bien del otro.

-어 : (두루낮춤으로) 어떤 사실을 서술하거나 물음, 명령, 권유를 나타내는 종결 어미.
No hay expresión equivalente
(TRATAMIENTO DE MODESTIA GENERAL) Desinencia de terminación que se usa cuando se describe cierto hecho; o pregunta, ordena o reclama algo. **<orden>**

너 (pronombre) : 듣는 사람이 친구나 아랫사람일 때, 그 사람을 가리키는 말.
tú, vos
Pronombre que designa al oyente cuando éste es de la misma edad o menor que el hablante.

의 : 앞의 말이 뒤의 말에 대하여 소유, 소속, 소재, 관계, 기원, 주체의 관계를 가짐을 나타내는 조사.
No hay expresión equivalente
Posposición que se usa para indicar que la palabra anterior tiene una relación de posesión, pertenencia, integración, conexión, procedencia, sujeto con la posterior.

사랑 (sustantivo) : 아끼고 소중히 여겨 정성을 다해 위하는 마음.
amor
Sentimiento de afecto con devoción por considerarlo valioso y precioso.

을 : 동작이 직접적으로 영향을 미치는 대상을 나타내는 조사.
No hay expresión equivalente
Posposición que se usa para indicar el objeto que ha sido influido directamente por una acción.

아 야 어 여 오 요 우 유 으 이

가 나 다 라 마 바 사 아 자 차 카 타 파 하

모음 스물하나+에 자음 열아홉+을 더하+여
더해

모음 (sustantivo) : 사람이 목청을 울려 내는 소리로, 공기의 흐름이 방해를 받지 않고 나는 소리.
vocal
Sonido que emite el hombre a través de la vibración de la laringe, que suena sin interrumpirse por el paso del aire.

스물하나 : 21

에 : 앞말에 무엇이 더해짐을 나타내는 조사.
No hay expresión equivalente
Posposición que se usa cuando se añade algo en la palabra anterior.

자음 (sustantivo) : 목, 입, 혀 등의 발음 기관에 의해 장애를 받으며 나는 소리.
consonante
Sonido que se pronuncia con la obstaculización de los órganos articulatorios tales como garganta, boca, lengua, etc.

열아홉 : 19

을 : 동작 대상의 수량이나 동작의 순서를 나타내는 조사.
No hay expresión equivalente
Posposición que indica la cantidad o el orden en que se realiza una acción

더하다 (verbo) : 보태어 늘리거나 많게 하다.
sumar
Aumentar una cosa o añadir algo a ella de modo que se agrande.

-여 : 앞의 말이 뒤의 말보다 먼저 일어났거나 뒤의 말에 대한 방법이나 수단이 됨을 나타내는 연결 어미.
No hay expresión equivalente
Desinencia conectora que se usa cuando la palabra anterior se realiza antes de que la posterior, o es un método o medio de la palabra posterior.

마흔 가지 소리+로 세상+을 느끼+[어 보]+아.
느껴 봐

마흔 (determinante) : 열의 네 배가 되는 수의.
cuarenta
Diez multiplicado por cuatro.

가지 (sustantivo) : 사물의 종류를 헤아리는 말.
tipo, clase, especie
Sustantivo dependiente que indica tipos de objetos.

소리 (sustantivo) : 물체가 진동하여 생긴 음파가 귀에 들리는 것.
sonido, resonancia
Sensación producida en el órgano del oído por el movimiento vibratorio de los cuerpos.

로 : 어떤 일의 수단이나 도구를 나타내는 조사.
No hay expresión equivalente
Posposición que indica el medio o el instrumento de cierta cosa.

세상 (sustantivo) : 지구 위 전체.
mundo
Todo sobre la tierra.

을 : 동작이 직접적으로 영향을 미치는 대상을 나타내는 조사.
No hay expresión equivalente
Posposición que se usa para indicar el objeto que ha sido influido directamente por una acción.

느끼다 (verbo) : 특정한 대상이나 상황을 어떻다고 생각하거나 인식하다.
sentir, percibir
Pensar o percibir el estado de cierto sujeto o cierta situación.

-어 보다 : 앞의 말이 나타내는 행동을 시험 삼아 함을 나타내는 표현.
No hay expresión equivalente
Expresión que indica la realización de la acción que indica el comentario anterior a modo de prueba.

-아 : (두루낮춤으로) 어떤 사실을 서술하거나 물음, 명령, 권유를 나타내는 종결 어미.
No hay expresión equivalente
(TRATAMIENTO DE MODESTIA GENERAL) Desinencia de terminación que se usa cuando se describe cierto hecho; o pregunta, ordena o reclama algo. **<orden>**

< 후렴(estribillo) >

들리+[어 주]+어요.
들려 줘요

들리다 (verbo) : 듣게 하다.
narrar
Contar cualquier cosa al alguien con el propósito de que la escuche.

-어 주다 : 남을 위해 앞의 말이 나타내는 행동을 함을 나타내는 표현.
No hay expresión equivalente
Expresión que indica la realización de una acción que indica el comentario anterior para el bien del otro.

-어요 : (두루높임으로) 어떤 사실을 서술하거나 질문, 명령, 권유함을 나타내는 종결 어미.
No hay expresión equivalente
(TRATAMIENTO HONORÍFICO GENERAL) Desinencia de terminación que se usa cuando se describe cierto hecho; o pregunta, ordena o reclama algo. **<orden>**

이 소리 들리+나요?

이 (determinante) : 말하는 사람에게 가까이 있거나 말하는 사람이 생각하고 있는 대상을 가리키는 말.
este
Palabra que se utiliza para designar al sujeto sobre el que se está pensando o se encuentra cerca de la persona que está hablando.

소리 (sustantivo) : 물체가 진동하여 생긴 음파가 귀에 들리는 것.
sonido, resonancia
Sensación producida en el órgano del oído por el movimiento vibratorio de los cuerpos.

들리다 (verbo) : 소리가 귀를 통해 알아차려지다.
oírse
Percibirse los sonidos a través del oído.

-나요 : (두루높임으로) 앞의 내용에 대해 상대방에게 물어볼 때 쓰는 표현.
No hay expresión equivalente
(TRATAMIENTO HONORÍFICO GENERAL) Expresión que se usa para hacer preguntas al adversario sobre el comentario anterior.

달콤하+게, 부드럽+게 우리 모두 말하+[여 보]+아요.
말해 봐요

달콤하다 (adjetivo) : 느낌이 좋고 기분이 좋다.
acogedor
Agradable y placentero.

-게 : 앞의 말이 뒤에서 가리키는 일의 목적이나 결과, 방식, 정도 등이 됨을 나타내는 연결 어미.
No hay expresión equivalente
Desinencia conectora que se usa cuando la palabra anterior es el objetivo, resultado, método, grado, etc. que indica al posterior. **<método>**

부드럽다 (adjetivo) : 성격이나 마음씨, 태도 등이 다정하고 따뜻하다.
simpático, acogedor, tierno, dulce
Que tiene carácter, corazón, actitud, etc. cariñoso y afectuoso.

-게 : 앞의 말이 뒤에서 가리키는 일의 목적이나 결과, 방식, 정도 등이 됨을 나타내는 연결 어미.
No hay expresión equivalente
Desinencia conectora que se usa cuando la palabra anterior es el objetivo, resultado, método, grado, etc. que indica al posterior. **<método>**

우리 (pronombre) : 말하는 사람이 자기와 듣는 사람 또는 이를 포함한 여러 사람들을 가리키는 말.
nosotros
Palabra que el hablante usa para referirse a sí mismo y al oyente u otras personas.

모두 (adverbio) : 빠짐없이 다.
todo, todos, totalmente, enteramente, completamente
Todos, sin excepción.

말하다 (verbo) : 어떤 사실이나 자신의 생각 또는 느낌을 말로 나타내다.
decir
Expresar oralmente un pensamiento, un hecho, una sensación, etc.

-여 보다 : 앞의 말이 나타내는 행동을 시험 삼아 함을 나타내는 표현.
No hay expresión equivalente
Expresión que indica la realización de la acción que indica el comentario anterior a modo de prueba.

-아요 : (두루높임으로) 어떤 사실을 서술하거나 질문, 명령, 권유함을 나타내는 종결 어미.
No hay expresión equivalente
(TRATAMIENTO HONORÍFICO GENERAL) Desinencia de terminación que se usa cuando se describe cierto hecho; o pregunta, ordena o reclama algo. **<orden>**

아 야 어 여 오 요 우 유 으 이

가 나 다 라 마 바 사 아 자 차 카 타 파 하

이제+부터 <u>들리+[어 주]+어</u> 너+의 마음+을.
들려 줘

이제 (sustantivo) : 말하고 있는 바로 이때.
ahora
Justamente este momento en que se está hablando.

부터 : 어떤 일의 시작이나 처음을 나타내는 조사.
No hay expresión equivalente
Posposición que indica el inicio o la partida de cierta cosa.

들리다 (verbo) : 듣게 하다.
narrar
Contar cualquier cosa al alguien con el propósito de que la escuche.

-어 주다 : 남을 위해 앞의 말이 나타내는 행동을 함을 나타내는 표현.
No hay expresión equivalente
Expresión que indica la realización de una acción que indica el comentario anterior para el bien del otro.

-어 : (두루낮춤으로) 어떤 사실을 서술하거나 물음, 명령, 권유를 나타내는 종결 어미.
No hay expresión equivalente
(TRATAMIENTO DE MODESTIA GENERAL) Desinencia de terminación que se usa cuando se describe cierto hecho; o pregunta, ordena o reclama algo. **<orden>**

너 (pronombre) : 듣는 사람이 친구나 아랫사람일 때, 그 사람을 가리키는 말.
tú, vos
Pronombre que designa al oyente cuando éste es de la misma edad o menor que el hablante.

의 : 앞의 말이 뒤의 말에 대하여 소유, 소속, 소재, 관계, 기원, 주체의 관계를 가짐을 나타내는 조사.
No hay expresión equivalente
Posposición que se usa para indicar que la palabra anterior tiene una relación de posesión, pertenencia, integración, conexión, procedencia, sujeto con la posterior.

마음 (sustantivo) : 기분이나 느낌.
No hay expresión equivalente
Emoción o sentimiento.

을 : 동작이 직접적으로 영향을 미치는 대상을 나타내는 조사.
No hay expresión equivalente
Posposición que se usa para indicar el objeto que ha sido influido directamente por una acción.

지금+부터 전하+[여 주]+어 너+의 사랑+을.
전해 줘

지금 (sustantivo) : 말을 하고 있는 바로 이때.
ahora
En este preciso momento en que se está hablando.

부터 : 어떤 일의 시작이나 처음을 나타내는 조사.
No hay expresión equivalente
Posposición que indica el inicio o la partida de cierta cosa.

전하다 (verbo) : 어떤 소식, 생각 등을 상대에게 알리다.
avisar, comunicar, notificar
Informar de cierta noticia, idea, etc. a otra persona.

-여 주다 : 남을 위해 앞의 말이 나타내는 행동을 함을 나타내는 표현.
No hay expresión equivalente
Expresión que indica la realización de una acción que indica el comentario anterior para el bien del otro.

-어 : (두루낮춤으로) 어떤 사실을 서술하거나 물음, 명령, 권유를 나타내는 종결 어미.
No hay expresión equivalente
(TRATAMIENTO DE MODESTIA GENERAL) Desinencia de terminación que se usa cuando se describe cierto hecho; o pregunta, ordena o reclama algo. **<orden>**

너 (pronombre) : 듣는 사람이 친구나 아랫사람일 때, 그 사람을 가리키는 말.
tú, vos
Pronombre que designa al oyente cuando éste es de la misma edad o menor que el hablante.

의 : 앞의 말이 뒤의 말에 대하여 소유, 소속, 소재, 관계, 기원, 주체의 관계를 가짐을 나타내는 조사.
No hay expresión equivalente
Posposición que se usa para indicar que la palabra anterior tiene una relación de posesión, pertenencia, integración, conexión, procedencia, sujeto con la posterior.

사랑 (sustantivo) : 아끼고 소중히 여겨 정성을 다해 위하는 마음.
amor
Sentimiento de afecto con devoción por considerarlo valioso y precioso.

을 : 동작이 직접적으로 영향을 미치는 대상을 나타내는 조사.
No hay expresión equivalente
Posposición que se usa para indicar el objeto que ha sido influido directamente por una acción.

아 야 어 여 오 요 우 유 으 이

가 나 다 라 마 바 사 아 자 차 카 타 파 하

모음 스물하나+에 자음 열아홉+을 더하+여

더해

모음 (sustantivo) : 사람이 목청을 울려 내는 소리로, 공기의 흐름이 방해를 받지 않고 나는 소리.
vocal
Sonido que emite el hombre a través de la vibración de la laringe, que suena sin interrumpirse por el paso del aire.

스물하나 : 21

에 : 앞말에 무엇이 더해짐을 나타내는 조사.
No hay expresión equivalente
Posposición que se usa cuando se añade algo en la palabra anterior.

자음 (sustantivo) : 목, 입, 혀 등의 발음 기관에 의해 장애를 받으며 나는 소리.
consonante
Sonido que se pronuncia con la obstaculización de los órganos articulatorios tales como garganta, boca, lengua, etc.

열아홉 : 19

을 : 동작 대상의 수량이나 동작의 순서를 나타내는 조사.
No hay expresión equivalente
Posposición que indica la cantidad o el orden en que se realiza una acción

더하다 (verbo) : 보태어 늘리거나 많게 하다.
sumar
Aumentar una cosa o añadir algo a ella de modo que se agrande.

-여 : 앞의 말이 뒤의 말보다 먼저 일어났거나 뒤의 말에 대한 방법이나 수단이 됨을 나타내는 연결 어미.
No hay expresión equivalente
Desinencia conectora que se usa cuando la palabra anterior se realiza antes de que la posterior, o es un método o medio de la palabra posterior.

마흔 가지 소리+로 세상+을 느끼+[어 보]+아.
느껴 봐

마흔 (determinante) : 열의 네 배가 되는 수의.
cuarenta
Diez multiplicado por cuatro.

가지 (sustantivo) : 사물의 종류를 헤아리는 말.
tipo, clase, especie
Sustantivo dependiente que indica tipos de objetos.

소리 (sustantivo) : 물체가 진동하여 생긴 음파가 귀에 들리는 것.
sonido, resonancia
Sensación producida en el órgano del oído por el movimiento vibratorio de los cuerpos.

로 : 어떤 일의 수단이나 도구를 나타내는 조사.
No hay expresión equivalente
Posposición que indica el medio o el instrumento de cierta cosa.

세상 (sustantivo) : 지구 위 전체.
mundo
Todo sobre la tierra.

을 : 동작이 직접적으로 영향을 미치는 대상을 나타내는 조사.
No hay expresión equivalente
Posposición que se usa para indicar el objeto que ha sido influido directamente por una acción.

느끼다 (verbo) : 특정한 대상이나 상황을 어떻다고 생각하거나 인식하다.
sentir, percibir
Pensar o percibir el estado de cierto sujeto o cierta situación.

-어 보다 : 앞의 말이 나타내는 행동을 시험 삼아 함을 나타내는 표현.
No hay expresión equivalente
Expresión que indica la realización de la acción que indica el comentario anterior a modo de prueba.

-아 : (두루낮춤으로) 어떤 사실을 서술하거나 물음, 명령, 권유를 나타내는 종결 어미.
No hay expresión equivalente
(TRATAMIENTO DE MODESTIA GENERAL) Desinencia de terminación que se usa cuando se describe cierto hecho; o pregunta, ordena o reclama algo. **<orden>**

< 2 >

과일송

과일(fruta) 송(canción)

[발음(pronunciación)]

< 1 절(verso) >

맛있는 과일 과일 과일
마신는 과일 과일 과일
masinneun gwail gwail gwail

아삭아삭 과일 과일
아삭아삭 과일 과일
asagasak gwail gwail

먹고 싶어 과일 과일
먹꼬 시퍼 과일 과일
meokgo sipeo gwail gwail

빨간색 딸기 사과 앵두
빨간색 딸기 사과 앵두
ppalgansaek ttalgi sagwa aengdu

노란색 참외 레몬 망고
노란색 참외 레몬 망고
noransaek chamoe remon manggo

초록색 수박 매실 멜론
초록쌕 수박 매실 멜론
choroksaek subak maesil mellon

보라색 포도 자두 오디
보라색 포도 자두 오디
borasaek podo jadu odi

맛이 어때요?
마시 어때요?
masi eottaeyo?

달아요 달아요 달아요
다라요 다라요 다라요
darayo darayo darayo

맛이 어때요?
마시 어때요?
masi eottaeyo?

달콤해 달콤해 달콤해
달콤해 달콤해 달콤해
dalkomhae dalkomhae dalkomhae

어때요? 어때요?
어때요? 어때요?
eottaeyo? eottaeyo?

달아요 셔요 달콤해 새콤해
다라요 셔요 달콤해 새콤해
darayo syeoyo dalkomhae saekomhae

< 2 절(verso) >

맛있는 과일 과일 과일
마신는 과일 과일 과일
masinneun gwail gwail gwail

아삭아삭 과일 과일
아삭아삭 과일 과일
asagasak gwail gwail

먹고 싶어 과일 과일
먹꼬 시퍼 과일 과일
meokgo sipeo gwail gwail

빨간색 딸기 사과 앵두
빨간색 딸기 사과 앵두
ppalgansaek ttalgi sagwa aengdu

노란색 참외 레몬 망고
노란색 참외 레몬 망고
noransaek chamoe remon manggo

초록색 수박 매실 멜론
초록쌕 수박 매실 멜론
choroksaek subak maesil mellon

보라색 포도 자두 오디
보라색 포도 자두 오디
borasaek podo jadu odi

맛이 어때요?
마시 어때요?
masi eottaeyo?

셔요 셔요 셔요
셔요 셔요 셔요
syeoyo syeoyo syeoyo

맛이 어때요?
마시 어때요?
masi eottaeyo?

새콤해 새콤해 새콤해
새콤해 새콤해 새콤해
saekomhae saekomhae saekomhae

어때요? 어때요?
어때요? 어때요?
eottaeyo? eottaeyo?

달아요 셔요 달콤해 새콤해
다라요 셔요 달콤해 새콤해
darayo syeoyo dalkomhae saekomhae

맛있는 과일 과일 과일
마신는 과일 과일 과일
masinneun gwail gwail gwail

아삭아삭 과일 과일
아삭아삭 과일 과일
asagasak gwail gwail

먹고 싶어 과일 과일
먹꼬 시퍼 과일 과일
meokgo sipeo gwail gwail

맛있는 과일 과일 과일
마신는 과일 과일 과일
masinneun gwail gwail gwail

아삭아삭 과일 과일
아삭아삭 과일 과일
asagasak gwail gwail

먹고 싶어 과일 과일
먹꼬 시퍼 과일 과일
meokgo sipeo gwail gwail

먹고 싶어 과일 과일
먹꼬 시퍼 과일 과일
meokgo sipeo gwail gwail

< 1 절(verso) >

맛있+는 과일 과일 과일.

맛있다 (adjetivo) : 맛이 좋다.
sabroso, delicioso, rico, apetitoso
Que sabe bien.

-는 : 앞의 말이 관형어의 기능을 하게 만들고 사건이나 동작이 현재 일어남을 나타내는 어미.
No hay expresión equivalente
Desinencia que hace que la palabra antecedente ejerza la función de un componente determinante, e indica que un suceso o una acción se produce en el presente.

과일 (sustantivo) : 사과, 배, 포도, 밤 등과 같이 나뭇가지나 줄기에 열리는 먹을 수 있는 열매.
fruta
Fruto comestible que crece en las ramas de los árboles como la manzana, la pera, la uva, la castaña, etc..

아삭아삭 과일 과일.

아삭아삭 (adverbio) : 연하고 싱싱한 과일이나 채소를 베어 물 때 나는 소리.
con un crujido, crujiendo
Sonido que se hace al morder una fruta o verdura tierna y fresca.

과일 (sustantivo) : 사과, 배, 포도, 밤 등과 같이 나뭇가지나 줄기에 열리는 먹을 수 있는 열매.
fruta
Fruto comestible que crece en las ramas de los árboles como la manzana, la pera, la uva, la castaña, etc..

먹+[고 싶]+어, 과일 과일.

먹다 (verbo) : 음식 등을 입을 통하여 배 속에 들여보내다.
comer
Introducir por boca alimentos, etc. en el estómago.

-고 싶다 : 앞의 말이 나타내는 행동을 하기를 원함을 나타내는 표현.
No hay expresión equivalente
Expresión que se usa para mostrar el deseo de hacer un acto que representa el comentario anterior de la cláusula.

-어 : (두루낮춤으로) 어떤 사실을 서술하거나 물음, 명령, 권유를 나타내는 종결 어미.
No hay expresión equivalente
(TRATAMIENTO DE MODESTIA GENERAL) Desinencia de terminación que se usa cuando se describe cierto hecho; o pregunta, ordena o reclama algo. **<narración>**

과일 (sustantivo) : 사과, 배, 포도, 밤 등과 같이 나뭇가지나 줄기에 열리는 먹을 수 있는 열매.
fruta
Fruto comestible que crece en las ramas de los árboles como la manzana, la pera, la uva, la castaña, etc..

빨간색 딸기 사과 앵두.

빨간색 (sustantivo) : 흐르는 피나 잘 익은 사과, 고추처럼 붉은 색.
colorado, rojo, rojizo
Color rojizo como la sangre, una manzana bien madura o un ají.

딸기 (sustantivo) : 줄기가 땅 위로 뻗으며, 겉에 씨가 박혀 있는 빨간 열매가 열리는 여러해살이풀. 또는 그 열매.
fresa, frutilla
Planta perenne con tallos extendidos sobre la tierra; fruto rojo con semillas en su exterior. O el fruto de esta planta.

사과 (sustantivo) : 모양이 둥글고 붉으며 새콤하고 단맛이 나는 과일.
manzana
Fruta de forma redonda y color rojizo que tiene un sabor agridulce.

앵두 (sustantivo) : 모양이 작고 둥글며 달콤하면서 신맛을 지닌 붉은색 과일.
cereza
Fruta de color rojo con forma pequeña y circular, y sabor agridulce.

노란색 참외 레몬 망고.

노란색 (sustantivo) : 병아리나 바나나와 같은 색.
amarillo
Color idéntico al de un polluelo o un banano maduro.

참외 (sustantivo) : 색이 노랗고 단맛이 나며 주로 여름에 먹는 열매.
melón oriental
Fruto de color amarillo y sabor dulce que se come generalmente en verano.

레몬 (sustantivo) : 신맛이 강하고 새콤한 향기가 나는 타원형의 노란색 열매.
limón
Fruta de color amarillo, de forma ovoide, sabor muy ácido y olor agridulce.

망고 (sustantivo) : 타원형에 과육이 노랗고 부드러우며 단맛이 나는 열대 과일.
mango
Fruta tropical, con forma ovoide y carne de color amarillo suave y dulce.

초록색 수박 매실 멜론.

초록색 (sustantivo) : 파랑과 노랑의 중간인, 짙은 풀과 같은 색.
verde
Color de la hierba fresca, entre medio de azul y amarillo.

수박 (sustantivo) : 둥글고 크며 초록 빛깔에 검푸른 줄무늬가 있으며 속이 붉고 수분이 많은 과일.
sandía
Fruta grande y redonda de color verdoso con rayas negras cuyo interior es rojizo y que tiene mucho jugo.

매실 (sustantivo) : 달고 신맛이 나며 술이나 음료 등을 만들어 먹는 초록색의 둥근 열매.
albaricoque
Fruto del albaricoquero, de forma ovalada y color verde con sabor dulce y ácido que es utilizado para preparar bebida o licor.

멜론 (sustantivo) : 동그랗고 보통 녹색이며 겉에 그물 모양의 무늬가 있는, 향기가 좋고 단맛이 나는 과일.
melón
Fruta redonda, de color generalmente verde, con cáscara en forma de malla y carne olorosa y dulce.

보라색 포도 자두 오디.

보라색 (sustantivo) : 파랑과 빨강을 섞은 색.
color violeta
Color resultante de la mezcla entre azul y rojo.

포도 (sustantivo) : 달면서도 약간 신맛이 나는 작은 열매가 뭉쳐서 송이를 이루는 보라색 과일.
uva, vid
Fruta de color púrpura, consistente en un racimo de pequeños frutos de sabor dulce y un poco agrio.

자두 (sustantivo) : 살구보다 조금 크고 새콤하고 달콤한 맛이 나는 붉은색 과일.
ciruela
Fruta de color rojo y de sabor agridulce. Es ligeramente más grande que el damasco.

오디 (sustantivo) : 뽕나무의 열매.
mora
Fruto de la morera.

맛+이 어떻+어요?
어때요

맛 (sustantivo) : 음식 등을 혀에 댈 때 느껴지는 감각.
sabor, gusto
Sensación que se siente al tocar la comida con la lengua.

이 : 어떤 상태나 상황의 대상이나 동작의 주체를 나타내는 조사.
No hay expresión equivalente
Posposición que se usa para indicar el objeto de cierto estado o situación o el agente de un movimiento.

어떻다 (adjetivo) : 생각, 느낌, 상태, 형편 등이 어찌 되어 있다.
cómo, qué tal
Estar de tal forma pensamientos, sentimientos, estados, situaciones, etc.

-어요 : (두루높임으로) 어떤 사실을 서술하거나 질문, 명령, 권유함을 나타내는 종결 어미.
No hay expresión equivalente
(TRATAMIENTO HONORÍFICO GENERAL) Desinencia de terminación que se usa cuando se describe cierto hecho; o pregunta, ordena o reclama algo. **<pregunta>**

달+아요. 달+아요. 달+아요.

달다 (adjetivo) : 꿀이나 설탕의 맛과 같다.
dulce, azucarado
Que sabe a miel o azúcar.

-아요 : (두루높임으로) 어떤 사실을 서술하거나 질문, 명령, 권유함을 나타내는 종결 어미.
No hay expresión equivalente
(TRATAMIENTO HONORÍFICO GENERAL) Desinencia de terminación que se usa cuando se describe cierto hecho; o pregunta, ordena o reclama algo. **<narración>**

맛+이 어떻+어요?
어때요

맛 (sustantivo) : 음식 등을 혀에 댈 때 느껴지는 감각.
sabor, gusto
Sensación que se siente al tocar la comida con la lengua.

이 : 어떤 상태나 상황의 대상이나 동작의 주체를 나타내는 조사.
No hay expresión equivalente
Posposición que se usa para indicar el objeto de cierto estado o situación o el agente de un movimiento.

어떻다 (adjetivo) : 생각, 느낌, 상태, 형편 등이 어찌 되어 있다.
cómo, qué tal
Estar de tal forma pensamientos, sentimientos, estados, situaciones, etc.

-어요 : (두루높임으로) 어떤 사실을 서술하거나 질문, 명령, 권유함을 나타내는 종결 어미.
No hay expresión equivalente
(TRATAMIENTO HONORÍFICO GENERAL) Desinencia de terminación que se usa cuando se describe cierto hecho; o pregunta, ordena o reclama algo. **<pregunta>**

달콤하+여. 달콤하+여. 달콤하+여.
달콤해 달콤해 달콤해

달콤하다 (adjetivo) : 맛이나 냄새가 기분 좋게 달다.
dulce
Dícese del sabor u olor, agradablemente dulce.

-여 : (두루낮춤으로) 어떤 사실을 서술하거나 물음, 명령, 권유를 나타내는 종결 어미.
No hay expresión equivalente
(TRATAMIENTO DE MODESTIA GENERAL) Desinencia de terminación que se usa cuando se describe cierto hecho; o pregunta, ordena o reclama algo. **<narración>**

어떻+어요? 어떻+어요?
어때요 어때요

어떻다 (adjetivo) : 생각, 느낌, 상태, 형편 등이 어찌 되어 있다.
cómo, qué tal
Estar de tal forma pensamientos, sentimientos, estados, situaciones, etc.

-어요 : (두루높임으로) 어떤 사실을 서술하거나 질문, 명령, 권유함을 나타내는 종결 어미.
No hay expresión equivalente
(TRATAMIENTO HONORÍFICO GENERAL) Desinencia de terminación que se usa cuando se describe cierto hecho; o pregunta, ordena o reclama algo. **<pregunta>**

달+아요. 시+어요. 달콤하+여. 새콤하+여.
셔요 달콤해 새콤해

달다 (adjetivo) : 꿀이나 설탕의 맛과 같다.
dulce, azucarado
Que sabe a miel o azúcar.

-아요 : (두루높임으로) 어떤 사실을 서술하거나 질문, 명령, 권유함을 나타내는 종결 어미.
No hay expresión equivalente
(TRATAMIENTO HONORÍFICO GENERAL) Desinencia de terminación que se usa cuando se describe cierto hecho; o pregunta, ordena o reclama algo. **<narración>**

시다 (adjetivo) : 맛이 식초와 같다.
ácido, acedo, acidulado, agrio, avinagrado
Que sabe a vinagre.

-어요 : (두루높임으로) 어떤 사실을 서술하거나 질문, 명령, 권유함을 나타내는 종결 어미.
No hay expresión equivalente
(TRATAMIENTO HONORÍFICO GENERAL) Desinencia de terminación que se usa cuando se describe cierto hecho; o pregunta, ordena o reclama algo. **<narración>**

달콤하다 (adjetivo) : 맛이나 냄새가 기분 좋게 달다.
dulce
Dícese del sabor u olor, agradablemente dulce.

-여 : (두루낮춤으로) 어떤 사실을 서술하거나 물음, 명령, 권유를 나타내는 종결 어미.
No hay expresión equivalente
(TRATAMIENTO DE MODESTIA GENERAL) Desinencia de terminación que se usa cuando se describe cierto hecho; o pregunta, ordena o reclama algo. **<narración>**

새콤하다 (adjetivo) : 맛이 조금 시면서 상큼하다.
agridulce
Dícese de sabor que tiene mezcla de agrio y de dulce, o sea de fresco.

-여 : (두루낮춤으로) 어떤 사실을 서술하거나 물음, 명령, 권유를 나타내는 종결 어미.
No hay expresión equivalente
(TRATAMIENTO DE MODESTIA GENERAL) Desinencia de terminación que se usa cuando se describe cierto hecho; o pregunta, ordena o reclama algo. **<narración>**

< 2 절(verso) >

맛있+는 과일 과일 과일.

맛있다 (adjetivo) : 맛이 좋다.
sabroso, delicioso, rico, apetitoso
Que sabe bien.

-는 : 앞의 말이 관형어의 기능을 하게 만들고 사건이나 동작이 현재 일어남을 나타내는 어미.
No hay expresión equivalente
Desinencia que hace que la palabra antecedente ejerza la función de un componente determinante, e indica que un suceso o una acción se produce en el presente.

과일 (sustantivo) : 사과, 배, 포도, 밤 등과 같이 나뭇가지나 줄기에 열리는 먹을 수 있는 열매.
fruta
Fruto comestible que crece en las ramas de los árboles como la manzana, la pera, la uva, la castaña, etc..

아삭아삭 과일 과일.

아삭아삭 (adverbio) : 연하고 싱싱한 과일이나 채소를 베어 물 때 나는 소리.
con un crujido, crujiendo
Sonido que se hace al morder una fruta o verdura tierna y fresca.

과일 (sustantivo) : 사과, 배, 포도, 밤 등과 같이 나뭇가지나 줄기에 열리는 먹을 수 있는 열매.
fruta
Fruto comestible que crece en las ramas de los árboles como la manzana, la pera, la uva, la castaña, etc..

먹+[고 싶]+어, 과일 과일.

먹다 (verbo) : 음식 등을 입을 통하여 배 속에 들여보내다.
comer
Introducir por boca alimentos, etc. en el estómago.

-고 싶다 : 앞의 말이 나타내는 행동을 하기를 원함을 나타내는 표현.
No hay expresión equivalente
Expresión que se usa para mostrar el deseo de hacer un acto que representa el comentario anterior de la cláusula.

-어 : (두루낮춤으로) 어떤 사실을 서술하거나 물음, 명령, 권유를 나타내는 종결 어미.
No hay expresión equivalente
(TRATAMIENTO DE MODESTIA GENERAL) Desinencia de terminación que se usa cuando se describe cierto hecho; o pregunta, ordena o reclama algo. **<narración>**

과일 (sustantivo) : 사과, 배, 포도, 밤 등과 같이 나뭇가지나 줄기에 열리는 먹을 수 있는 열매.
fruta
Fruto comestible que crece en las ramas de los árboles como la manzana, la pera, la uva, la castaña, etc..

빨간색 딸기 사과 앵두.

빨간색 (sustantivo) : 흐르는 피나 잘 익은 사과, 고추처럼 붉은 색.
colorado, rojo, rojizo
Color rojizo como la sangre, una manzana bien madura o un ají.

딸기 (sustantivo) : 줄기가 땅 위로 뻗으며, 겉에 씨가 박혀 있는 빨간 열매가 열리는 여러해살이풀. 또는 그 열매.
fresa, frutilla
Planta perenne con tallos extendidos sobre la tierra; fruto rojo con semillas en su exterior. O el fruto de esta planta.

사과 (sustantivo) : 모양이 둥글고 붉으며 새콤하고 단맛이 나는 과일.
manzana
Fruta de forma redonda y color rojizo que tiene un sabor agridulce.

앵두 (sustantivo) : 모양이 작고 둥글며 달콤하면서 신맛을 지닌 붉은색 과일.
cereza
Fruta de color rojo con forma pequeña y circular, y sabor agridulce.

노란색 참외 레몬 망고.

노란색 (sustantivo) : 병아리나 바나나와 같은 색.
amarillo
Color idéntico al de un polluelo o un banano maduro.

참외 (sustantivo) : 색이 노랗고 단맛이 나며 주로 여름에 먹는 열매.
melón oriental
Fruto de color amarillo y sabor dulce que se come generalmente en verano.

레몬 (sustantivo) : 신맛이 강하고 새콤한 향기가 나는 타원형의 노란색 열매.
limón
Fruta de color amarillo, de forma ovoide, sabor muy ácido y olor agridulce.

망고 (sustantivo) : 타원형에 과육이 노랗고 부드러우며 단맛이 나는 열대 과일.
mango
Fruta tropical, con forma ovoide y carne de color amarillo suave y dulce.

초록색 수박 매실 멜론.

초록색 (sustantivo) : 파랑과 노랑의 중간인, 짙은 풀과 같은 색.
verde
Color de la hierba fresca, entre medio de azul y amarillo.

수박 (sustantivo) : 둥글고 크며 초록 빛깔에 검푸른 줄무늬가 있으며 속이 붉고 수분이 많은 과일.
sandía
Fruta grande y redonda de color verdoso con rayas negras cuyo interior es rojizo y que tiene mucho jugo.

매실 (sustantivo) : 달고 신맛이 나며 술이나 음료 등을 만들어 먹는 초록색의 둥근 열매.
albaricoque
Fruto del albaricoquero, de forma ovalada y color verde con sabor dulce y ácido que es utilizado para preparar bebida o licor.

멜론 (sustantivo) : 동그랗고 보통 녹색이며 겉에 그물 모양의 무늬가 있는, 향기가 좋고 단맛이 나는 과일.
melón
Fruta redonda, de color generalmente verde, con cáscara en forma de malla y carne olorosa y dulce.

보라색 포도 자두 오디.

보라색 (sustantivo) : 파랑과 빨강을 섞은 색.
color violeta
Color resultante de la mezcla entre azul y rojo.

포도 (sustantivo) : 달면서도 약간 신맛이 나는 작은 열매가 뭉쳐서 송이를 이루는 보라색 과일.
uva, vid
Fruta de color púrpura, consistente en un racimo de pequeños frutos de sabor dulce y un poco agrio.

자두 (sustantivo) : 살구보다 조금 크고 새콤하고 달콤한 맛이 나는 붉은색 과일.
ciruela
Fruta de color rojo y de sabor agridulce. Es ligeramente más grande que el damasco.

오디 (sustantivo) : 뽕나무의 열매.
mora
Fruto de la morera.

맛+이 어떻+어요?
어때요

맛 (sustantivo) : 음식 등을 혀에 댈 때 느껴지는 감각.
sabor, gusto
Sensación que se siente al tocar la comida con la lengua.

이 : 어떤 상태나 상황의 대상이나 동작의 주체를 나타내는 조사.
No hay expresión equivalente
Posposición que se usa para indicar el objeto de cierto estado o situación o el agente de un movimiento.

어떻다 (adjetivo) : 생각, 느낌, 상태, 형편 등이 어찌 되어 있다.
cómo, qué tal
Estar de tal forma pensamientos, sentimientos, estados, situaciones, etc.

-어요 : (두루높임으로) 어떤 사실을 서술하거나 질문, 명령, 권유함을 나타내는 종결 어미.
No hay expresión equivalente
(TRATAMIENTO HONORÍFICO GENERAL) Desinencia de terminación que se usa cuando se describe cierto hecho; o pregunta, ordena o reclama algo. **<pregunta>**

시+어요. 시+어요. 시+어요.
셔요　셔요　셔요

시다 (adjetivo) : 맛이 식초와 같다.
ácido, acedo, acidulado, agrio, avinagrado
Que sabe a vinagre.

-어요 : (두루높임으로) 어떤 사실을 서술하거나 질문, 명령, 권유함을 나타내는 종결 어미.
No hay expresión equivalente
(TRATAMIENTO HONORÍFICO GENERAL) Desinencia de terminación que se usa cuando se describe cierto hecho; o pregunta, ordena o reclama algo. **<narración>**

맛+이 어떻+어요?
어때요

맛 (sustantivo) : 음식 등을 혀에 댈 때 느껴지는 감각.
sabor, gusto
Sensación que se siente al tocar la comida con la lengua.

이 : 어떤 상태나 상황의 대상이나 동작의 주체를 나타내는 조사.
No hay expresión equivalente
Posposición que se usa para indicar el objeto de cierto estado o situación o el agente de un movimiento.

어떻다 (adjetivo) : 생각, 느낌, 상태, 형편 등이 어찌 되어 있다.
cómo, qué tal
Estar de tal forma pensamientos, sentimientos, estados, situaciones, etc.

-어요 : (두루높임으로) 어떤 사실을 서술하거나 질문, 명령, 권유함을 나타내는 종결 어미.
No hay expresión equivalente
(TRATAMIENTO HONORÍFICO GENERAL) Desinencia de terminación que se usa cuando se describe cierto hecho; o pregunta, ordena o reclama algo. **<pregunta>**

새콤하+여. 새콤하+여. 새콤하+여.
새콤해　새콤해　새콤해

새콤하다 (adjetivo) : 맛이 조금 시면서 상큼하다.
agridulce
Dícese de sabor que tiene mezcla de agrio y de dulce, o sea de fresco.

-여 : (두루낮춤으로) 어떤 사실을 서술하거나 물음, 명령, 권유를 나타내는 종결 어미.
No hay expresión equivalente
(TRATAMIENTO DE MODESTIA GENERAL) Desinencia de terminación que se usa cuando se describe cierto hecho; o pregunta, ordena o reclama algo. **<narración>**

어떻+어요? 어떻+어요?
어때요 어때요

어떻다 (adjetivo) : 생각, 느낌, 상태, 형편 등이 어찌 되어 있다.
cómo, qué tal
Estar de tal forma pensamientos, sentimientos, estados, situaciones, etc.

-어요 : (두루높임으로) 어떤 사실을 서술하거나 질문, 명령, 권유함을 나타내는 종결 어미.
No hay expresión equivalente
(TRATAMIENTO HONORÍFICO GENERAL) Desinencia de terminación que se usa cuando se describe cierto hecho; o pregunta, ordena o reclama algo. **<pregunta>**

달+아요. 시+어요. 달콤하+여. 새콤하+여.
셔요 달콤해 새콤해

달다 (adjetivo) : 꿀이나 설탕의 맛과 같다.
dulce, azucarado
Que sabe a miel o azúcar.

-아요 : (두루높임으로) 어떤 사실을 서술하거나 질문, 명령, 권유함을 나타내는 종결 어미.
No hay expresión equivalente
(TRATAMIENTO HONORÍFICO GENERAL) Desinencia de terminación que se usa cuando se describe cierto hecho; o pregunta, ordena o reclama algo. **<narración>**

시다 (adjetivo) : 맛이 식초와 같다.
ácido, acedo, acidulado, agrio, avinagrado
Que sabe a vinagre.

-어요 : (두루높임으로) 어떤 사실을 서술하거나 질문, 명령, 권유함을 나타내는 종결 어미.
No hay expresión equivalente
(TRATAMIENTO HONORÍFICO GENERAL) Desinencia de terminación que se usa cuando se describe cierto hecho; o pregunta, ordena o reclama algo. **<narración>**

달콤하다 (adjetivo) : 맛이나 냄새가 기분 좋게 달다.
dulce
Dícese del sabor u olor, agradablemente dulce.

-여 : (두루낮춤으로) 어떤 사실을 서술하거나 물음, 명령, 권유를 나타내는 종결 어미.
No hay expresión equivalente
(TRATAMIENTO DE MODESTIA GENERAL) Desinencia de terminación que se usa cuando se describe cierto hecho; o pregunta, ordena o reclama algo. **<narración>**

새콤하다 (adjetivo) : 맛이 조금 시면서 상큼하다.
agridulce
Dícese de sabor que tiene mezcla de agrio y de dulce, o sea de fresco.

-여 : (두루낮춤으로) 어떤 사실을 서술하거나 물음, 명령, 권유를 나타내는 종결 어미.
No hay expresión equivalente
(TRATAMIENTO DE MODESTIA GENERAL) Desinencia de terminación que se usa cuando se describe cierto hecho; o pregunta, ordena o reclama algo. **<narración>**

맛있+는 과일 과일 과일.

맛있다 (adjetivo) : 맛이 좋다.
sabroso, delicioso, rico, apetitoso
Que sabe bien.

-는 : 앞의 말이 관형어의 기능을 하게 만들고 사건이나 동작이 현재 일어남을 나타내는 어미.
No hay expresión equivalente
Desinencia que hace que la palabra antecedente ejerza la función de un componente determinante, e indica que un suceso o una acción se produce en el presente.

과일 (sustantivo) : 사과, 배, 포도, 밤 등과 같이 나뭇가지나 줄기에 열리는 먹을 수 있는 열매.
fruta
Fruto comestible que crece en las ramas de los árboles como la manzana, la pera, la uva, la castaña, etc..

아삭아삭 과일 과일.

아삭아삭 (adverbio) : 연하고 싱싱한 과일이나 채소를 베어 물 때 나는 소리.
con un crujido, crujiendo
Sonido que se hace al morder una fruta o verdura tierna y fresca.

과일 (sustantivo) : 사과, 배, 포도, 밤 등과 같이 나뭇가지나 줄기에 열리는 먹을 수 있는 열매.
fruta
Fruto comestible que crece en las ramas de los árboles como la manzana, la pera, la uva, la castaña, etc..

먹+[고 싶]+어, 과일 과일.

먹다 (verbo) : 음식 등을 입을 통하여 배 속에 들여보내다.
comer
Introducir por boca alimentos, etc. en el estómago.

-고 싶다 : 앞의 말이 나타내는 행동을 하기를 원함을 나타내는 표현.
No hay expresión equivalente
Expresión que se usa para mostrar el deseo de hacer un acto que representa el comentario anterior de la cláusula.

-어 : (두루낮춤으로) 어떤 사실을 서술하거나 물음, 명령, 권유를 나타내는 종결 어미.
No hay expresión equivalente
(TRATAMIENTO DE MODESTIA GENERAL) Desinencia de terminación que se usa cuando se describe cierto hecho; o pregunta, ordena o reclama algo. **<narración>**

과일 (sustantivo) : 사과, 배, 포도, 밤 등과 같이 나뭇가지나 줄기에 열리는 먹을 수 있는 열매.
fruta
Fruto comestible que crece en las ramas de los árboles como la manzana, la pera, la uva, la castaña, etc..

맛있+는 과일 과일 과일.

맛있다 (adjetivo) : 맛이 좋다.
sabroso, delicioso, rico, apetitoso
Que sabe bien.

-는 : 앞의 말이 관형어의 기능을 하게 만들고 사건이나 동작이 현재 일어남을 나타내는 어미.
No hay expresión equivalente
Desinencia que hace que la palabra antecedente ejerza la función de un componente determinante, e indica que un suceso o una acción se produce en el presente.

과일 (sustantivo) : 사과, 배, 포도, 밤 등과 같이 나뭇가지나 줄기에 열리는 먹을 수 있는 열매.
fruta
Fruto comestible que crece en las ramas de los árboles como la manzana, la pera, la uva, la castaña, etc..

아삭아삭 과일 과일.

아삭아삭 (adverbio) : 연하고 싱싱한 과일이나 채소를 베어 물 때 나는 소리.
con un crujido, crujiendo
Sonido que se hace al morder una fruta o verdura tierna y fresca.

과일 (sustantivo) : 사과, 배, 포도, 밤 등과 같이 나뭇가지나 줄기에 열리는 먹을 수 있는 열매.
fruta
Fruto comestible que crece en las ramas de los árboles como la manzana, la pera, la uva, la castaña, etc..

먹+[고 싶]+어, 과일 과일.

먹다 (verbo) : 음식 등을 입을 통하여 배 속에 들여보내다.
comer
Introducir por boca alimentos, etc. en el estómago.

-고 싶다 : 앞의 말이 나타내는 행동을 하기를 원함을 나타내는 표현.
No hay expresión equivalente
Expresión que se usa para mostrar el deseo de hacer un acto que representa el comentario anterior de la cláusula.

-어 : (두루낮춤으로) 어떤 사실을 서술하거나 물음, 명령, 권유를 나타내는 종결 어미.
No hay expresión equivalente
(TRATAMIENTO DE MODESTIA GENERAL) Desinencia de terminación que se usa cuando se describe cierto hecho; o pregunta, ordena o reclama algo. **<narración>**

과일 (sustantivo) : 사과, 배, 포도, 밤 등과 같이 나뭇가지나 줄기에 열리는 먹을 수 있는 열매.
fruta
Fruto comestible que crece en las ramas de los árboles como la manzana, la pera, la uva, la castaña, etc..

먹+[고 싶]+어, 과일 과일.

먹다 (verbo) : 음식 등을 입을 통하여 배 속에 들여보내다.
comer
Introducir por boca alimentos, etc. en el estómago.

-고 싶다 : 앞의 말이 나타내는 행동을 하기를 원함을 나타내는 표현.
No hay expresión equivalente
Expresión que se usa para mostrar el deseo de hacer un acto que representa el comentario anterior de la cláusula.

-어 : (두루낮춤으로) 어떤 사실을 서술하거나 물음, 명령, 권유를 나타내는 종결 어미.
No hay expresión equivalente
(TRATAMIENTO DE MODESTIA GENERAL) Desinencia de terminación que se usa cuando se describe cierto hecho; o pregunta, ordena o reclama algo. **<narración>**

과일 (sustantivo) : 사과, 배, 포도, 밤 등과 같이 나뭇가지나 줄기에 열리는 먹을 수 있는 열매.
fruta
Fruto comestible que crece en las ramas de los árboles como la manzana, la pera, la uva, la castaña, etc..

< 3 >

신체송

신체(cuerpo) 송(canción)

[발음(pronunciación)]

< 1 절(verso) >

머리, 어깨, 무릎, 발, 무릎, 발, 머리, 어깨, 무릎, 발, 무릎, 발
머리, 어깨, 무릅, 발, 무릅, 발, 머리, 어깨, 무릅, 발, 무릅, 발
meori, eokkae, mureup, bal, mureup, bal, meori, eokkae, mureup, bal, mureup, bal

머리, 어깨, 무릎, 발, 머리, 어깨, 무릎, 발
머리, 어깨, 무릅, 발, 머리, 어깨, 무릅, 발
meori, eokkae, mureup, bal, meori, eokkae, mureup, bal

머리, 어깨, 무릎, 발, 머리, 어깨, 무릎, 발
머리, 어깨, 무릅, 발, 머리, 어깨, 무릅, 발
meori, eokkae, mureup, bal, meori, eokkae, mureup, bal

머리, 머리, 머리카락
머리, 머리, 머리카락
meori, meori, meorikarak

얼굴, 얼굴, 얼굴, 이마
얼굴, 얼굴, 얼굴, 이마
eolgul, eolgul, eolgul, ima

눈, 코, 입, 귀, 눈, 코, 입, 귀
눈, 코, 입, 귀, 눈, 코, 입, 귀
nun, ko, ip, gwi, nun, ko, ip, gwi

머리, 머리, 머리카락
머리, 머리, 머리카락
meori, meori, meorikarak

얼굴, 얼굴, 얼굴, 이마
얼굴, 얼굴, 얼굴, 이마
eolgul, eolgul, eolgul, ima

눈, 코, 입, 귀, 눈, 코, 입, 귀
눈, 코, 입, 귀, 눈, 코, 입, 귀
nun, ko, ip, gwi, nun, ko, ip, gwi

신나게 흔들어요
신나게 흔드러요
sinnage heundeureoyo

다 함께 춤을 춰요
다 함께 추믈 춰요
da hamkke chumeul chwoyo

즐겁게 흔들어요
즐겁께 흔드러요
jeulgeopge heundeureoyo

우리 모두 춤을 춰요
우리 모두 추믈 춰요
uri modu chumeul chwoyo

< 2 절(verso) >

머리, 어깨, 무릎, 발, 무릎, 발, 머리, 어깨, 무릎, 발, 무릎, 발
머리, 어깨, 무릅, 발, 무릅, 발, 머리, 어깨, 무릅, 발, 무릅, 발
meori, eokkae, mureup, bal, mureup, bal, meori, eokkae, mureup, bal, mureup, bal

머리, 어깨, 무릎, 발, 머리, 어깨, 무릎, 발
머리, 어깨, 무릅, 발, 머리, 어깨, 무릅, 발
meori, eokkae, mureup, bal, meori, eokkae, mureup, bal

팔, 팔, 팔, 손
팔, 팔, 팔, 손
pal, pal, pal, son

다리, 다리, 다리, 발
다리, 다리, 다리, 발
dari, dari, dari, bal

가슴, 허리, 엉덩이, 가슴, 허리, 엉덩이
가슴, 허리, 엉덩이, 가슴, 허리, 엉덩이
gaseum, heori, eongdeongi, gaseum, heori, eongdeongi

팔, 팔, 팔, 손
팔, 팔, 팔, 손
pal, pal, pal, son

다리, 다리, 다리, 발
다리, 다리, 다리, 발
dari, dari, dari, bal

가슴, 허리, 엉덩이, 가슴, 허리, 엉덩이
가슴, 허리, 엉덩이, 가슴, 허리, 엉덩이
gaseum, heori, eongdeongi, gaseum, heori, eongdeongi

신나게 흔들어요
신나게 흔드러요
sinnage heundeureoyo

다 함께 춤을 춰요
다 함께 추믈 춰요
da hamkke chumeul chwoyo

즐겁게 흔들어요
즐겁께 흔드러요
jeulgeopge heundeureoyo

우리 모두 춤을 춰요
우리 모두 추믈 춰요
uri modu chumeul chwoyo

< 3 절(verso) >

머리, 어깨, 무릎, 발, 무릎, 발, 머리, 어깨, 무릎, 발, 무릎, 발
머리, 어깨, 무릅, 발, 무릅, 발, 머리, 어깨, 무릅, 발, 무릅, 발
meori, eokkae, mureup, bal, mureup, bal, meori, eokkae, mureup, bal, mureup, bal

머리, 어깨, 무릎, 발, 머리, 어깨, 무릎, 발
머리, 어깨, 무릅, 발, 머리, 어깨, 무릅, 발
meori, eokkae, mureup, bal, meori, eokkae, mureup, bal

< 1 절(verso) >

머리, 어깨, 무릎, 발, 무릎, 발, 머리, 어깨, 무릎, 발, 무릎, 발

머리 (sustantivo) : 사람이나 동물의 몸에서 얼굴과 머리털이 있는 부분을 모두 포함한 목 위의 부분.
cabeza
En el cuerpo de personas o animales, parte superior al cuello incluyendo toda la cara y la parte del cabello.

어깨 (sustantivo) : 목의 아래 끝에서 팔의 위 끝에 이르는 몸의 부분.
hombro
Parte superior lateral del tronco de los hombres y los primates, de donde nace el brazo.

무릎 (sustantivo) : 허벅지와 종아리 사이에 앞쪽으로 둥글게 튀어나온 부분.
rodilla
Parte redonda sobresaliente hacia delante entre el muslo y la pantorrilla.

발 (sustantivo) : 사람이나 동물의 다리 맨 끝부분.
pie
Punta de la pierna de una persona o un animal.

머리, 어깨, 무릎, 발, 머리, 어깨, 무릎, 발

머리 (sustantivo) : 사람이나 동물의 몸에서 얼굴과 머리털이 있는 부분을 모두 포함한 목 위의 부분.
cabeza
En el cuerpo de personas o animales, parte superior al cuello incluyendo toda la cara y la parte del cabello.

어깨 (sustantivo) : 목의 아래 끝에서 팔의 위 끝에 이르는 몸의 부분.
hombro
Parte superior lateral del tronco de los hombres y los primates, de donde nace el brazo.

무릎 (sustantivo) : 허벅지와 종아리 사이에 앞쪽으로 둥글게 튀어나온 부분.
rodilla
Parte redonda sobresaliente hacia delante entre el muslo y la pantorrilla.

발 (sustantivo) : 사람이나 동물의 다리 맨 끝부분.
pie
Punta de la pierna de una persona o un animal.

머리, 어깨, 무릎, 발, 머리, 어깨, 무릎, 발

머리 (sustantivo) : 사람이나 동물의 몸에서 얼굴과 머리털이 있는 부분을 모두 포함한 목 위의 부분.
cabeza
En el cuerpo de personas o animales, parte superior al cuello incluyendo toda la cara y la parte del cabello.

어깨 (sustantivo) : 목의 아래 끝에서 팔의 위 끝에 이르는 몸의 부분.
hombro
Parte superior lateral del tronco de los hombres y los primates, de donde nace el brazo.

무릎 (sustantivo) : 허벅지와 종아리 사이에 앞쪽으로 둥글게 튀어나온 부분.
rodilla
Parte redonda sobresaliente hacia delante entre el muslo y la pantorrilla.

발 (sustantivo) : 사람이나 동물의 다리 맨 끝부분.
pie
Punta de la pierna de una persona o un animal.

머리, 머리, 머리카락

머리 (sustantivo) : 사람이나 동물의 몸에서 얼굴과 머리털이 있는 부분을 모두 포함한 목 위의 부분.
cabeza
En el cuerpo de personas o animales, parte superior al cuello incluyendo toda la cara y la parte del cabello.

머리카락 (sustantivo) : 머리털 하나하나.
cabello, pelo
Cada uno de los pelos que nacen en la cabeza.

얼굴, 얼굴, 얼굴, 이마

얼굴 (sustantivo) : 눈, 코, 입이 있는 머리의 앞쪽 부분.
rostro, cara
Parte delantera de la cabeza donde se encuentran los ojos, la nariz y la boca.

이마 (sustantivo) : 얼굴의 눈썹 위부터 머리카락이 난 아래까지의 부분.
frente
Parte superior de la cara desde arriba de la ceja hasta la línea en donde nace el cabello.

눈, 코, 입, 귀, 눈, 코, 입, 귀

눈 (sustantivo) : 사람이나 동물의 얼굴에 있으며 빛의 자극을 받아 물체를 볼 수 있는 감각 기관.
ojo
En la cara de los seres humanos o animales, el órgano del sentido de la visión que percibe los objetos mediante la acción de la luz.

코 (sustantivo) : 숨을 쉬고 냄새를 맡는 몸의 한 부분.
nariz
Una parte del cuerpo que huele y respira.

입 (sustantivo) : 음식을 먹고 소리를 내는 기관으로 입술에서 목구멍까지의 부분.
boca
Parte que abarca desde los labios hasta la garganta, siendo el órgano que emite sonido e ingiere alimentos.

귀 (sustantivo) : 사람이나 동물의 머리 양옆에 있어 소리를 듣는 몸의 한 부분.
oreja
Órgano externo de la audición ubicado en ambos lados de la cabeza de una persona o un animal.

머리, 머리, 머리카락

머리 (sustantivo) : 사람이나 동물의 몸에서 얼굴과 머리털이 있는 부분을 모두 포함한 목 위의 부분.
cabeza
En el cuerpo de personas o animales, parte superior al cuello incluyendo toda la cara y la parte del cabello.

머리카락 (sustantivo) : 머리털 하나하나.
cabello, pelo
Cada uno de los pelos que nacen en la cabeza.

얼굴, 얼굴, 얼굴, 이마

얼굴 (sustantivo) : 눈, 코, 입이 있는 머리의 앞쪽 부분.
rostro, cara
Parte delantera de la cabeza donde se encuentran los ojos, la nariz y la boca.

이마 (sustantivo) : 얼굴의 눈썹 위부터 머리카락이 난 아래까지의 부분.
frente
Parte superior de la cara desde arriba de la ceja hasta la línea en donde nace el cabello.

눈, 코, 입, 귀, 눈, 코, 입, 귀

눈 (sustantivo) : 사람이나 동물의 얼굴에 있으며 빛의 자극을 받아 물체를 볼 수 있는 감각 기관.
ojo
En la cara de los seres humanos o animales, el órgano del sentido de la visión que percibe los objetos mediante la acción de la luz.

코 (sustantivo) : 숨을 쉬고 냄새를 맡는 몸의 한 부분.
nariz
Una parte del cuerpo que huele y respira.

입 (sustantivo) : 음식을 먹고 소리를 내는 기관으로 입술에서 목구멍까지의 부분.
boca
Parte que abarca desde los labios hasta la garganta, siendo el órgano que emite sonido e ingiere alimentos.

귀 (sustantivo) : 사람이나 동물의 머리 양옆에 있어 소리를 듣는 몸의 한 부분.
oreja
Órgano externo de la audición ubicado en ambos lados de la cabeza de una persona o un animal.

신나+게 흔들+어요.

신나다 (verbo) : 흥이 나고 기분이 아주 좋아지다.
estar entusiasmado
Sentir regocijo y alegría.

-게 : 앞의 말이 뒤에서 가리키는 일의 목적이나 결과, 방식, 정도 등이 됨을 나타내는 연결 어미.
No hay expresión equivalente
Desinencia conectora que se usa cuando la palabra anterior es el objetivo, resultado, método, grado, etc. que indica al posterior. **<método>**

흔들다 (verbo) : 무엇을 좌우, 앞뒤로 자꾸 움직이게 하다.
agitar
Hacer que algo siga moviéndose hacia adelante y atrás, o hacia ambos costados.

-어요 : (두루높임으로) 어떤 사실을 서술하거나 질문, 명령, 권유함을 나타내는 종결 어미.
No hay expresión equivalente
(TRATAMIENTO HONORÍFICO GENERAL) Desinencia de terminación que se usa cuando se describe cierto hecho; o pregunta, ordena o reclama algo. **<orden>**

다 함께 춤+을 추+어요.
춰요

다 (adverbio) : 남거나 빠진 것이 없이 모두.
todo
Enteramente, sin falta alguna.

함께 (adverbio) : 여럿이서 한꺼번에 같이.
juntos, todos juntos
Dicho de dos o más personas, todas juntas.

춤 (sustantivo) : 음악이나 규칙적인 박자에 맞춰 몸을 움직이는 것.
baile, danza
Movimiento del cuerpo al ritmo regular de la música.

을 : 서술어의 명사형 목적어임을 나타내는 조사.
No hay expresión equivalente
Posposición que se usa para indicar que es el complemento del nombre del predicado.

추다 (verbo) : 춤 동작을 하다.
mover, bailar, danzar
Hacer movimientos de un baile.

-어요 : (두루높임으로) 어떤 사실을 서술하거나 질문, 명령, 권유함을 나타내는 종결 어미.
No hay expresión equivalente
(TRATAMIENTO HONORÍFICO GENERAL) Desinencia de terminación que se usa cuando se describe cierto hecho; o pregunta, ordena o reclama algo. **<orden>**

즐겁+게 흔들+어요.

즐겁다 (adjetivo) : 마음에 들어 흐뭇하고 기쁘다.
alegre, contento, feliz
Que está feliz y con placer por satisfacción.

-게 : 앞의 말이 뒤에서 가리키는 일의 목적이나 결과, 방식, 정도 등이 됨을 나타내는 연결 어미.
No hay expresión equivalente
Desinencia conectora que se usa cuando la palabra anterior es el objetivo, resultado, método, grado, etc. que indica al posterior. **<método>**

흔들다 (verbo) : 무엇을 좌우, 앞뒤로 자꾸 움직이게 하다.
agitar
Hacer que algo siga moviéndose hacia adelante y atrás, o hacia ambos costados.

-어요 : (두루높임으로) 어떤 사실을 서술하거나 질문, 명령, 권유함을 나타내는 종결 어미.
No hay expresión equivalente
(TRATAMIENTO HONORÍFICO GENERAL) Desinencia de terminación que se usa cuando se describe cierto hecho; o pregunta, ordena o reclama algo. **<orden>**

우리 모두 춤+을 추+어요.
춰요

우리 (pronombre) : 말하는 사람이 자기와 듣는 사람 또는 이를 포함한 여러 사람들을 가리키는 말.
nosotros
Palabra que el hablante usa para referirse a sí mismo y al oyente u otras personas.

모두 (adverbio) : 빠짐없이 다.
todo, todos, totalmente, enteramente, completamente
Todos, sin excepción.

춤 (sustantivo) : 음악이나 규칙적인 박자에 맞춰 몸을 움직이는 것.
baile, danza
Movimiento del cuerpo al ritmo regular de la música.

을 : 서술어의 명사형 목적어임을 나타내는 조사.
No hay expresión equivalente
Posposición que se usa para indicar que es el complemento del nombre del predicado.

추다 (verbo) : 춤 동작을 하다.
mover, bailar, danzar
Hacer movimientos de un baile.

-어요 : (두루높임으로) 어떤 사실을 서술하거나 질문, 명령, 권유함을 나타내는 종결 어미.
No hay expresión equivalente
(TRATAMIENTO HONORÍFICO GENERAL) Desinencia de terminación que se usa cuando se describe cierto hecho; o pregunta, ordena o reclama algo. **<orden>**

< 2 절(verso) >

머리, 어깨, 무릎, 발, 무릎, 발, 머리, 어깨, 무릎, 발, 무릎, 발

머리 (sustantivo) : 사람이나 동물의 몸에서 얼굴과 머리털이 있는 부분을 모두 포함한 목 위의 부분.
cabeza
En el cuerpo de personas o animales, parte superior al cuello incluyendo toda la cara y la parte del cabello.

어깨 (sustantivo) : 목의 아래 끝에서 팔의 위 끝에 이르는 몸의 부분.
hombro
Parte superior lateral del tronco de los hombres y los primates, de donde nace el brazo.

무릎 (sustantivo) : 허벅지와 종아리 사이에 앞쪽으로 둥글게 튀어나온 부분.
rodilla
Parte redonda sobresaliente hacia delante entre el muslo y la pantorrilla.

발 (sustantivo) : 사람이나 동물의 다리 맨 끝부분.
pie
Punta de la pierna de una persona o un animal.

머리, 어깨, 무릎, 발, 머리, 어깨, 무릎, 발

머리 (sustantivo) : 사람이나 동물의 몸에서 얼굴과 머리털이 있는 부분을 모두 포함한 목 위의 부분.
cabeza
En el cuerpo de personas o animales, parte superior al cuello incluyendo toda la cara y la parte del cabello.

어깨 (sustantivo) : 목의 아래 끝에서 팔의 위 끝에 이르는 몸의 부분.
hombro
Parte superior lateral del tronco de los hombres y los primates, de donde nace el brazo.

무릎 (sustantivo) : 허벅지와 종아리 사이에 앞쪽으로 둥글게 튀어나온 부분.
rodilla
Parte redonda sobresaliente hacia delante entre el muslo y la pantorrilla.

발 (sustantivo) : 사람이나 동물의 다리 맨 끝부분.
pie
Punta de la pierna de una persona o un animal.

머리, 어깨, 무릎, 발, 머리, 어깨, 무릎, 발

머리 (sustantivo) : 사람이나 동물의 몸에서 얼굴과 머리털이 있는 부분을 모두 포함한 목 위의 부분.
cabeza
En el cuerpo de personas o animales, parte superior al cuello incluyendo toda la cara y la parte del cabello.

어깨 (sustantivo) : 목의 아래 끝에서 팔의 위 끝에 이르는 몸의 부분.
hombro
Parte superior lateral del tronco de los hombres y los primates, de donde nace el brazo.

무릎 (sustantivo) : 허벅지와 종아리 사이에 앞쪽으로 둥글게 튀어나온 부분.
rodilla
Parte redonda sobresaliente hacia delante entre el muslo y la pantorrilla.

발 (sustantivo) : 사람이나 동물의 다리 맨 끝부분.
pie
Punta de la pierna de una persona o un animal.

팔, 팔, 팔, 손

팔 (sustantivo) : 어깨에서 손목까지의 신체 부위.
brazo
Parte del cuerpo desde el hombro hasta la muñeca.

손 (sustantivo) : 팔목 끝에 있으며 무엇을 만지거나 잡을 때 쓰는 몸의 부분.
mano
Parte del cuerpo que se encuentra en la punta de la muñeca y se utiliza para tocar o agarrar cosas.

다리, 다리, 다리, 발

다리 (sustantivo) : 사람이나 동물의 몸통 아래에 붙어, 서고 걷고 뛰는 일을 하는 신체 부위.
pierna
Parte del cuerpo que se encuentra pegado en la parte inferior de las personas o animales y se encarga del trabajo de caminar o correr.

발 (sustantivo) : 사람이나 동물의 다리 맨 끝부분.
pie
Punta de la pierna de una persona o un animal.

가슴, 허리, 엉덩이, 가슴, 허리, 엉덩이

가슴 (sustantivo) : 인간이나 동물의 목과 배 사이에 있는 몸의 앞 부분.
pecho
Parte delantera del cuerpo de un ser humano o animal, entre el cuello y el estómago.

허리 (sustantivo) : 사람이나 동물의 신체에서 갈비뼈 아래에서 엉덩이뼈까지의 부분.
cintura
Parte del cuerpo de una persona o un animal desde debajo de las costillas hasta el hueso coxal.

엉덩이 (sustantivo) : 허리와 허벅지 사이의 부분으로 앉았을 때 바닥에 닿는, 살이 많은 부위.
nalgas, cola
Parte carnosa entre la cintura y los muslos que toca el piso al sentarse.

팔, 팔, 팔, 손

팔 (sustantivo) : 어깨에서 손목까지의 신체 부위.
brazo
Parte del cuerpo desde el hombro hasta la muñeca.

손 (sustantivo) : 팔목 끝에 있으며 무엇을 만지거나 잡을 때 쓰는 몸의 부분.
mano
Parte del cuerpo que se encuentra en la punta de la muñeca y se utiliza para tocar o agarrar cosas.

다리, 다리, 다리, 발

다리 (sustantivo) : 사람이나 동물의 몸통 아래에 붙어, 서고 걷고 뛰는 일을 하는 신체 부위.
pierna
Parte del cuerpo que se encuentra pegado en la parte inferior de las personas o animales y se encarga del trabajo de caminar o correr.

발 (sustantivo) : 사람이나 동물의 다리 맨 끝부분.
pie
Punta de la pierna de una persona o un animal.

가슴, 허리, 엉덩이, 가슴, 허리, 엉덩이

가슴 (sustantivo) : 인간이나 동물의 목과 배 사이에 있는 몸의 앞 부분.
pecho
Parte delantera del cuerpo de un ser humano o animal, entre el cuello y el estómago.

허리 (sustantivo) : 사람이나 동물의 신체에서 갈비뼈 아래에서 엉덩이뼈까지의 부분.
cintura
Parte del cuerpo de una persona o un animal desde debajo de las costillas hasta el hueso coxal.

엉덩이 (sustantivo) : 허리와 허벅지 사이의 부분으로 앉았을 때 바닥에 닿는, 살이 많은 부위.
nalgas, cola
Parte carnosa entre la cintura y los muslos que toca el piso al sentarse.

신나+게 흔들+어요.

신나다 (verbo) : 흥이 나고 기분이 아주 좋아지다.
estar entusiasmado
Sentir regocijo y alegría.

-게 : 앞의 말이 뒤에서 가리키는 일의 목적이나 결과, 방식, 정도 등이 됨을 나타내는 연결 어미.
No hay expresión equivalente
Desinencia conectora que se usa cuando la palabra anterior es el objetivo, resultado, método, grado, etc. que indica al posterior. **<método>**

흔들다 (verbo) : 무엇을 좌우, 앞뒤로 자꾸 움직이게 하다.
agitar
Hacer que algo siga moviéndose hacia adelante y atrás, o hacia ambos costados.

-어요 : (두루높임으로) 어떤 사실을 서술하거나 질문, 명령, 권유함을 나타내는 종결 어미.
No hay expresión equivalente
(TRATAMIENTO HONORÍFICO GENERAL) Desinencia de terminación que se usa cuando se describe cierto hecho; o pregunta, ordena o reclama algo. **<orden>**

다 함께 춤+을 <u>추+어요</u>.
춰요

다 (adverbio) : 남거나 빠진 것이 없이 모두.
todo
Enteramente, sin falta alguna.

함께 (adverbio) : 여럿이서 한꺼번에 같이.
juntos, todos juntos
Dicho de dos o más personas, todas juntas.

춤 (sustantivo) : 음악이나 규칙적인 박자에 맞춰 몸을 움직이는 것.
baile, danza
Movimiento del cuerpo al ritmo regular de la música.

을 : 서술어의 명사형 목적어임을 나타내는 조사.
No hay expresión equivalente
Posposición que se usa para indicar que es el complemento del nombre del predicado.

추다 (verbo) : 춤 동작을 하다.
mover, bailar, danzar
Hacer movimientos de un baile.

-어요 : (두루높임으로) 어떤 사실을 서술하거나 질문, 명령, 권유함을 나타내는 종결 어미.
No hay expresión equivalente
(TRATAMIENTO HONORÍFICO GENERAL) Desinencia de terminación que se usa cuando se describe cierto hecho; o pregunta, ordena o reclama algo. **<orden>**

즐겁+게 흔들+어요.

즐겁다 (adjetivo) : 마음에 들어 흐뭇하고 기쁘다.
alegre, contento, feliz
Que está feliz y con placer por satisfacción.

-게 : 앞의 말이 뒤에서 가리키는 일의 목적이나 결과, 방식, 정도 등이 됨을 나타내는 연결 어미.
No hay expresión equivalente
Desinencia conectora que se usa cuando la palabra anterior es el objetivo, resultado, método, grado, etc. que indica al posterior. **<método>**

흔들다 (verbo) : 무엇을 좌우, 앞뒤로 자꾸 움직이게 하다.
agitar
Hacer que algo siga moviéndose hacia adelante y atrás, o hacia ambos costados.

-어요 : (두루높임으로) 어떤 사실을 서술하거나 질문, 명령, 권유함을 나타내는 종결 어미.
No hay expresión equivalente
(TRATAMIENTO HONORÍFICO GENERAL) Desinencia de terminación que se usa cuando se describe cierto hecho; o pregunta, ordena o reclama algo. **<orden>**

우리 모두 춤+을 추+어요.
춰요

우리 (pronombre) : 말하는 사람이 자기와 듣는 사람 또는 이를 포함한 여러 사람들을 가리키는 말.
nosotros
Palabra que el hablante usa para referirse a sí mismo y al oyente u otras personas.

모두 (adverbio) : 빠짐없이 다.
todo, todos, totalmente, enteramente, completamente
Todos, sin excepción.

춤 (sustantivo) : 음악이나 규칙적인 박자에 맞춰 몸을 움직이는 것.
baile, danza
Movimiento del cuerpo al ritmo regular de la música.

을 : 서술어의 명사형 목적어임을 나타내는 조사.
No hay expresión equivalente
Posposición que se usa para indicar que es el complemento del nombre del predicado.

추다 (verbo) : 춤 동작을 하다.
mover, bailar, danzar
Hacer movimientos de un baile.

-어요 : (두루높임으로) 어떤 사실을 서술하거나 질문, 명령, 권유함을 나타내는 종결 어미.
No hay expresión equivalente
(TRATAMIENTO HONORÍFICO GENERAL) Desinencia de terminación que se usa cuando se describe cierto hecho; o pregunta, ordena o reclama algo. **<orden>**

< 3 절(verso) >

머리, 어깨, 무릎, 발, 무릎, 발, 머리, 어깨, 무릎, 발, 무릎, 발

머리 (sustantivo) : 사람이나 동물의 몸에서 얼굴과 머리털이 있는 부분을 모두 포함한 목 위의 부분.
cabeza
En el cuerpo de personas o animales, parte superior al cuello incluyendo toda la cara y la parte del cabello.

어깨 (sustantivo) : 목의 아래 끝에서 팔의 위 끝에 이르는 몸의 부분.
hombro
Parte superior lateral del tronco de los hombres y los primates, de donde nace el brazo.

무릎 (sustantivo) : 허벅지와 종아리 사이에 앞쪽으로 둥글게 튀어나온 부분.
rodilla
Parte redonda sobresaliente hacia delante entre el muslo y la pantorrilla.

발 (sustantivo) : 사람이나 동물의 다리 맨 끝부분.
pie
Punta de la pierna de una persona o un animal.

머리, 어깨, 무릎, 발, 머리, 어깨, 무릎, 발

머리 (sustantivo) : 사람이나 동물의 몸에서 얼굴과 머리털이 있는 부분을 모두 포함한 목 위의 부분.
cabeza
En el cuerpo de personas o animales, parte superior al cuello incluyendo toda la cara y la parte del cabello.

어깨 (sustantivo) : 목의 아래 끝에서 팔의 위 끝에 이르는 몸의 부분.
hombro
Parte superior lateral del tronco de los hombres y los primates, de donde nace el brazo.

무릎 (sustantivo) : 허벅지와 종아리 사이에 앞쪽으로 둥글게 튀어나온 부분.
rodilla
Parte redonda sobresaliente hacia delante entre el muslo y la pantorrilla.

발 (sustantivo) : 사람이나 동물의 다리 맨 끝부분.
pie
Punta de la pierna de una persona o un animal.

머리, 어깨, 무릎, 발, 머리, 어깨, 무릎, 발

머리 (sustantivo) : 사람이나 동물의 몸에서 얼굴과 머리털이 있는 부분을 모두 포함한 목 위의 부분.
cabeza
En el cuerpo de personas o animales, parte superior al cuello incluyendo toda la cara y la parte del cabello.

어깨 (sustantivo) : 목의 아래 끝에서 팔의 위 끝에 이르는 몸의 부분.
hombro
Parte superior lateral del tronco de los hombres y los primates, de donde nace el brazo.

무릎 (sustantivo) : 허벅지와 종아리 사이에 앞쪽으로 둥글게 튀어나온 부분.
rodilla
Parte redonda sobresaliente hacia delante entre el muslo y la pantorrilla.

발 (sustantivo) : 사람이나 동물의 다리 맨 끝부분.
pie
Punta de la pierna de una persona o un animal.

< 4 >

어때요?

나 어때요?
(¿Qué hay de mí?)

[발음(pronunciación)]

< 1 절(verso) >

청바지 입었는데 어때요?
청바지 이번는데 어때요?
cheongbaji ibeonneunde eottaeyo?

치마 입었는데 어때요?
치마 이번는데 어때요?
chima ibeonneunde eottaeyo?

반바지는?
반바지는?
banbajineun?

원피스는?
원피스는?
wonpiseuneun?

어때요? 어때요? 어때요? 어때요? 어때요?
어때요? 어때요? 어때요? 어때요? 어때요?
eottaeyo? eottaeyo? eottaeyo? eottaeyo? eottaeyo?

머리 묶었는데 어때요?
머리 무꺼는데 어때요?
meori mukkeonneunde eottaeyo?

머리 풀었는데 어때요?
머리 푸런는데 어때요?
meori pureonneunde eottaeyo?

긴 머리는?
긴 머리는?
gin meorineun?

짧은 머리는?
짤븐 머리는?
jjalbeun meorineun?

어때요? 어때요? 어때요? 어때요? 어때요?
어때요? 어때요? 어때요? 어때요? 어때요?
eottaeyo? eottaeyo? eottaeyo? eottaeyo? eottaeyo?

제 눈과 코와 입술이 얼마나 예뻐 보이나요?
제 눈과 코와 입쑤리 얼마나 예뻐 보이나요?
je nungwa kowa ipsuri eolmana yeppeo boinayo?

나 어때요?
나 어때요?
na eottaeyo?

나 예뻐요?
나 예뻐요?
na yeppeoyo?

어때요? 어때요? 어때요? 어때요? 어때요?
어때요? 어때요? 어때요? 어때요? 어때요?
eottaeyo? eottaeyo? eottaeyo? eottaeyo? eottaeyo?

< 2 절(verso) >

운동화 신었는데 어때요?
운동화 시넌는데 어때요?
undonghwa sineonneunde eottaeyo?

구두 신었는데 어때요?
구두 시넌는데 어때요?
gudu sineonneunde eottaeyo?

검은색은?
거믄새근?
geomeunsaegeun?

흰색은?
힌새근?
hinsaegeun?

어때요? 어때요? 어때요? 어때요? 어때요?
어때요? 어때요? 어때요? 어때요? 어때요?
eottaeyo? eottaeyo? eottaeyo? eottaeyo? eottaeyo?

목걸이 찼는데 어때요?
목꺼리 찬는데 어때요?
mokgeori channeunde eottaeyo?

반지 끼었는데 어때요?
반지 끼언는데 어때요?
banji kkieonneunde eottaeyo?

귀걸이는?
귀거리는?
gwigeorineun?

팔찌는?
팔찌는?
paljjineun?

어때요? 어때요? 어때요? 어때요? 어때요?
어때요? 어때요? 어때요? 어때요? 어때요?
eottaeyo? eottaeyo? eottaeyo? eottaeyo? eottaeyo?

제 눈과 코와 입술이 얼마나 예뻐 보이나요?
제 눈과 코와 입쑤리 얼마나 예뻐 보이나요?
je nungwa kowa ipsuri eolmana yeppeo boinayo?

나 어때요?
나 어때요?
na eottaeyo?

나 예뻐요?
나 예뻐요?
na yeppeoyo?

어때요? 어때요? 어때요? 어때요? 어때요?
어때요? 어때요? 어때요? 어때요? 어때요?
eottaeyo? eottaeyo? eottaeyo? eottaeyo? eottaeyo?

< 1 절(verso) >

청바지 입+었+는데 어떻+어요?
어때요

청바지 (sustantivo) : 질긴 무명으로 만든 푸른색 바지.
vaquero, jean
Pantalón elaborado con algodón muy resistente de color azul.

입다 (verbo) : 옷을 몸에 걸치거나 두르다.
vestirse
Llevarse o ponerse ropa en el cuerpo.

-었- : 어떤 사건이 과거에 완료되었거나 그 사건의 결과가 현재까지 지속되는 상황을 나타내는 어미.
No hay expresión equivalente
Desinencia que se usa cuando cierto suceso fue acabado en el pasado o cuando el resultado de ese suceso continúa hasta el presente.

-는데 : 뒤의 말을 하기 위하여 그 대상과 관련이 있는 상황을 미리 말함을 나타내는 연결 어미.
No hay expresión equivalente
Desinencia conectora que se usa cuando se habla con antelación una circunstancia pasada relacionada con la palabra posterior.

어떻다 (adjetivo) : 생각, 느낌, 상태, 형편 등이 어찌 되어 있다.
cómo, qué tal
Estar de tal forma pensamientos, sentimientos, estados, situaciones, etc.

-어요 : (두루높임으로) 어떤 사실을 서술하거나 질문, 명령, 권유함을 나타내는 종결 어미.
No hay expresión equivalente
(TRATAMIENTO HONORÍFICO GENERAL) Desinencia de terminación que se usa cuando se describe cierto hecho; o pregunta, ordena o reclama algo. **<pregunta>**

치마 입+었+는데 어떻+어요?
어때요

치마 (sustantivo) : 여자가 입는 아래 겉옷으로 다리가 들어가도록 된 부분이 없는 옷.
falda
Prenda de vestir o parte del vestido de mujer que cae desde la cintura sin ceñirse a las piernas.

입다 (verbo) : 옷을 몸에 걸치거나 두르다.
vestirse
Llevarse o ponerse ropa en el cuerpo.

-었- : 어떤 사건이 과거에 완료되었거나 그 사건의 결과가 현재까지 지속되는 상황을 나타내는 어미.
No hay expresión equivalente
Desinencia que se usa cuando cierto suceso fue acabado en el pasado o cuando el resultado de ese suceso continúa hasta el presente.

-는데 : 뒤의 말을 하기 위하여 그 대상과 관련이 있는 상황을 미리 말함을 나타내는 연결 어미.
No hay expresión equivalente
Desinencia conectora que se usa cuando se habla con antelación una circunstancia pasada relacionada con la palabra posterior.

어떻다 (adjetivo) : 생각, 느낌, 상태, 형편 등이 어찌 되어 있다.
cómo, qué tal
Estar de tal forma pensamientos, sentimientos, estados, situaciones, etc.

-어요 : (두루높임으로) 어떤 사실을 서술하거나 질문, 명령, 권유함을 나타내는 종결 어미.
No hay expresión equivalente
(TRATAMIENTO HONORÍFICO GENERAL) Desinencia de terminación que se usa cuando se describe cierto hecho; o pregunta, ordena o reclama algo. **<pregunta>**

반바지+는?

반바지 (sustantivo) : 길이가 무릎 위나 무릎 정도까지 내려오는 짧은 바지.
calzón, pantalón corto
Pantalón que llega aproximadamente a la altura de la rodilla.

는 : 문장 속에서 어떤 대상이 화제임을 나타내는 조사.
No hay expresión equivalente
Posposición que muestra que el referente es el tópico de una oración.

원피스+는?

원피스 (sustantivo) : 윗옷과 치마가 하나로 붙어 있는 여자 겉옷.
vestido
Prenda de vestir para mujer en la que la camisa y falda se hacen unidas en una sola pieza.

는 : 문장 속에서 어떤 대상이 화제임을 나타내는 조사.
No hay expresión equivalente
Posposición que muestra que el referente es el tópico de una oración.

어떻+어요?
어때요

어떻다 (adjetivo) : 생각, 느낌, 상태, 형편 등이 어찌 되어 있다.
cómo, qué tal
Estar de tal forma pensamientos, sentimientos, estados, situaciones, etc.

-어요 : (두루높임으로) 어떤 사실을 서술하거나 질문, 명령, 권유함을 나타내는 종결 어미.
No hay expresión equivalente
(TRATAMIENTO HONORÍFICO GENERAL) Desinencia de terminación que se usa cuando se describe cierto hecho; o pregunta, ordena o reclama algo. **<pregunta>**

머리 묶+었+는데 어떻+어요?
어때요

머리 (sustantivo) : 머리에 난 털.
cabello
Pelo que crece en la cabeza.

묶다 (verbo) : 끈 등으로 물건을 잡아매다.
sujetar, amarrar
Sujetar un objeto con cuerdas.

-었- : 어떤 사건이 과거에 완료되었거나 그 사건의 결과가 현재까지 지속되는 상황을 나타내는 어미.
No hay expresión equivalente
Desinencia que se usa cuando cierto suceso fue acabado en el pasado o cuando el resultado de ese suceso continúa hasta el presente.

-는데 : 뒤의 말을 하기 위하여 그 대상과 관련이 있는 상황을 미리 말함을 나타내는 연결 어미.
No hay expresión equivalente
Desinencia conectora que se usa cuando se habla con antelación una circunstancia pasada relacionada con la palabra posterior.

어떻다 (adjetivo) : 생각, 느낌, 상태, 형편 등이 어찌 되어 있다.
cómo, qué tal
Estar de tal forma pensamientos, sentimientos, estados, situaciones, etc.

-어요 : (두루높임으로) 어떤 사실을 서술하거나 질문, 명령, 권유함을 나타내는 종결 어미.
No hay expresión equivalente
(TRATAMIENTO HONORÍFICO GENERAL) Desinencia de terminación que se usa cuando se describe cierto hecho; o pregunta, ordena o reclama algo. **<pregunta>**

머리 풀+었+는데 어떻+어요?
어때요

머리 (sustantivo) : 머리에 난 털.
cabello
Pelo que crece en la cabeza.

풀다 (verbo) : 매이거나 묶이거나 얽힌 것을 원래의 상태로 되게 하다.
desatar, desenredar
Recuperar a su estado original lo que está atado, sujeto a algo, o enredado.

-었- : 어떤 사건이 과거에 완료되었거나 그 사건의 결과가 현재까지 지속되는 상황을 나타내는 어미.
No hay expresión equivalente
Desinencia que se usa cuando cierto suceso fue acabado en el pasado o cuando el resultado de ese suceso continúa hasta el presente.

-는데 : 뒤의 말을 하기 위하여 그 대상과 관련이 있는 상황을 미리 말함을 나타내는 연결 어미.
No hay expresión equivalente
Desinencia conectora que se usa cuando se habla con antelación una circunstancia pasada relacionada con la palabra posterior.

어떻다 (adjetivo) : 생각, 느낌, 상태, 형편 등이 어찌 되어 있다.
cómo, qué tal
Estar de tal forma pensamientos, sentimientos, estados, situaciones, etc.

-어요 : (두루높임으로) 어떤 사실을 서술하거나 질문, 명령, 권유함을 나타내는 종결 어미.
No hay expresión equivalente
(TRATAMIENTO HONORÍFICO GENERAL) Desinencia de terminación que se usa cuando se describe cierto hecho; o pregunta, ordena o reclama algo. **<pregunta>**

길(기)+ㄴ 머리+는?
긴

길다 (adjetivo) : 물체의 한쪽 끝에서 다른 쪽 끝까지 두 끝이 멀리 떨어져 있다.
largo, distanciado, apartado
Dícese de un objeto que tiene los dos extremos alejados entre sí.

-ㄴ : 앞의 말이 관형어의 기능을 하게 만들고 현재의 상태를 나타내는 어미.
No hay expresión equivalente
Desinencia que hace que la palabra antecedente ejerza la función de una palabra determinante, e indica el estado del presente.

머리 (sustantivo) : 머리에 난 털.
cabello
Pelo que crece en la cabeza.

는 : 문장 속에서 어떤 대상이 화제임을 나타내는 조사.
No hay expresión equivalente
Posposición que muestra que el referente es el tópico de una oración.

짧+은 머리+는?

짧다 (adjetivo) : 공간이나 물체의 양 끝 사이가 가깝다.
corto, estrecho
Que la distancia desde una punta a la otra de un espacio o un objeto es poca.

-은 : 앞의 말이 관형어의 기능을 하게 만들고 현재의 상태를 나타내는 어미.
No hay expresión equivalente
Desinencia que hace que la palabra antecedente ejerza la función de un componente determinante, e indica que el estado del presente.

머리 (sustantivo) : 머리에 난 털.
cabello
Pelo que crece en la cabeza.

는 : 문장 속에서 어떤 대상이 화제임을 나타내는 조사.
No hay expresión equivalente
Posposición que muestra que el referente es el tópico de una oración.

어떻+어요?

어때요

어떻다 (adjetivo) : 생각, 느낌, 상태, 형편 등이 어찌 되어 있다.
cómo, qué tal
Estar de tal forma pensamientos, sentimientos, estados, situaciones, etc.

-어요 : (두루높임으로) 어떤 사실을 서술하거나 질문, 명령, 권유함을 나타내는 종결 어미.
No hay expresión equivalente
(TRATAMIENTO HONORÍFICO GENERAL) Desinencia de terminación que se usa cuando se describe cierto hecho; o pregunta, ordena o reclama algo. **<pregunta>**

저+의 눈+과 코+와 입술+이 얼마나 예쁘(예ㅃ)+[어 보이]+나요?
제 예뻐 보이나요

저 (pronombre) : 말하는 사람이 듣는 사람에게 자신을 낮추어 가리키는 말.
yo
Palabra que usa el hablante delante del oyente con tono de humildad.

의 : 앞의 말이 뒤의 말에 대하여 소유, 소속, 소재, 관계, 기원, 주체의 관계를 가짐을 나타내는 조사.
No hay expresión equivalente
Posposición que se usa para indicar que la palabra anterior tiene una relación de posesión, pertenencia, integración, conexión, procedencia, sujeto con la posterior.

눈 (sustantivo) : 사람이나 동물의 얼굴에 있으며 빛의 자극을 받아 물체를 볼 수 있는 감각 기관.
ojo
En la cara de los seres humanos o animales, el órgano del sentido de la visión que percibe los objetos mediante la acción de la luz.

과 : 앞과 뒤의 명사를 같은 자격으로 이어 줄 때 쓰는 조사.
No hay expresión equivalente
Posposición que se usa para unir el sustantivo que antecede y otro que sucede, en calidad equivalente entre sí.

코 (sustantivo) : 숨을 쉬고 냄새를 맡는 몸의 한 부분.
nariz
Una parte del cuerpo que huele y respira.

와 : 앞과 뒤의 명사를 같은 자격으로 이어주는 조사.
No hay expresión equivalente
Posposición que se usa para unir el sustantivo anterior y el posterior con mismo atributo.

입술 (sustantivo) : 사람의 입 주위를 둘러싸고 있는 붉고 부드러운 살.
labios
Cada uno de los rebordes exteriores carnosos rojizos de la boca del hombre.

이 : 어떤 상태나 상황의 대상이나 동작의 주체를 나타내는 조사.
No hay expresión equivalente
Posposición que se usa para indicar el objeto de cierto estado o situación o el agente de un movimiento.

얼마나 (adverbio) : 어느 정도나.
cuánto
Cierto grado.

예쁘다 (adjetivo) : 생긴 모양이 눈으로 보기에 좋을 만큼 아름답다.
bonito, lindo, mono, monín
Que es hermoso a los ojos el aspecto.

-어 보이다 : 겉으로 볼 때 앞의 말이 나타내는 것처럼 느껴지거나 추측됨을 나타내는 표현.
No hay expresión equivalente
Expresión que indica que externamente, puede sentir o especular lo que quiere decir el comentario anterior.

-나요 : (두루높임으로) 앞의 내용에 대해 상대방에게 물어볼 때 쓰는 표현.
No hay expresión equivalente
(TRATAMIENTO HONORÍFICO GENERAL) Expresión que se usa para hacer preguntas al adversario sobre el comentario anterior.

나 어떻+어요?
어때요

나 (pronombre) : 말하는 사람이 친구나 아랫사람에게 자기를 가리키는 말.
yo
Pronombre que usa el hablante para referirse a sí mismo ante alguien de edad igual o menor.

어떻다 (adjetivo) : 생각, 느낌, 상태, 형편 등이 어찌 되어 있다.
cómo, qué tal
Estar de tal forma pensamientos, sentimientos, estados, situaciones, etc.

-어요 : (두루높임으로) 어떤 사실을 서술하거나 질문, 명령, 권유함을 나타내는 종결 어미.
No hay expresión equivalente
(TRATAMIENTO HONORÍFICO GENERAL) Desinencia de terminación que se usa cuando se describe cierto hecho; o pregunta, ordena o reclama algo. **<pregunta>**

나 예쁘(예ㅃ)+어요?

예뻐요

나 (pronombre) : 말하는 사람이 친구나 아랫사람에게 자기를 가리키는 말.
yo
Pronombre que usa el hablante para referirse a sí mismo ante alguien de edad igual o menor.

예쁘다 (adjetivo) : 생긴 모양이 눈으로 보기에 좋을 만큼 아름답다.
bonito, lindo, mono, monín
Que es hermoso a los ojos el aspecto.

-어요 : (두루높임으로) 어떤 사실을 서술하거나 질문, 명령, 권유함을 나타내는 종결 어미.
No hay expresión equivalente
(TRATAMIENTO HONORÍFICO GENERAL) Desinencia de terminación que se usa cuando se describe cierto hecho; o pregunta, ordena o reclama algo. **<pregunta>**

어떻+어요?

어때요

어떻다 (adjetivo) : 생각, 느낌, 상태, 형편 등이 어찌 되어 있다.
cómo, qué tal
Estar de tal forma pensamientos, sentimientos, estados, situaciones, etc.

-어요 : (두루높임으로) 어떤 사실을 서술하거나 질문, 명령, 권유함을 나타내는 종결 어미.
No hay expresión equivalente
(TRATAMIENTO HONORÍFICO GENERAL) Desinencia de terminación que se usa cuando se describe cierto hecho; o pregunta, ordena o reclama algo. **<pregunta>**

< 2 절(verso) >

운동화 신+었+는데 어떻+어요?

어때요

운동화 (sustantivo) : 운동을 할 때 신도록 만든 신발.
zapatillas de deporte
Calzados que se emplean al hacer el ejercicio o el deporte.

신다 (verbo) : 신발이나 양말 등의 속으로 발을 넣어 발의 전부나 일부를 덮다.
ponerse, calzar
Meter el pie en el calzado o calcetín para cubrirlo completa o parcialmente.

-었- : 어떤 사건이 과거에 완료되었거나 그 사건의 결과가 현재까지 지속되는 상황을 나타내는 어미.
No hay expresión equivalente
Desinencia que se usa cuando cierto suceso fue acabado en el pasado o cuando el resultado de ese suceso continúa hasta el presente.

-는데 : 뒤의 말을 하기 위하여 그 대상과 관련이 있는 상황을 미리 말함을 나타내는 연결 어미.
No hay expresión equivalente
Desinencia conectora que se usa cuando se habla con antelación una circunstancia pasada relacionada con la palabra posterior.

어떻다 (adjetivo) : 생각, 느낌, 상태, 형편 등이 어찌 되어 있다.
cómo, qué tal
Estar de tal forma pensamientos, sentimientos, estados, situaciones, etc.

-어요 : (두루높임으로) 어떤 사실을 서술하거나 질문, 명령, 권유함을 나타내는 종결 어미.
No hay expresión equivalente
(TRATAMIENTO HONORÍFICO GENERAL) Desinencia de terminación que se usa cuando se describe cierto hecho; o pregunta, ordena o reclama algo. **<pregunta>**

구두 신+었+는데 어떻+어요?
어때요

구두 (sustantivo) : 정장을 입었을 때 신는 가죽, 비닐 등으로 만든 신발.
zapatos
Calzado que se pone cuando se lleva traje formal, hecho de materiales como cuero, vinilo, etc.

신다 (verbo) : 신발이나 양말 등의 속으로 발을 넣어 발의 전부나 일부를 덮다.
ponerse, calzar
Meter el pie en el calzado o calcetín para cubrirlo completa o parcialmente.

-었- : 어떤 사건이 과거에 완료되었거나 그 사건의 결과가 현재까지 지속되는 상황을 나타내는 어미.
No hay expresión equivalente
Desinencia que se usa cuando cierto suceso fue acabado en el pasado o cuando el resultado de ese suceso continúa hasta el presente.

-는데 : 뒤의 말을 하기 위하여 그 대상과 관련이 있는 상황을 미리 말함을 나타내는 연결 어미.
No hay expresión equivalente
Desinencia conectora que se usa cuando se habla con antelación una circunstancia pasada relacionada con la palabra posterior.

어떻다 (adjetivo) : 생각, 느낌, 상태, 형편 등이 어찌 되어 있다.
cómo, qué tal
Estar de tal forma pensamientos, sentimientos, estados, situaciones, etc.

-어요 : (두루높임으로) 어떤 사실을 서술하거나 질문, 명령, 권유함을 나타내는 종결 어미.
No hay expresión equivalente
(TRATAMIENTO HONORÍFICO GENERAL) Desinencia de terminación que se usa cuando se describe cierto hecho; o pregunta, ordena o reclama algo. **<pregunta>**

검은색+은?

검은색 (sustantivo) : 빛이 없을 때의 밤하늘과 같이 매우 어둡고 짙은 색.
color negro
Color muy oscuro similar al del cielo nocturno sin luz.

은 : 문장 속에서 어떤 대상이 화제임을 나타내는 조사.
No hay expresión equivalente
Posposición que se usa para indicar que cierto objeto es tópico en la oración.

흰색+은?

흰색 (sustantivo) : 눈이나 우유와 같은 밝은 색.
blanco brillante
Color brillante como el de la nieve o la leche.

은 : 문장 속에서 어떤 대상이 화제임을 나타내는 조사.
No hay expresión equivalente
Posposición que se usa para indicar que cierto objeto es tópico en la oración.

어떻+어요?

어때요

어떻다 (adjetivo) : 생각, 느낌, 상태, 형편 등이 어찌 되어 있다.
cómo, qué tal
Estar de tal forma pensamientos, sentimientos, estados, situaciones, etc.

-어요 : (두루높임으로) 어떤 사실을 서술하거나 질문, 명령, 권유함을 나타내는 종결 어미.
No hay expresión equivalente
(TRATAMIENTO HONORÍFICO GENERAL) Desinencia de terminación que se usa cuando se describe cierto hecho; o pregunta, ordena o reclama algo. **<pregunta>**

목걸이 차+았+는데 어떻+어요?
찼는데 어때요

목걸이 (sustantivo) : 보석 등을 줄에 꿰어서 목에 거는 장식품.
collar
Adorno consistente en una tira con piedras preciosas etc., ensartadas, que ciñe o rodea el cuello.

차다 (verbo) : 물건을 허리나 팔목, 발목 등에 매어 달거나 걸거나 끼우다.
poner, colocar
Colgar, enganchar o insertar un objeto en la cintura, la muñeca o el tobillo.

-았- : 어떤 사건이 과거에 완료되었거나 그 사건의 결과가 현재까지 지속되는 상황을 나타내는 어미.
No hay expresión equivalente
Desinencia que se usa cuando cierto suceso fue acabado en el pasado o cuando el resultado de ese suceso continúa hasta el presente.

-는데 : 뒤의 말을 하기 위하여 그 대상과 관련이 있는 상황을 미리 말함을 나타내는 연결 어미.
No hay expresión equivalente
Desinencia conectora que se usa cuando se habla con antelación una circunstancia pasada relacionada con la palabra posterior.

어떻다 (adjetivo) : 생각, 느낌, 상태, 형편 등이 어찌 되어 있다.
cómo, qué tal
Estar de tal forma pensamientos, sentimientos, estados, situaciones, etc.

-어요 : (두루높임으로) 어떤 사실을 서술하거나 질문, 명령, 권유함을 나타내는 종결 어미.
No hay expresión equivalente
(TRATAMIENTO HONORÍFICO GENERAL) Desinencia de terminación que se usa cuando se describe cierto hecho; o pregunta, ordena o reclama algo. **<pregunta>**

반지 끼+었+는데 어떻+어요?
어때요

반지 (sustantivo) : 손가락에 끼는 동그란 장신구.
anillo, sortija
Accesorio en forma de aro que se lleva en los dedos.

끼다 (verbo) : 무엇에 걸려 빠지지 않도록 꿰거나 꽂다.
clavarse, hincarse, hundirse, introducirse, incrustarse, penetrarse, fijarse
Ensartar o insertar algo dejándolo enganchado para que no se desate.

-었- : 어떤 사건이 과거에 완료되었거나 그 사건의 결과가 현재까지 지속되는 상황을 나타내는 어미.
No hay expresión equivalente
Desinencia que se usa cuando cierto suceso fue acabado en el pasado o cuando el resultado de ese suceso continúa hasta el presente.

-는데 : 뒤의 말을 하기 위하여 그 대상과 관련이 있는 상황을 미리 말함을 나타내는 연결 어미.
No hay expresión equivalente
Desinencia conectora que se usa cuando se habla con antelación una circunstancia pasada relacionada con la palabra posterior.

어떻다 (adjetivo) : 생각, 느낌, 상태, 형편 등이 어찌 되어 있다.
cómo, qué tal
Estar de tal forma pensamientos, sentimientos, estados, situaciones, etc.

-어요 : (두루높임으로) 어떤 사실을 서술하거나 질문, 명령, 권유함을 나타내는 종결 어미.
No hay expresión equivalente
(TRATAMIENTO HONORÍFICO GENERAL) Desinencia de terminación que se usa cuando se describe cierto hecho; o pregunta, ordena o reclama algo. **<pregunta>**

귀걸이+는?

귀걸이 (sustantivo) : 귀에 다는 장식품.
pendiente
Adorno que se coloca en la oreja.

는 : 문장 속에서 어떤 대상이 화제임을 나타내는 조사.
No hay expresión equivalente
Posposición que muestra que el referente es el tópico de una oración.

팔찌+는?

팔찌 (sustantivo) : 팔목에 끼는, 금, 은, 가죽 등으로 만든 장식품.
pulsera
Pieza de oro, plata, cuero, etc., que se lleva en la muñeca para adorno.

는 : 문장 속에서 어떤 대상이 화제임을 나타내는 조사.
No hay expresión equivalente
Posposición que muestra que el referente es el tópico de una oración.

어떻+어요?
어때요

어떻다 (adjetivo) : 생각, 느낌, 상태, 형편 등이 어찌 되어 있다.
cómo, qué tal
Estar de tal forma pensamientos, sentimientos, estados, situaciones, etc.

-어요 : (두루높임으로) 어떤 사실을 서술하거나 질문, 명령, 권유함을 나타내는 종결 어미.
No hay expresión equivalente
(TRATAMIENTO HONORÍFICO GENERAL) Desinencia de terminación que se usa cuando se describe cierto hecho; o pregunta, ordena o reclama algo. <pregunta>

저+의 눈+과 코+와 입술+이 얼마나 예쁘(예ㅃ)+[어 보이]+나요?
제 **예뻐 보이나요**

저 (pronombre) : 말하는 사람이 듣는 사람에게 자신을 낮추어 가리키는 말.
yo
Palabra que usa el hablante delante del oyente con tono de humildad.

의 : 앞의 말이 뒤의 말에 대하여 소유, 소속, 소재, 관계, 기원, 주체의 관계를 가짐을 나타내는 조사.
No hay expresión equivalente
Posposición que se usa para indicar que la palabra anterior tiene una relación de posesión, pertenencia, integración, conexión, procedencia, sujeto con la posterior.

눈 (sustantivo) : 사람이나 동물의 얼굴에 있으며 빛의 자극을 받아 물체를 볼 수 있는 감각 기관.
ojo
En la cara de los seres humanos o animales, el órgano del sentido de la visión que percibe los objetos mediante la acción de la luz.

과 : 앞과 뒤의 명사를 같은 자격으로 이어 줄 때 쓰는 조사.
No hay expresión equivalente
Posposición que se usa para unir el sustantivo que antecede y otro que sucede, en calidad equivalente entre sí.

코 (sustantivo) : 숨을 쉬고 냄새를 맡는 몸의 한 부분.
nariz
Una parte del cuerpo que huele y respira.

와 : 앞과 뒤의 명사를 같은 자격으로 이어주는 조사.
No hay expresión equivalente
Posposición que se usa para unir el sustantivo anterior y el posterior con mismo atributo.

입술 (sustantivo) : 사람의 입 주위를 둘러싸고 있는 붉고 부드러운 살.
labios
Cada uno de los rebordes exteriores carnosos rojizos de la boca del hombre.

이 : 어떤 상태나 상황의 대상이나 동작의 주체를 나타내는 조사.
No hay expresión equivalente
Posposición que se usa para indicar el objeto de cierto estado o situación o el agente de un movimiento.

얼마나 (adverbio) : 어느 정도나.
cuánto
Cierto grado.

예쁘다 (adjetivo) : 생긴 모양이 눈으로 보기에 좋을 만큼 아름답다.
bonito, lindo, mono, monín
Que es hermoso a los ojos el aspecto.

-어 보이다 : 겉으로 볼 때 앞의 말이 나타내는 것처럼 느껴지거나 추측됨을 나타내는 표현.
No hay expresión equivalente
Expresión que indica que externamente, puede sentir o especular lo que quiere decir el comentario anterior.

-나요 : (두루높임으로) 앞의 내용에 대해 상대방에게 물어볼 때 쓰는 표현.
No hay expresión equivalente
(TRATAMIENTO HONORÍFICO GENERAL) Expresión que se usa para hacer preguntas al adversario sobre el comentario anterior.

나 어떻+어요?

어때요

나 (pronombre) : 말하는 사람이 친구나 아랫사람에게 자기를 가리키는 말.
yo
Pronombre que usa el hablante para referirse a sí mismo ante alguien de edad igual o menor.

어떻다 (adjetivo) : 생각, 느낌, 상태, 형편 등이 어찌 되어 있다.
cómo, qué tal
Estar de tal forma pensamientos, sentimientos, estados, situaciones, etc.

-어요 : (두루높임으로) 어떤 사실을 서술하거나 질문, 명령, 권유함을 나타내는 종결 어미.
No hay expresión equivalente
(TRATAMIENTO HONORÍFICO GENERAL) Desinencia de terminación que se usa cuando se describe cierto hecho; o pregunta, ordena o reclama algo. **<pregunta>**

나 예쁘(예ㅃ)+어요?

예뻐요

나 (pronombre) : 말하는 사람이 친구나 아랫사람에게 자기를 가리키는 말.
yo
Pronombre que usa el hablante para referirse a sí mismo ante alguien de edad igual o menor.

예쁘다 (adjetivo) : 생긴 모양이 눈으로 보기에 좋을 만큼 아름답다.
bonito, lindo, mono, monín
Que es hermoso a los ojos el aspecto.

-어요 : (두루높임으로) 어떤 사실을 서술하거나 질문, 명령, 권유함을 나타내는 종결 어미.
No hay expresión equivalente
(TRATAMIENTO HONORÍFICO GENERAL) Desinencia de terminación que se usa cuando se describe cierto hecho; o pregunta, ordena o reclama algo. **<pregunta>**

어떻+어요?

어때요

어떻다 (adjetivo) : 생각, 느낌, 상태, 형편 등이 어찌 되어 있다.
cómo, qué tal
Estar de tal forma pensamientos, sentimientos, estados, situaciones, etc.

-어요 : (두루높임으로) 어떤 사실을 서술하거나 질문, 명령, 권유함을 나타내는 종결 어미.

No hay expresión equivalente

(TRATAMIENTO HONORÍFICO GENERAL) Desinencia de terminación que se usa cuando se describe cierto hecho; o pregunta, ordena o reclama algo. **<pregunta>**

< 5 >

하늘, 땅, 사람
(cielo)
(tierra)
(persona)

[발음(pronunciación)]

< 1 절(verso) >

하늘에서 비가 내린다고 하는 걸 보니 하늘은 위인가요?
하느레서 비가 내린다고 하는 걸 보니 하느른 위인가요?
haneureseo biga naerindago haneun geol boni haneureun wiingayo?

그 비가 땅을 적신다고 하는 걸 보니 그럼 땅은 아래인가 보네요.
그 비가 땅을 적씬다고 하는 걸 보니 그럼 땅은 아래인가 보네요.
geu biga ttangeul jeoksindago haneun geol boni geureom ttangeun araeinga boneyo.

땅을 밟고 서서 하늘을 바라보는 사람은 하늘과 땅 사이에 있는 거겠군요.
땅을 밥꼬 서서 하느를 바라보는 사라믄 하늘과 땅 사이에 인는 거겓꾸뇨.
ttangeul bapgo seoseo haneureul baraboneun sarameun haneulgwa ttang saie inneun geogetgunyo.

그 사이에 갇혀 지지고 볶으며 오늘도 나는 살아가고 있네요.
그 사이에 가처 지지고 보끄며 오늘도 나는 사라가고 인네요.
geu saie gacheo jijigo bokkeumyeo oneuldo naneun saragago inneyo.

땅에 갇혀 사는 것은 이제 너무 지겨워요.
땅에 가처 사는 거슨 이제 너무 지겨워요.
ttange gacheo saneun geoseun ije neomu jigyeowoyo.

움츠린 가슴을 펴고 하늘 끝까지 날아올라 봐요.
움츠린 가스믈 펴고 하늘 끋까지 나라올라 봐요.
umcheurin gaseumeul pyeogo haneul kkeutkkaji naraolla bwayo.

우리 모두 거기서 행복하게 살아 봐요.
우리 모두 거기서 행보카게 사라 봐요.
uri modu geogiseo haengbokage sara bwayo.

< 후렴(estribillo) >

이제부터는 지금부터는
이제부터는 지금부터는
ijebuteoneun jigeumbuteoneun

가슴이 시키는 대로 살아 봐요.
가스미 시키는 대로 사라 봐요.
gaseumi sikineun daero sara bwayo.

이제부터는 지금부터는
이제부터는 지금부터는
ijebuteoneun jigeumbuteoneun

가슴이 느끼는 대로 자유롭게
가스미 느끼는 대로 자유롭께
gaseumi neukkineun daero jayuropge

아무것도 신경 쓰지 마요.
아무걷또 신경 쓰지 마요.
amugeotdo singyeong sseuji mayo.

< 2 절(verso) >

아직까지 해가 뜨고 진 적은 한 번도 없었어요.
아직까지 해가 뜨고 진 저근 한 번도 업써써요.
ajikkkaji haega tteugo jin jeogeun han beondo eopseosseoyo.

이 땅에 사는 우리들만 어제도 오늘도 쉼 없이 돌고 돌고 또 돌아요.
이 땅에 사는 우리들만 어제도 오늘도 쉼 업씨 돌고 돌고 또 도라요.
i ttange saneun urideulman eojedo oneuldo swim eopsi dolgo dolgo tto dorayo.

배운 대로 남들이 시키는 대로 그렇게 사람들 사이에 숨어 살아가고 있죠.
배운 대로 남드리 시키는 대로 그러케 사람들 사이에 수머 사라가고 읻쬬.
baeun daero namdeuri sikineun daero geureoke saramdeul saie sumeo saragago itjyo.

그 사이에 갇혀 지지고 볶으며 오늘도 나는 살아가고 있네요.
그 사이에 가처 지지고 보끄며 오늘도 나는 사라가고 인네요.
geu saie gacheo jijigo bokkeumyeo oneuldo naneun saragago inneyo.

누가 시키는 대로 사는 것은 이제 너무 짜증이 나요.
누가 시키는 대로 사는 거슨 이제 너무 짜증이 나요.
nuga sikineun daero saneun geoseun ije neomu jjajeungi nayo.

바라고 원하는 생각들을 하늘 너머로 떠나보내요.
바라고 원하는 생각뜨를 하늘 너머로 떠나보내요.
barago wonhaneun saenggakdeureul haneul neomeoro tteonabonaeyo.

우리 모두 거기서 자유롭게 살아 봐요.
우리 모두 거기서 자유롭께 사라 봐요.
uri modu geogiseo jayuropge sara bwayo.

< 후렴(estribillo) >

우- 워- 이제부터는 지금부터는
우- 워- 이제부터는 지금부터는
u- wo- ijebuteoneun jigeumbuteoneun

이제부터는 지금부터는
이제부터는 지금부터는
ijebuteoneun jigeumbuteoneun

가슴이 시키는 대로 살아 봐요.
가스미 시키는 대로 사라 봐요.
gaseumi sikineun daero sara bwayo.

이제부터는 지금부터는
이제부터는 지금부터는
ijebuteoneun jigeumbuteoneun

가슴이 느끼는 대로 자유롭게
가스미 느끼는 대로 자유롭께
gaseumi neukkineun daero jayuropge

이제부터는 지금부터는
이제부터는 지금부터는
ijebuteoneun jigeumbuteoneun

(우리 모두 거기서)
(우리 모두 거기서)
(uri modu geogiseo)

가슴이 시키는 대로 살아 봐요.
가스미 시키는 대로 사라 봐요.
gaseumi sikineun daero sara bwayo.

(자유롭게 살아요)
(자유롭께 사라요)
(jayuropge sarayo)

이제부터는 지금부터는
이제부터는 지금부터는
ijebuteoneun jigeumbuteoneun

(우리 모두 거기서)
(우리 모두 거기서)
(uri modu geogiseo)

가슴이 느끼는 대로 자유롭게
가스미 느끼는 대로 자유롭께
gaseumi neukkineun daero jayuropge

(자유롭게)
(자유롭께)
(jayuropge)

그런 사람이었어요.
그런 사라미어써요.
geureon saramieosseoyo.

그런 인생이었어요.
그런 인생이어써요.
geureon insaengieosseoyo.

그렇게 기억해 줘요.
그러케 기어캐 줘요.
geureoke gieokae jwoyo.

< 1 절(verso) >

하늘+에서 비+가 내리+ㄴ다고 하+[는 것(거)]+을 보+니

내린다고 하는 걸

하늘 (sustantivo) : 땅 위로 펼쳐진 무한히 넓은 공간.
cielo
Espacio infinitamente amplio que se extiende arriba de la tierra.

에서 : 앞말이 출발점의 뜻을 나타내는 조사.
No hay expresión equivalente
Posposición que se usa para indicar que la palabra anterior implica el punto de partida.

비 (sustantivo) : 높은 곳에서 구름을 이루고 있던 수증기가 식어서 뭉쳐 떨어지는 물방울.
lluvia, precipitación
Gota de agua que cae por enfriarse el vapor que formaba una nube en un lugar alto.

가 : 어떤 상태나 상황에 놓인 대상이나 동작의 주체를 나타내는 조사.
No hay expresión equivalente
Posposición que se usa para indicar el objeto de cierto estado o situación o el agente de un movimiento.

내리다 (verbo) : 눈이나 비 등이 오다.
caer, llover, nevar, rociar
Caer nieve, lluvia, etc.

-ㄴ다고 : 다른 사람에게서 들은 내용을 간접적으로 전달하거나 주어의 생각, 의견 등을 나타내는 표현.
No hay expresión equivalente
Expresión que se usa para transmitir de manera indirecta algo lo que se ha escuchado o mostrar la opinión o postura del sujeto.

하다 (verbo) : 무엇에 대해 말하다.
abordar, tratar
Hablar sobre un tema.

-는 것 : 명사가 아닌 것을 문장에서 명사처럼 쓰이게 하거나 '이다' 앞에 쓰일 수 있게 할 때 쓰는 표현.
No hay expresión equivalente
Expresión que se usa para hacer que una palabra que no es sustantivo sea utilizada como tal en una oración, o para hacer que se use delante de '이다' .

을 : 동작이 직접적으로 영향을 미치는 대상을 나타내는 조사.
No hay expresión equivalente
Posposición que se usa para indicar el objeto que ha sido influido directamente por una acción.

보다 (verbo) : 무엇을 근거로 판단하다.
juzgar, considerar, opinar, estimar
Juzgar a base de algo.

-니 : 뒤에 오는 말에 대하여 앞에 오는 말이 원인이나 근거, 전제가 됨을 나타내는 연결 어미.
No hay expresión equivalente
Desinencia conectora que se usa cuando la palabra anterior es una causa, fundamento o premisa de la palabra posterior.

하늘+은 위+이+ㄴ가요?
위인가요

하늘 (sustantivo) : 땅 위로 펼쳐진 무한히 넓은 공간.
cielo
Espacio infinitamente amplio que se extiende arriba de la tierra.

은 : 문장 속에서 어떤 대상이 화제임을 나타내는 조사.
No hay expresión equivalente
Posposición que se usa para indicar que cierto objeto es tópico en la oración.

위 (sustantivo) : 어떤 기준보다 더 높은 쪽. 또는 중간보다 더 높은 쪽.
parte superior
Posición alta en comparación con una determinada base. O parte más alta que la parte media.

이다 : 주어가 지시하는 대상의 속성이나 부류를 지정하는 뜻을 나타내는 서술격 조사.
No hay expresión equivalente
Posposición de caso atributivo, que se usa para designar el atributo o la clase del objeto al que se refiere el sujeto.

-ㄴ가요 : (두루높임으로) 현재의 사실에 대한 물음을 나타내는 종결 어미.
No hay expresión equivalente
(TRATAMIENTO HONORÍFICO GENERAL) Desinencia de terminación que se usa cuando se cuestiona un hecho del presente.

그 비+가 땅+을 적시+ㄴ다고 하+[는 것(거)]+을 보+니
적신다고 하는 걸

그 (determinante) : 앞에서 이미 이야기한 대상을 가리킬 때 쓰는 말.
ese
Expresión usada para designar algo que se acaba de mencionar.

비 (sustantivo) : 높은 곳에서 구름을 이루고 있던 수증기가 식어서 뭉쳐 떨어지는 물방울.
lluvia, precipitación
Gota de agua que cae por enfriarse el vapor que formaba una nube en un lugar alto.

가 : 어떤 상태나 상황에 놓인 대상이나 동작의 주체를 나타내는 조사.
No hay expresión equivalente
Posposición que se usa para indicar el objeto de cierto estado o situación o el agente de un movimiento.

땅 (sustantivo) : 지구에서 물로 된 부분이 아닌 흙이나 돌로 된 부분.
tierra
Parte superficial del planeta compuesta por suelo o roca y que no está ocupada por el mar.

을 : 동작이 직접적으로 영향을 미치는 대상을 나타내는 조사.
No hay expresión equivalente
Posposición que se usa para indicar el objeto que ha sido influido directamente por una acción.

적시다 (verbo) : 물 등의 액체를 묻혀 젖게 하다.
mojar, remojar, empapar
Humedecer con líquido como el agua.

-ㄴ다고 : 다른 사람에게서 들은 내용을 간접적으로 전달하거나 주어의 생각, 의견 등을 나타내는 표현.
No hay expresión equivalente
Expresión que se usa para transmitir de manera indirecta algo lo que se ha escuchado o mostrar la opinión o postura del sujeto.

하다 (verbo) : 무엇에 대해 말하다.
abordar, tratar
Hablar sobre un tema.

-는 것 : 명사가 아닌 것을 문장에서 명사처럼 쓰이게 하거나 '이다' 앞에 쓰일 수 있게 할 때 쓰는 표현.
No hay expresión equivalente
Expresión que se usa para hacer que una palabra que no es sustantivo sea utilizada como tal en una oración, o para hacer que se use delante de '이다' .

을 : 동작이 직접적으로 영향을 미치는 대상을 나타내는 조사.
No hay expresión equivalente
Posposición que se usa para indicar el objeto que ha sido influido directamente por una acción.

보다 (verbo) : 무엇을 근거로 판단하다.
juzgar, considerar, opinar, estimar
Juzgar a base de algo.

-니 : 뒤에 오는 말에 대하여 앞에 오는 말이 원인이나 근거, 전제가 됨을 나타내는 연결 어미.
No hay expresión equivalente
Desinencia conectora que se usa cuando la palabra anterior es una causa, fundamento o premisa de la palabra posterior.

그럼 땅+은 아래+이+[ㄴ가 보]+네요.

아래인가 보네요

그럼 (adverbio) : 앞의 내용이 뒤의 내용의 조건이 될 때 쓰는 말.
entonces, pues, en ese caso, en tal caso, de ser así
Se usa para denotar que lo antedicho es condición de lo que se dirá a continuación.

땅 (sustantivo) : 지구에서 물로 된 부분이 아닌 흙이나 돌로 된 부분.
tierra
Parte superficial del planeta compuesta por suelo o roca y que no está ocupada por el mar.

은 : 문장 속에서 어떤 대상이 화제임을 나타내는 조사.
No hay expresión equivalente
Posposición que se usa para indicar que cierto objeto es tópico en la oración.

아래 (sustantivo) : 일정한 기준보다 낮은 위치.
pie, parte inferior
Posición baja en comparación con una determinada base.

이다 : 주어가 지시하는 대상의 속성이나 부류를 지정하는 뜻을 나타내는 서술격 조사.
No hay expresión equivalente
Posposición de caso atributivo, que se usa para designar el atributo o la clase del objeto al que se refiere el sujeto.

-ㄴ가 보다 : 앞의 말이 나타내는 사실을 추측함을 나타내는 표현.
No hay expresión equivalente
Expresión que se usa para suponer lo que dice el comentario anterior.

-네요 : (두루높임으로) 말하는 사람이 직접 경험하여 새롭게 알게 된 사실에 대해 감탄함을 나타낼 때 쓰는 표현.
No hay expresión equivalente
(TRATAMIENTO HONORÍFICO GENERAL) Expresión que se usa para mostrar que el hablante presenta una emoción sobre algo nuevo que se acaba de conocer por haberlo experimentado directamente.

땅+을 밟+고 서+(어)서 하늘+을 바라보+는 사람+은
서서

땅 (sustantivo) : 지구에서 물로 된 부분이 아닌 흙이나 돌로 된 부분.
tierra
Parte superficial del planeta compuesta por suelo o roca y que no está ocupada por el mar.

을 : 동작이 직접적으로 영향을 미치는 대상을 나타내는 조사.
No hay expresión equivalente
Posposición que se usa para indicar el objeto que ha sido influido directamente por una acción.

밟다 (verbo) : 어떤 대상에 발을 올려놓고 서거나 올려놓으면서 걷다.
pisar, hollar, pararse
Pararse o andar poniendo los pies sobre cierta cosa.

-고 : 앞의 말이 나타내는 행동이나 그 결과가 뒤에 오는 행동이 일어나는 동안에 그대로 지속됨을 나타내는 연결 어미.
No hay expresión equivalente
Desinencia conectora que se usa cuando la acción y su resultado que indica la palabra anterior siguen igual que durante el desarrollo de la acción que viene después.

서다 (verbo) : 사람이나 동물이 바닥에 발을 대고 몸을 곧게 하다.
levantar
Poner derecho o en posición vertical el cuerpo de una persona o un animal.

-어서 : 앞의 말과 뒤의 말이 순차적으로 일어남을 나타내는 연결 어미.
No hay expresión equivalente
Desinencia conectora que se usa cuando la palabra anterior y la posterior ocurren consecutivamente.

하늘 (sustantivo) : 땅 위로 펼쳐진 무한히 넓은 공간.
cielo
Espacio infinitamente amplio que se extiende arriba de la tierra.

을 : 동작이 직접적으로 영향을 미치는 대상을 나타내는 조사.
No hay expresión equivalente
Posposición que se usa para indicar el objeto que ha sido influido directamente por una acción.

바라보다 (verbo) : 바로 향해 보다.
mirar, ver
Dirigir la vista rectamente.

-는 : 앞의 말이 관형어의 기능을 하게 만들고 사건이나 동작이 현재 일어남을 나타내는 어미.
No hay expresión equivalente
Desinencia que hace que la palabra antecedente ejerza la función de un componente determinante, e indica que un suceso o una acción se produce en el presente.

사람 (sustantivo) : 생각할 수 있으며 언어와 도구를 만들어 사용하고 사회를 이루어 사는 존재.
persona, hombre, ser humano
Existencia que puede pensar, inventa el lenguaje y la herramienta que utiliza y vive formando una sociedad.

은 : 문장 속에서 어떤 대상이 화제임을 나타내는 조사.
No hay expresión equivalente
Posposición que se usa para indicar que cierto objeto es tópico en la oración.

하늘+과 땅 사이+에 있+[는 것(거)]+(이)+겠+군요.
있는 거겠군요

하늘 (sustantivo) : 땅 위로 펼쳐진 무한히 넓은 공간.
cielo
Espacio infinitamente amplio que se extiende arriba de la tierra.

과 : 앞과 뒤의 명사를 같은 자격으로 이어 줄 때 쓰는 조사.
No hay expresión equivalente
Posposición que se usa para unir el sustantivo que antecede y otro que sucede, en calidad equivalente entre sí.

땅 (sustantivo) : 지구에서 물로 된 부분이 아닌 흙이나 돌로 된 부분.
tierra
Parte superficial del planeta compuesta por suelo o roca y que no está ocupada por el mar.

사이 (sustantivo) : 한 물체에서 다른 물체까지 또는 한곳에서 다른 곳까지의 거리나 공간.
espacio, distancia
Espacio o distancia de un lugar a otro o de un objeto a otro.

에 : 앞말이 어떤 장소나 자리임을 나타내는 조사.
No hay expresión equivalente
Posposición que se usa cuando la palabra anterior indica cierto lugar o sitio.

있다 (adjetivo) : 사람이나 동물이 어느 곳에 머무르거나 사는 상태이다.
existente
Que una persona o un animal permanence o vive en cierto lugar.

-는 것 : 명사가 아닌 것을 문장에서 명사처럼 쓰이게 하거나 '이다' 앞에 쓰일 수 있게 할 때 쓰는 표현.
No hay expresión equivalente
Expresión que se usa para hacer que una palabra que no es sustantivo sea utilizada como tal en una oración, o para hacer que se use delante de '이다' .

이다 : 주어가 지시하는 대상의 속성이나 부류를 지정하는 뜻을 나타내는 서술격 조사.
No hay expresión equivalente
Posposición de caso atributivo, que se usa para designar el atributo o la clase del objeto al que se refiere el sujeto.

-겠- : 미래의 일이나 추측을 나타내는 어미.
No hay expresión equivalente
Desinencia que se usa para indicar algo del futuro o una conjetura.

-군요 : (두루높임으로) 새롭게 알게 된 사실에 주목하거나 감탄함을 나타내는 표현.
No hay expresión equivalente
(TRATAMIENTO HONORÍFICO GENERAL) Expresión que indica emoción después de confirmar o darse cuenta de algo nuevo.

그 사이+에 갇히+어 [지지고 볶]+으며 오늘+도 나+는 살아가+[고 있]+네요.
갇혀

그 (determinante) : 앞에서 이미 이야기한 대상을 가리킬 때 쓰는 말.
ese
Expresión usada para designar algo que se acaba de mencionar.

사이 (sustantivo) : 한 물체에서 다른 물체까지 또는 한곳에서 다른 곳까지의 거리나 공간.
espacio, distancia
Espacio o distancia de un lugar a otro o de un objeto a otro.

에 : 앞말이 어떤 장소나 자리임을 나타내는 조사.
No hay expresión equivalente
Posposición que se usa cuando la palabra anterior indica cierto lugar o sitio.

갇히다 (verbo) : 어떤 공간이나 상황에서 나가지 못하게 되다.
encerrarse
Retirarse a un espacio o resguardarse de una situación.

-어 : 앞의 말이 뒤의 말보다 먼저 일어났거나 뒤의 말에 대한 방법이나 수단이 됨을 나타내는 연결 어미.
No hay expresión equivalente
Desinencia conectora que se usa cuando la palabra anterior se realiza antes de que la posterior, o es un método o medio de la palabra posterior.

지지고 볶다 (관용구) : 온갖 것을 겪으며 함께 살아가다.
freír y saltear
Convivir compartiendo todo tipo de experiencias.

-으며 : 두 가지 이상의 동작이나 상태가 함께 일어남을 나타내는 연결 어미.
No hay expresión equivalente
Desinencia conectora que se usa cuando se realizan más de dos acciones, estados, hechos, etc. al mismo tiempo.

오늘 (sustantivo) : 지금 지나가고 있는 이날.
hoy
Día actual que está transcurriendo ahora.

도 : 이미 있는 어떤 것에 다른 것을 더하거나 포함함을 나타내는 조사.
No hay expresión equivalente
Posposición que añade o incluye algo a cierta cosa ya existente.

나 (pronombre) : 말하는 사람이 친구나 아랫사람에게 자기를 가리키는 말.
yo
Pronombre que usa el hablante para referirse a sí mismo ante alguien de edad igual o menor.

는 : 문장 속에서 어떤 대상이 화제임을 나타내는 조사.
No hay expresión equivalente
Posposición que muestra que el referente es el tópico de una oración.

살아가다 (verbo) : 어떤 종류의 삶이나 시대 등을 견디며 생활해 나가다.
vivir
Labrar la vida aguantando su periodo penoso o mantener un tipo de vida.

-고 있다 : 앞의 말이 나타내는 행동이 계속 진행됨을 나타내는 표현.
No hay expresión equivalente
Expresión que indica que la acción que representa la parte anterior de la cláusula continúa.

-네요 : (두루높임으로) 말하는 사람이 직접 경험하여 새롭게 알게 된 사실에 대해 감탄함을 나타낼 때 쓰는 표현.
No hay expresión equivalente
(TRATAMIENTO HONORÍFICO GENERAL) Expresión que se usa para mostrar que el hablante presenta una emoción sobre algo nuevo que se acaba de conocer por haberlo experimentado directamente.

땅+에 <u>갇히+어</u> <u>살(사)+[는 것]+은</u> 이제 너무 <u>지겹(지겨우)+어요</u>.
갇혀 사는 것은 지겨워요

땅 (sustantivo) : 지구에서 물로 된 부분이 아닌 흙이나 돌로 된 부분.
tierra
Parte superficial del planeta compuesta por suelo o roca y que no está ocupada por el mar.

에 : 앞말이 어떤 장소나 자리임을 나타내는 조사.
No hay expresión equivalente
Posposición que se usa cuando la palabra anterior indica cierto lugar o sitio.

갇히다 (verbo) : 어떤 공간이나 상황에서 나가지 못하게 되다.
encerrarse
Retirarse a un espacio o resguardarse de una situación.

-어 : 앞의 말이 뒤의 말보다 먼저 일어났거나 뒤의 말에 대한 방법이나 수단이 됨을 나타내는 연결 어미.
No hay expresión equivalente
Desinencia conectora que se usa cuando la palabra anterior se realiza antes de que la posterior, o es un método o medio de la palabra posterior.

살다 (verbo) : 사람이 생활을 하다.
vivir
Subsistir en la vida.

-는 것 : 명사가 아닌 것을 문장에서 명사처럼 쓰이게 하거나 '이다' 앞에 쓰일 수 있게 할 때 쓰는 표현.
No hay expresión equivalente
Expresión que se usa para hacer que una palabra que no es sustantivo sea utilizada como tal en una oración, o para hacer que se use delante de '이다' .

은 : 문장 속에서 어떤 대상이 화제임을 나타내는 조사.
No hay expresión equivalente
Posposición que se usa para indicar que cierto objeto es tópico en la oración.

이제 (adverbio) : 지금의 시기가 되어.
ahora
En el tiempo actual.

너무 (adverbio) : 일정한 정도나 한계를 훨씬 넘어선 상태로.
demasiado, excesivamente
Habiendo excedido en gran medida determinado nivel o límite.

지겹다 (adjetivo) : 같은 상태나 일이 반복되어 재미가 없고 지루하고 싫다.
harto, saciado
Que no le gusta o le aburre la repetición de un mismo suceso o una misma situación.

-어요 : (두루높임으로) 어떤 사실을 서술하거나 질문, 명령, 권유함을 나타내는 종결 어미.
No hay expresión equivalente
(TRATAMIENTO HONORÍFICO GENERAL) Desinencia de terminación que se usa cuando se describe cierto hecho; o pregunta, ordena o reclama algo. **<narración>**

움츠리+ㄴ 가슴+을 펴+고 하늘 끝+까지 날아오르(날아올ㄹ)+[아 보]+아요.
움츠린 날아올라 봐요

움츠리다 (verbo) : 몸이나 몸의 일부를 오그려 작아지게 하다.
encogerse
Contraerse o disminuirse la parte del cuerpo o el cuerpo.

-ㄴ : 앞의 말이 관형어의 기능을 하게 만들고 사건이나 동작이 완료되어 그 상태가 유지되고 있음을 나타내는 어미.
No hay expresión equivalente
Desinencia que hace que la palabra antecedente ejerza la función de una palabra determinante, e indica que un suceso o una acción se mantiene en el mismo estado que cuando concluyó en un momento del pasado.

가슴 (sustantivo) : 인간이나 동물의 목과 배 사이에 있는 몸의 앞 부분.
pecho
Parte delantera del cuerpo de un ser humano o animal, entre el cuello y el estómago.

을 : 동작이 직접적으로 영향을 미치는 대상을 나타내는 조사.
No hay expresión equivalente
Posposición que se usa para indicar el objeto que ha sido influido directamente por una acción.

펴다 (verbo) : 굽은 것을 곧게 하다. 또는 움츠리거나 오므라든 것을 벌리다.
enderezar, abrir
Enderezar lo que está encorvado. O abrir lo que está encogido o doblado.

-고 : 앞의 말이 나타내는 행동이나 그 결과가 뒤에 오는 행동이 일어나는 동안에 그대로 지속됨을 나타내는 연결 어미.
No hay expresión equivalente
Desinencia conectora que se usa cuando la acción y su resultado que indica la palabra anterior siguen igual que durante el desarrollo de la acción que viene después.

하늘 (sustantivo) : 땅 위로 펼쳐진 무한히 넓은 공간.
cielo
Espacio infinitamente amplio que se extiende arriba de la tierra.

끝 (sustantivo) : 공간에서의 마지막 장소.
último lugar
Último puesto de un espacio.

까지 : 어떤 범위의 끝임을 나타내는 조사.
No hay expresión equivalente
Posposición que se usa para denotar el término o límite de algo.

날아오르다 (verbo) : 날아서 위로 높이 올라가다.
volarse, alzarse, elevarse
Volar y subirse hasta lo alto.

-아 보다 : 앞의 말이 나타내는 행동을 시험 삼아 함을 나타내는 표현.
No hay expresión equivalente
Expresión que indica la realización de la acción que indica el comentario anterior a modo de prueba.

-아요 : (두루높임으로) 어떤 사실을 서술하거나 질문, 명령, 권유함을 나타내는 종결 어미.
No hay expresión equivalente
(TRATAMIENTO HONORÍFICO GENERAL) Desinencia de terminación que se usa cuando se describe cierto hecho; o pregunta, ordena o reclama algo. **<recomendación>**

우리 모두 거기+서 행복하+게 살+[아 보]+아요.

살아 봐요

우리 (pronombre) : 말하는 사람이 자기와 듣는 사람 또는 이를 포함한 여러 사람들을 가리키는 말.
nosotros
Palabra que el hablante usa para referirse a sí mismo y al oyente u otras personas.

모두 (adverbio) : 빠짐없이 다.
todo, todos, totalmente, enteramente, completamente
Todos, sin excepción.

거기 (pronombre) : 앞에서 이미 이야기한 곳을 가리키는 말.
ahí, ese lugar
Pronombre que designa un sitio que ya se ha mencionado.

서 : 앞말이 행동이 이루어지고 있는 장소임을 나타내는 조사.
No hay expresión equivalente
Posposición que se usa para indicar el lugar en el que se realiza la acción de la palabra anterior.

행복하다 (adjetivo) : 삶에서 충분한 만족과 기쁨을 느껴 흐뭇하다.
feliz, alegre, satisfecho
Que siente la alegría que viene de suficiente satisfacción o goce en la vida.

-게 : 앞의 말이 뒤에서 가리키는 일의 목적이나 결과, 방식, 정도 등이 됨을 나타내는 연결 어미.
No hay expresión equivalente
Desinencia conectora que se usa cuando la palabra anterior es el objetivo, resultado, método, grado, etc. que indica al posterior. **<método>**

살다 (verbo) : 사람이 생활을 하다.
vivir
Subsistir en la vida.

-아 보다 : 앞의 말이 나타내는 행동을 시험 삼아 함을 나타내는 표현.
No hay expresión equivalente
Expresión que indica la realización de la acción que indica el comentario anterior a modo de prueba.

-아요 : (두루높임으로) 어떤 사실을 서술하거나 질문, 명령, 권유함을 나타내는 종결 어미.
No hay expresión equivalente
(TRATAMIENTO HONORÍFICO GENERAL) Desinencia de terminación que se usa cuando se describe cierto hecho; o pregunta, ordena o reclama algo. **<recomendación>**

< 후렴(estribillo) >

이제+부터+는 지금+부터+는

이제 (sustantivo) : 지금의 시기.
ahora
Tiempo actual.

부터 : 어떤 일의 시작이나 처음을 나타내는 조사.
No hay expresión equivalente
Posposición que indica el inicio o la partida de cierta cosa.

는 : 어떤 대상이 다른 것과 대조됨을 나타내는 조사.
No hay expresión equivalente
Posposición que indica que el referente contrasta con otro.

지금 (sustantivo) : 말을 하고 있는 바로 이때.
ahora
En este preciso momento en que se está hablando.

부터 : 어떤 일의 시작이나 처음을 나타내는 조사.
No hay expresión equivalente
Posposición que indica el inicio o la partida de cierta cosa.

는 : 어떤 대상이 다른 것과 대조됨을 나타내는 조사.
No hay expresión equivalente
Posposición que indica que el referente contrasta con otro.

가슴+이 시키+[는 대로] 살+[아 보]+아요.

살아 봐요

가슴 (sustantivo) : 마음이나 느낌.
corazón
Referido a los estados de ánimo o del alma.

이 : 어떤 상태나 상황의 대상이나 동작의 주체를 나타내는 조사.
No hay expresión equivalente
Posposición que se usa para indicar el objeto de cierto estado o situación o el agente de un movimiento.

시키다 (verbo) : 어떤 일이나 행동을 하게 하다.
ordenar
Mandar que se realice algún trabajo o acción.

-는 대로 : 앞에 오는 말이 뜻하는 현재의 행동이나 상황과 같음을 나타내는 표현.
No hay expresión equivalente
Expresión que se usa para mostrar que es lo mismo con un acto o estado actual que representa el comentario anterior.

살다 (verbo) : 사람이 생활을 하다.
vivir
Subsistir en la vida.

-아 보다 : 앞의 말이 나타내는 행동을 시험 삼아 함을 나타내는 표현.
No hay expresión equivalente
Expresión que indica la realización de la acción que indica el comentario anterior a modo de prueba.

-아요 : (두루높임으로) 어떤 사실을 서술하거나 질문, 명령, 권유함을 나타내는 종결 어미.
No hay expresión equivalente
(TRATAMIENTO HONORÍFICO GENERAL) Desinencia de terminación que se usa cuando se describe cierto hecho; o pregunta, ordena o reclama algo. **<recomendación>**

이제+부터+는 지금+부터+는

이제 (sustantivo) : 지금의 시기.
ahora
Tiempo actual.

부터 : 어떤 일의 시작이나 처음을 나타내는 조사.
No hay expresión equivalente
Posposición que indica el inicio o la partida de cierta cosa.

는 : 어떤 대상이 다른 것과 대조됨을 나타내는 조사.
No hay expresión equivalente
Posposición que indica que el referente contrasta con otro.

지금 (sustantivo) : 말을 하고 있는 바로 이때.
ahora
En este preciso momento en que se está hablando.

부터 : 어떤 일의 시작이나 처음을 나타내는 조사.
No hay expresión equivalente
Posposición que indica el inicio o la partida de cierta cosa.

는 : 어떤 대상이 다른 것과 대조됨을 나타내는 조사.
No hay expresión equivalente
Posposición que indica que el referente contrasta con otro.

가슴+이 느끼+[는 대로] 자유롭+게

가슴 (sustantivo) : 마음이나 느낌.
corazón
Referido a los estados de ánimo o del alma.

이 : 어떤 상태나 상황의 대상이나 동작의 주체를 나타내는 조사.
No hay expresión equivalente
Posposición que se usa para indicar el objeto de cierto estado o situación o el agente de un movimiento.

느끼다 (verbo) : 특정한 대상이나 상황을 어떻다고 생각하거나 인식하다.
sentir, percibir
Pensar o percibir el estado de cierto sujeto o cierta situación.

-는 대로 : 앞에 오는 말이 뜻하는 현재의 행동이나 상황과 같음을 나타내는 표현.
No hay expresión equivalente
Expresión que se usa para mostrar que es lo mismo con un acto o estado actual que representa el comentario anterior.

자유롭다 (adjetivo) : 무엇에 얽매이거나 구속되지 않고 자기 생각과 의지대로 할 수 있다.
libre, independiente, autónomo, emancipado, soberano
Que puede hacer libremente como uno piensa o quiere sin estar sujeto o vinculado a algo.

-게 : 앞의 말이 뒤에서 가리키는 일의 목적이나 결과, 방식, 정도 등이 됨을 나타내는 연결 어미.
No hay expresión equivalente
Desinencia conectora que se usa cuando la palabra anterior es el objetivo, resultado, método, grado, etc. que indica al posterior. **<método>**

아무것+도 [신경 쓰]+[지 말(마)]+(아)요.
신경 쓰지 마요

아무것 (sustantivo) : 어떤 것의 조금이나 일부분.
algo
Lo que es poco o una parte de algo.

도 : 극단적인 경우를 들어 다른 경우는 말할 것도 없음을 나타내는 조사.
No hay expresión equivalente
Posposición que indica que es algo innecesario de ser comentado alegando un caso extremo.

신경 쓰다 (modismo) : 사소한 일까지 세심하게 생각하다.
prestarle el nervio
Pensar con mucho cuidado hasta en un hecho trivial.

-지 말다 : 앞의 말이 나타내는 행동을 하지 못하게 함을 나타내는 표현.
No hay expresión equivalente
Expresión que se usa para prohibir la acción del comentario mencionado anteriormente.

-아요 : (두루높임으로) 어떤 사실을 서술하거나 질문, 명령, 권유함을 나타내는 종결 어미.
No hay expresión equivalente
(TRATAMIENTO HONORÍFICO GENERAL) Desinencia de terminación que se usa cuando se describe cierto hecho; o pregunta, ordena o reclama algo. <orden>

< 2 절(verso) >

아직+까지 해+가 뜨+고 지+[ㄴ 적+은 한 번+도 없]+었+어요.

진 적은 한 번도 없었어요

아직 (adverbio) : 어떤 일이나 상태 또는 어떻게 되기까지 시간이 더 지나야 함을 나타내거나, 어떤 일이나 상태가 끝나지 않고 계속 이어지고 있음을 나타내는 말.
todavía, aún, ni hasta ahora
Palabra que indica que es necesario esperar más tiempo hasta que algún asunto alcance determinado nivel o estado, o denota que algo continúa en determinado nivel o estado sin cambiar.

까지 : 어떤 범위의 끝임을 나타내는 조사.
No hay expresión equivalente
Posposición que se usa para denotar el término o límite de algo.

해 (sustantivo) : 태양계의 중심에 있으며 온도가 매우 높고 스스로 빛을 내는 항성.
sol
Estrella que se encuentra en el centro del sistema solar, de temperatura muy alta y luz propia.

가 : 어떤 상태나 상황에 놓인 대상이나 동작의 주체를 나타내는 조사.
No hay expresión equivalente
Posposición que se usa para indicar el objeto de cierto estado o situación o el agente de un movimiento.

뜨다 (verbo) : 물 위나 공중에 있거나 위쪽으로 솟아오르다.
flotar
Sostenerse en la superficie de un líquido o en el aire. O permanecer un astro en el horizonte.

-고 : 두 가지 이상의 대등한 사실을 나열할 때 쓰는 연결 어미.
No hay expresión equivalente
Desinencia conectora que se usa cuando se enumeran más de dos hechos similares.

지다 (verbo) : 해나 달이 서쪽으로 넘어가다.
caer, ponerse
Pasar hacia el lado oeste el sol o la luna.

-ㄴ 적 없다 : 앞의 말이 나타내는 동작이 일어나거나 그 상태가 나타난 때가 없음을 나타내는 표현.
No hay expresión equivalente
Expresión que se usa para mostrar que no había un momento en que el acto que representa el comentario anterior continuaba o sucedía.

은 : 문장 속에서 어떤 대상이 화제임을 나타내는 조사.
No hay expresión equivalente
Posposición que se usa para indicar que cierto objeto es tópico en la oración.

한 (determinante) : 하나의.
No hay expresión equivalente
uno

번 (sustantivo) : 일의 횟수를 세는 단위.
vez
Unidad de conteo de número de veces de una cosa.

도 : 극단적인 경우를 들어 다른 경우는 말할 것도 없음을 나타내는 조사.
No hay expresión equivalente
Posposición que indica que es algo innecesario de ser comentado alegando un caso extremo.

-었- : 어떤 사건이 과거에 완료되었거나 그 사건의 결과가 현재까지 지속되는 상황을 나타내는 어미.
No hay expresión equivalente
Desinencia que se usa cuando cierto suceso fue acabado en el pasado o cuando el resultado de ese suceso continúa hasta el presente.

-어요 : (두루높임으로) 어떤 사실을 서술하거나 질문, 명령, 권유함을 나타내는 종결 어미.
No hay expresión equivalente
(TRATAMIENTO HONORÍFICO GENERAL) Desinencia de terminación que se usa cuando se describe cierto hecho; o pregunta, ordena o reclama algo. **<narración>**

이 땅+에 살(사)+는 우리+들+만 어제+도 오늘+도
사는

이 (determinante) : 바로 앞에서 이야기한 대상을 가리킬 때 쓰는 말.
este
Palabra que se utiliza para designar al sujeto mencionado anteriormente.

땅 (sustantivo) : 지구에서 물로 된 부분이 아닌 흙이나 돌로 된 부분.
tierra
Parte superficial del planeta compuesta por suelo o roca y que no está ocupada por el mar.

에 : 앞말이 어떤 장소나 자리임을 나타내는 조사.
No hay expresión equivalente
Posposición que se usa cuando la palabra anterior indica cierto lugar o sitio.

살다 (verbo) : 사람이 생활을 하다.
vivir
Subsistir en la vida.

-는 : 앞의 말이 관형어의 기능을 하게 만들고 사건이나 동작이 현재 일어남을 나타내는 어미.
No hay expresión equivalente
Desinencia que hace que la palabra antecedente ejerza la función de un componente determinante, e indica que un suceso o una acción se produce en el presente.

우리 (pronombre) : 말하는 사람이 자기와 듣는 사람 또는 이를 포함한 여러 사람들을 가리키는 말.
nosotros
Palabra que el hablante usa para referirse a sí mismo y al oyente u otras personas.

들 : '복수'의 뜻을 더하는 접미사.
No hay expresión equivalente
Sufijo que añade el significado de 'plural'.

만 : 다른 것은 제외하고 어느 것을 한정함을 나타내는 조사.
No hay expresión equivalente
Posposición que indica la limitación de cierta cosa tras excluir otra cosa.

어제 (sustantivo) : 오늘의 하루 전날.
ayer
Un día antes de hoy.

도 : 둘 이상의 것을 나열함을 나타내는 조사.
No hay expresión equivalente
Posposición que enumera más de dos cosas.

오늘 (sustantivo) : 지금 지나가고 있는 이날.
hoy
Día actual que está transcurriendo ahora.

도 : 둘 이상의 것을 나열함을 나타내는 조사.
No hay expresión equivalente
Posposición que enumera más de dos cosas.

<u>쉬+ㅁ</u> 없이 돌+고 돌+고 또 돌+아요.
쉼

쉬다 (verbo) : 하던 일이나 활동 등을 잠시 멈추다. 또는 그렇게 하다.
descansar
Cesar por un momento el trabajo o la actividad que uno realizaba. O hacer que cese.

-ㅁ : 앞의 말이 명사의 기능을 하게 하는 어미.
No hay expresión equivalente
Desinencia que se usa cuando la palabra anterior ejerce la función del sustantivo.

없이 (adverbio) : 어떤 일이나 증상 등이 나타나지 않게.
sin, sin que
Sin manifestarse cierto hecho, síntoma, etc.

돌다 (verbo) : 무엇을 중심으로 원을 그리면서 움직이다.
rotar
Rodar o dar vueltas alrededor de algo y haciendo un círculo.

-고 : 두 가지 이상의 대등한 사실을 나열할 때 쓰는 연결 어미.
No hay expresión equivalente
Desinencia conectora que se usa cuando se enumeran más de dos hechos similares.

돌다 (verbo) : 무엇을 중심으로 원을 그리면서 움직이다.
rotar
Rodar o dar vueltas alrededor de algo y haciendo un círculo.

-고 : 두 가지 이상의 대등한 사실을 나열할 때 쓰는 연결 어미.
No hay expresión equivalente
Desinencia conectora que se usa cuando se enumeran más de dos hechos similares.

또 (adverbio) : 어떤 일이나 행동이 다시.
otra vez
Repitiéndose una situación o una acción.

돌다 (verbo) : 무엇을 중심으로 원을 그리면서 움직이다.
rotar
Rodar o dar vueltas alrededor de algo y haciendo un círculo.

-아요 : (두루높임으로) 어떤 사실을 서술하거나 질문, 명령, 권유함을 나타내는 종결 어미.
No hay expresión equivalente
(TRATAMIENTO HONORÍFICO GENERAL) Desinencia de terminación que se usa cuando se describe cierto hecho; o pregunta, ordena o reclama algo. **<narración>**

<u>배우+[ㄴ 대로]</u> 남+들+이 시키+[는 대로]

배운 대로

배우다 (verbo) : 남의 행동이나 태도를 그대로 따르다.
aprender, ejercitarse, practicar, asimilar
Seguir la acción o las maneras de otra persona.

-ㄴ 대로 : 앞에 오는 말이 뜻하는 과거의 행동이나 상황과 같음을 나타내는 표현.
No hay expresión equivalente
Expresión que indica el significado de seguir lo mismo que la acción o el estado del pasado indicado en la parte anterior de esta palabra.

남 (sustantivo) : 내가 아닌 다른 사람.
otro, otra persona
Distinto a uno mismo.

들 : '복수'의 뜻을 더하는 접미사.
No hay expresión equivalente
Sufijo que añade el significado de 'plural'.

이 : 어떤 상태나 상황의 대상이나 동작의 주체를 나타내는 조사.
No hay expresión equivalente
Posposición que se usa para indicar el objeto de cierto estado o situación o el agente de un movimiento.

시키다 (verbo) : 어떤 일이나 행동을 하게 하다.
ordenar
Mandar que se realice algún trabajo o acción.

-는 대로 : 앞에 오는 말이 뜻하는 현재의 행동이나 상황과 같음을 나타내는 표현.
No hay expresión equivalente
Expresión que se usa para mostrar que es lo mismo con un acto o estado actual que representa el comentario anterior.

그렇+게 사람+들 사이+에 숨+어 살아가+[고 있]+죠.

그렇다 (adjetivo) : 상태, 모양, 성질 등이 그와 같다.
tal, semejante
Que es de tal estado, forma o naturaleza.

-게 : 앞의 말이 뒤에서 가리키는 일의 목적이나 결과, 방식, 정도 등이 됨을 나타내는 연결 어미.
No hay expresión equivalente
Desinencia conectora que se usa cuando la palabra anterior es el objetivo, resultado, método, grado, etc. que indica al posterior. **<método>**

사람 (sustantivo) : 특별히 정해지지 않은 자기 외의 남을 가리키는 말.
persona, adversario, contraparte
Palabra que indica a los demás que no se encuentran especialmente definidos.

들 : '복수'의 뜻을 더하는 접미사.
No hay expresión equivalente
Sufijo que añade el significado de 'plural'.

사이 (sustantivo) : 한 물체에서 다른 물체까지 또는 한곳에서 다른 곳까지의 거리나 공간.
espacio, distancia
Espacio o distancia de un lugar a otro o de un objeto a otro.

에 : 앞말이 어떤 장소나 자리임을 나타내는 조사.
No hay expresión equivalente
Posposición que se usa cuando la palabra anterior indica cierto lugar o sitio.

숨다 (verbo) : 남이 볼 수 없게 몸을 감추다.
esconderse, ocultarse
Ocultarse el cuerpo para que no pueda ver otra persona.

-어 : 앞의 말이 뒤의 말보다 먼저 일어났거나 뒤의 말에 대한 방법이나 수단이 됨을 나타내는 연결 어미.
No hay expresión equivalente
Desinencia conectora que se usa cuando la palabra anterior se realiza antes de que la posterior, o es un método o medio de la palabra posterior.

살아가다 (verbo) : 어떤 종류의 삶이나 시대 등을 견디며 생활해 나가다.
vivir
Labrar la vida aguantando su periodo penoso o mantener un tipo de vida.

-고 있다 : 앞의 말이 나타내는 행동이 계속 진행됨을 나타내는 표현.
No hay expresión equivalente
Expresión que indica que la acción que representa la parte anterior de la cláusula continúa.

-죠 : (두루높임으로) 말하는 사람이 자신에 대한 이야기나 자신의 생각을 친근하게 말할 때 쓰는 종결 어미.
No hay expresión equivalente
(TRATAMIENTO HONORÍFICO GENERAL) Desinencia de terminación que se usa cuando el hablante habla íntimamente sobre sí mismo o sus opiniones.

그 사이+에 갇히+어 [지지고 볶]+으며 오늘+도 나+는 살아가+[고 있]+네요.
갇혀

그 (determinante) : 앞에서 이미 이야기한 대상을 가리킬 때 쓰는 말.
ese
Expresión usada para designar algo que se acaba de mencionar.

사이 (sustantivo) : 한 물체에서 다른 물체까지 또는 한곳에서 다른 곳까지의 거리나 공간.
espacio, distancia
Espacio o distancia de un lugar a otro o de un objeto a otro.

에 : 앞말이 어떤 장소나 자리임을 나타내는 조사.
No hay expresión equivalente
Posposición que se usa cuando la palabra anterior indica cierto lugar o sitio.

갇히다 (verbo) : 어떤 공간이나 상황에서 나가지 못하게 되다.
encerrarse
Retirarse a un espacio o resguardarse de una situación.

-어 : 앞의 말이 뒤의 말보다 먼저 일어났거나 뒤의 말에 대한 방법이나 수단이 됨을 나타내는 연결 어미.
No hay expresión equivalente
Desinencia conectora que se usa cuando la palabra anterior se realiza antes de que la posterior, o es un método o medio de la palabra posterior.

지지고 볶다 (modismo) : 온갖 것을 겪으며 함께 살아가다.
freír y saltear
Convivir compartiendo todo tipo de experiencias.

-으며 : 두 가지 이상의 동작이나 상태가 함께 일어남을 나타내는 연결 어미.
No hay expresión equivalente
Desinencia conectora que se usa cuando se realizan más de dos acciones, estados, hechos, etc. al mismo tiempo.

오늘 (sustantivo) : 지금 지나가고 있는 이날.
hoy
Día actual que está transcurriendo ahora.

도 : 이미 있는 어떤 것에 다른 것을 더하거나 포함함을 나타내는 조사.
No hay expresión equivalente
Posposición que añade o incluye algo a cierta cosa ya existente.

나 (pronombre) : 말하는 사람이 친구나 아랫사람에게 자기를 가리키는 말.
yo
Pronombre que usa el hablante para referirse a sí mismo ante alguien de edad igual o menor.

는 : 문장 속에서 어떤 대상이 화제임을 나타내는 조사.
No hay expresión equivalente
Posposición que muestra que el referente es el tópico de una oración.

살아가다 (verbo) : 어떤 종류의 삶이나 시대 등을 견디며 생활해 나가다.
vivir
Labrar la vida aguantando su periodo penoso o mantener un tipo de vida.

-고 있다 : 앞의 말이 나타내는 행동이 계속 진행됨을 나타내는 표현.
No hay expresión equivalente
Expresión que indica que la acción que representa la parte anterior de la cláusula continúa.

-네요 : (두루높임으로) 말하는 사람이 직접 경험하여 새롭게 알게 된 사실에 대해 감탄함을 나타낼 때 쓰는 표현.
No hay expresión equivalente
(TRATAMIENTO HONORÍFICO GENERAL) Expresión que se usa para mostrar que el hablante presenta una emoción sobre algo nuevo que se acaba de conocer por haberlo experimentado directamente.

누(구)+가 시키+[는 대로] 살(사)+[는 것]+은 이제 너무 짜증+이 나+(아)요.
누가 사는 것은 나요

누구 (pronombre) : 굳이 이름을 밝힐 필요가 없는 사람을 가리키는 말.
alguien
Pronombre que designa a alguien cuyo nombre no necesariamente tiene que ser mencionado.

가 : 어떤 상태나 상황에 놓인 대상이나 동작의 주체를 나타내는 조사.
No hay expresión equivalente
Posposición que se usa para indicar el objeto de cierto estado o situación o el agente de un movimiento.

시키다 (verbo) : 어떤 일이나 행동을 하게 하다.
ordenar
Mandar que se realice algún trabajo o acción.

-는 대로 : 앞에 오는 말이 뜻하는 현재의 행동이나 상황과 같음을 나타내는 표현.
No hay expresión equivalente
Expresión que se usa para mostrar que es lo mismo con un acto o estado actual que representa el comentario anterior.

살다 (verbo) : 사람이 생활을 하다.
vivir
Subsistir en la vida.

-는 것 : 명사가 아닌 것을 문장에서 명사처럼 쓰이게 하거나 '이다' 앞에 쓰일 수 있게 할 때 쓰는 표현.
No hay expresión equivalente
Expresión que se usa para hacer que una palabra que no es sustantivo sea utilizada como tal en una oración, o para hacer que se use delante de '이다' .

은 : 문장 속에서 어떤 대상이 화제임을 나타내는 조사.
No hay expresión equivalente
Posposición que se usa para indicar que cierto objeto es tópico en la oración.

이제 (adverbio) : 지금의 시기가 되어.
ahora
En el tiempo actual.

너무 (adverbio) : 일정한 정도나 한계를 훨씬 넘어선 상태로.
demasiado, excesivamente
Habiendo excedido en gran medida determinado nivel o límite.

짜증 (sustantivo) : 마음에 들지 않아서 화를 내거나 싫은 느낌을 겉으로 드러내는 일. 또는 그런 성미.
irritación, enfado
Expresión de enfado o disgusto por algo insatisfactorio. O tal carácter.

이 : 어떤 상태나 상황의 대상이나 동작의 주체를 나타내는 조사.
No hay expresión equivalente
Posposición que se usa para indicar el objeto de cierto estado o situación o el agente de un movimiento.

나다 (verbo) : 어떤 감정이나 느낌이 생기다.
surgirse, producirse, generarse, ocasionarse, suscitarse
Producirse algún sentimiento o alguna sensación.

-아요 : (두루높임으로) 어떤 사실을 서술하거나 질문, 명령, 권유함을 나타내는 종결 어미.
No hay expresión equivalente
(TRATAMIENTO HONORÍFICO GENERAL) Desinencia de terminación que se usa cuando se describe cierto hecho; o pregunta, ordena o reclama algo. **<narración>**

바라+고 원하+는 생각+들+을 하늘 너머+로 <u>떠나보내+(어)요</u>.

떠나보내요

바라다 (verbo) : 생각이나 희망대로 어떤 일이 이루어지기를 기대하다.
desear, querer, esperar, ansiar
Esperar que algún deseo o ilusión se realice.

-고 : 두 가지 이상의 대등한 사실을 나열할 때 쓰는 연결 어미.
No hay expresión equivalente
Desinencia conectora que se usa cuando se enumeran más de dos hechos similares.

원하다 (verbo) : 무엇을 바라거나 하고자 하다.
querer, desear
Querer o aspirar a algo con vehemencia.

-는 : 앞의 말이 관형어의 기능을 하게 만들고 사건이나 동작이 현재 일어남을 나타내는 어미.
No hay expresión equivalente
Desinencia que hace que la palabra antecedente ejerza la función de un componente determinante, e indica que un suceso o una acción se produce en el presente.

생각 (sustantivo) : 사람이 머리를 써서 판단하거나 인식하는 것.
pensamiento
Reconocimiento y juicio utilizando la cabeza.

들 : '복수'의 뜻을 더하는 접미사.
No hay expresión equivalente
Sufijo que añade el significado de 'plural'.

을 : 동작이 직접적으로 영향을 미치는 대상을 나타내는 조사.
No hay expresión equivalente
Posposición que se usa para indicar el objeto que ha sido influido directamente por una acción.

하늘 (sustantivo) : 땅 위로 펼쳐진 무한히 넓은 공간.
cielo
Espacio infinitamente amplio que se extiende arriba de la tierra.

너머 (sustantivo) : 경계나 가로막은 것을 넘어선 건너편.
por encima de, más allá de
Al otro lado de un límite o barrera.

로 : 움직임의 방향을 나타내는 조사.
No hay expresión equivalente
Posposición que indica la dirección del movimiento.

떠나보내다 (verbo) : 있던 곳을 떠나 다른 곳으로 가게 하다.
enviar, despachar
Hacer que alguien deje un lugar en que está para ser llevado a otro.

-어요 : (두루높임으로) 어떤 사실을 서술하거나 질문, 명령, 권유함을 나타내는 종결 어미.
No hay expresión equivalente
(TRATAMIENTO HONORÍFICO GENERAL) Desinencia de terminación que se usa cuando se describe cierto hecho; o pregunta, ordena o reclama algo. **<recomendación>**

우리 모두 거기+서 자유롭+게 살+[아 보]+아요.

살아 봐요

우리 (pronombre) : 말하는 사람이 자기와 듣는 사람 또는 이를 포함한 여러 사람들을 가리키는 말.
nosotros
Palabra que el hablante usa para referirse a sí mismo y al oyente u otras personas.

모두 (adverbio) : 빠짐없이 다.
todo, todos, totalmente, enteramente, completamente
Todos, sin excepción.

거기 (pronombre) : 앞에서 이미 이야기한 곳을 가리키는 말.
ahí, ese lugar
Pronombre que designa un sitio que ya se ha mencionado.

서 : 앞말이 행동이 이루어지고 있는 장소임을 나타내는 조사.
No hay expresión equivalente
Posposición que se usa para indicar el lugar en el que se realiza la acción de la palabra anterior.

자유롭다 (adjetivo) : 무엇에 얽매이거나 구속되지 않고 자기 생각과 의지대로 할 수 있다.
libre, independiente, autónomo, emancipado, soberano
Que puede hacer libremente como uno piensa o quiere sin estar sujeto o vinculado a algo.

-게 : 앞의 말이 뒤에서 가리키는 일의 목적이나 결과, 방식, 정도 등이 됨을 나타내는 연결 어미.
No hay expresión equivalente
Desinencia conectora que se usa cuando la palabra anterior es el objetivo, resultado, método, grado, etc. que indica al posterior. **<método>**

살다 (verbo) : 사람이 생활을 하다.
vivir
Subsistir en la vida.

-아 보다 : 앞의 말이 나타내는 행동을 시험 삼아 함을 나타내는 표현.
No hay expresión equivalente
Expresión que indica la realización de la acción que indica el comentario anterior a modo de prueba.

-아요 : (두루높임으로) 어떤 사실을 서술하거나 질문, 명령, 권유함을 나타내는 종결 어미.
No hay expresión equivalente
(TRATAMIENTO HONORÍFICO GENERAL) Desinencia de terminación que se usa cuando se describe cierto hecho; o pregunta, ordena o reclama algo. **<recomendación>**

< 후렴(estribillo) >

이제+부터+는 지금+부터+는

이제 (sustantivo) : 지금의 시기.
ahora
Tiempo actual.

부터 : 어떤 일의 시작이나 처음을 나타내는 조사.
No hay expresión equivalente
Posposición que indica el inicio o la partida de cierta cosa.

는 : 어떤 대상이 다른 것과 대조됨을 나타내는 조사.
No hay expresión equivalente
Posposición que indica que el referente contrasta con otro.

지금 (sustantivo) : 말을 하고 있는 바로 이때.
ahora
En este preciso momento en que se está hablando.

부터 : 어떤 일의 시작이나 처음을 나타내는 조사.
No hay expresión equivalente
Posposición que indica el inicio o la partida de cierta cosa.

는 : 어떤 대상이 다른 것과 대조됨을 나타내는 조사.
No hay expresión equivalente
Posposición que indica que el referente contrasta con otro.

이제+부터+는 지금+부터+는

이제 (sustantivo) : 지금의 시기.
ahora
Tiempo actual.

부터 : 어떤 일의 시작이나 처음을 나타내는 조사.
No hay expresión equivalente
Posposición que indica el inicio o la partida de cierta cosa.

는 : 어떤 대상이 다른 것과 대조됨을 나타내는 조사.
No hay expresión equivalente
Posposición que indica que el referente contrasta con otro.

지금 (sustantivo) : 말을 하고 있는 바로 이때.
ahora
En este preciso momento en que se está hablando.

부터 : 어떤 일의 시작이나 처음을 나타내는 조사.
No hay expresión equivalente
Posposición que indica el inicio o la partida de cierta cosa.

는 : 어떤 대상이 다른 것과 대조됨을 나타내는 조사.
No hay expresión equivalente
Posposición que indica que el referente contrasta con otro.

가슴+이 시키+[는 대로] 살+[아 보]+아요.

살아 봐요

가슴 (sustantivo) : 마음이나 느낌.
corazón
Referido a los estados de ánimo o del alma.

이 : 어떤 상태나 상황의 대상이나 동작의 주체를 나타내는 조사.
No hay expresión equivalente
Posposición que se usa para indicar el objeto de cierto estado o situación o el agente de un movimiento.

시키다 (verbo) : 어떤 일이나 행동을 하게 하다.
ordenar
Mandar que se realice algún trabajo o acción.

-는 대로 : 앞에 오는 말이 뜻하는 현재의 행동이나 상황과 같음을 나타내는 표현.
No hay expresión equivalente
Expresión que se usa para mostrar que es lo mismo con un acto o estado actual que representa el comentario anterior.

살다 (verbo) : 사람이 생활을 하다.
vivir
Subsistir en la vida.

-아 보다 : 앞의 말이 나타내는 행동을 시험 삼아 함을 나타내는 표현.
No hay expresión equivalente
Expresión que indica la realización de la acción que indica el comentario anterior a modo de prueba.

-아요 : (두루높임으로) 어떤 사실을 서술하거나 질문, 명령, 권유함을 나타내는 종결 어미.
No hay expresión equivalente
(TRATAMIENTO HONORÍFICO GENERAL) Desinencia de terminación que se usa cuando se describe cierto hecho; o pregunta, ordena o reclama algo. **<recomendación>**

이제+부터+는 지금+부터+는

이제 (sustantivo) : 지금의 시기.
ahora
Tiempo actual.

부터 : 어떤 일의 시작이나 처음을 나타내는 조사.
No hay expresión equivalente
Posposición que indica el inicio o la partida de cierta cosa.

는 : 어떤 대상이 다른 것과 대조됨을 나타내는 조사.
No hay expresión equivalente
Posposición que indica que el referente contrasta con otro.

지금 (sustantivo) : 말을 하고 있는 바로 이때.
ahora
En este preciso momento en que se está hablando.

부터 : 어떤 일의 시작이나 처음을 나타내는 조사.
No hay expresión equivalente
Posposición que indica el inicio o la partida de cierta cosa.

는 : 어떤 대상이 다른 것과 대조됨을 나타내는 조사.
No hay expresión equivalente
Posposición que indica que el referente contrasta con otro.

가슴+이 느끼+[는 대로] 자유롭+게

가슴 (sustantivo) : 마음이나 느낌.
corazón
Referido a los estados de ánimo o del alma.

이 : 어떤 상태나 상황의 대상이나 동작의 주체를 나타내는 조사.
No hay expresión equivalente
Posposición que se usa para indicar el objeto de cierto estado o situación o el agente de un movimiento.

느끼다 (verbo) : 특정한 대상이나 상황을 어떻다고 생각하거나 인식하다.
sentir, percibir
Pensar o percibir el estado de cierto sujeto o cierta situación.

-는 대로 : 앞에 오는 말이 뜻하는 현재의 행동이나 상황과 같음을 나타내는 표현.
No hay expresión equivalente
Expresión que se usa para mostrar que es lo mismo con un acto o estado actual que representa el comentario anterior.

자유롭다 (adjetivo) : 무엇에 얽매이거나 구속되지 않고 자기 생각과 의지대로 할 수 있다.
libre, independiente, autónomo, emancipado, soberano
Que puede hacer libremente como uno piensa o quiere sin estar sujeto o vinculado a algo.

-게 : 앞의 말이 뒤에서 가리키는 일의 목적이나 결과, 방식, 정도 등이 됨을 나타내는 연결 어미.
No hay expresión equivalente
Desinencia conectora que se usa cuando la palabra anterior es el objetivo, resultado, método, grado, etc. que indica al posterior. **<método>**

이제+부터+는 지금+부터+는

이제 (sustantivo) : 지금의 시기.
ahora
Tiempo actual.

부터 : 어떤 일의 시작이나 처음을 나타내는 조사.
No hay expresión equivalente
Posposición que indica el inicio o la partida de cierta cosa.

는 : 어떤 대상이 다른 것과 대조됨을 나타내는 조사.
No hay expresión equivalente
Posposición que indica que el referente contrasta con otro.

지금 (sustantivo) : 말을 하고 있는 바로 이때.
ahora
En este preciso momento en que se está hablando.

부터 : 어떤 일의 시작이나 처음을 나타내는 조사.
No hay expresión equivalente
Posposición que indica el inicio o la partida de cierta cosa.

는 : 어떤 대상이 다른 것과 대조됨을 나타내는 조사.
No hay expresión equivalente
Posposición que indica que el referente contrasta con otro.

(우리 모두 거기+서)

우리 (pronombre) : 말하는 사람이 자기와 듣는 사람 또는 이를 포함한 여러 사람들을 가리키는 말.
nosotros
Palabra que el hablante usa para referirse a sí mismo y al oyente u otras personas.

모두 (adverbio) : 빠짐없이 다.
todo, todos, totalmente, enteramente, completamente
Todos, sin excepción.

거기 (pronombre) : 앞에서 이미 이야기한 곳을 가리키는 말.
ahí, ese lugar
Pronombre que designa un sitio que ya se ha mencionado.

서 : 앞말이 행동이 이루어지고 있는 장소임을 나타내는 조사.
No hay expresión equivalente
Posposición que se usa para indicar el lugar en el que se realiza la acción de la palabra anterior.

가슴+이 시키+[는 대로] 살+[아 보]+아요.

살아 봐요

가슴 (sustantivo) : 마음이나 느낌.
corazón
Referido a los estados de ánimo o del alma.

이 : 어떤 상태나 상황의 대상이나 동작의 주체를 나타내는 조사.
No hay expresión equivalente
Posposición que se usa para indicar el objeto de cierto estado o situación o el agente de un movimiento.

시키다 (verbo) : 어떤 일이나 행동을 하게 하다.
ordenar
Mandar que se realice algún trabajo o acción.

-는 대로 : 앞에 오는 말이 뜻하는 현재의 행동이나 상황과 같음을 나타내는 표현.
No hay expresión equivalente
Expresión que se usa para mostrar que es lo mismo con un acto o estado actual que representa el comentario anterior.

살다 (verbo) : 사람이 생활을 하다.
vivir
Subsistir en la vida.

-아 보다 : 앞의 말이 나타내는 행동을 시험 삼아 함을 나타내는 표현.
No hay expresión equivalente
Expresión que indica la realización de la acción que indica el comentario anterior a modo de prueba.

-아요 : (두루높임으로) 어떤 사실을 서술하거나 질문, 명령, 권유함을 나타내는 종결 어미.
No hay expresión equivalente
(TRATAMIENTO HONORÍFICO GENERAL) Desinencia de terminación que se usa cuando se describe cierto hecho; o pregunta, ordena o reclama algo. **<recomendación>**

(자유롭+게 살+아요)

자유롭다 (adjetivo) : 무엇에 얽매이거나 구속되지 않고 자기 생각과 의지대로 할 수 있다.
libre, independiente, autónomo, emancipado, soberano
Que puede hacer libremente como uno piensa o quiere sin estar sujeto o vinculado a algo.

-게 : 앞의 말이 뒤에서 가리키는 일의 목적이나 결과, 방식, 정도 등이 됨을 나타내는 연결 어미.
No hay expresión equivalente
Desinencia conectora que se usa cuando la palabra anterior es el objetivo, resultado, método, grado, etc. que indica al posterior. **<método>**

살다 (verbo) : 사람이 생활을 하다.
vivir
Subsistir en la vida.

-아요 : (두루높임으로) 어떤 사실을 서술하거나 질문, 명령, 권유함을 나타내는 종결 어미.
No hay expresión equivalente
(TRATAMIENTO HONORÍFICO GENERAL) Desinencia de terminación que se usa cuando se describe cierto hecho; o pregunta, ordena o reclama algo. **<recomendación>**

이제+부터+는 지금+부터+는

이제 (sustantivo) : 지금의 시기.
ahora
Tiempo actual.

부터 : 어떤 일의 시작이나 처음을 나타내는 조사.
No hay expresión equivalente
Posposición que indica el inicio o la partida de cierta cosa.

는 : 어떤 대상이 다른 것과 대조됨을 나타내는 조사.
No hay expresión equivalente
Posposición que indica que el referente contrasta con otro.

지금 (sustantivo) : 말을 하고 있는 바로 이때.
ahora
En este preciso momento en que se está hablando.

부터 : 어떤 일의 시작이나 처음을 나타내는 조사.
No hay expresión equivalente
Posposición que indica el inicio o la partida de cierta cosa.

는 : 어떤 대상이 다른 것과 대조됨을 나타내는 조사.
No hay expresión equivalente
Posposición que indica que el referente contrasta con otro.

(우리 모두 거기+서)

우리 (pronombre) : 말하는 사람이 자기와 듣는 사람 또는 이를 포함한 여러 사람들을 가리키는 말.
nosotros
Palabra que el hablante usa para referirse a sí mismo y al oyente u otras personas.

모두 (adverbio) : 빠짐없이 다.
todo, todos, totalmente, enteramente, completamente
Todos, sin excepción.

거기 (pronombre) : 앞에서 이미 이야기한 곳을 가리키는 말.
ahí, ese lugar
Pronombre que designa un sitio que ya se ha mencionado.

서 : 앞말이 행동이 이루어지고 있는 장소임을 나타내는 조사.
No hay expresión equivalente
Posposición que se usa para indicar el lugar en el que se realiza la acción de la palabra anterior.

가슴+이 느끼+[는 대로] 자유롭+게

가슴 (sustantivo) : 마음이나 느낌.
corazón
Referido a los estados de ánimo o del alma.

이 : 어떤 상태나 상황의 대상이나 동작의 주체를 나타내는 조사.
No hay expresión equivalente
Posposición que se usa para indicar el objeto de cierto estado o situación o el agente de un movimiento.

느끼다 (verbo) : 특정한 대상이나 상황을 어떻다고 생각하거나 인식하다.
sentir, percibir
Pensar o percibir el estado de cierto sujeto o cierta situación.

-는 대로 : 앞에 오는 말이 뜻하는 현재의 행동이나 상황과 같음을 나타내는 표현.
No hay expresión equivalente
Expresión que se usa para mostrar que es lo mismo con un acto o estado actual que representa el comentario anterior.

자유롭다 (adjetivo) : 무엇에 얽매이거나 구속되지 않고 자기 생각과 의지대로 할 수 있다.
libre, independiente, autónomo, emancipado, soberano
Que puede hacer libremente como uno piensa o quiere sin estar sujeto o vinculado a algo.

-게 : 앞의 말이 뒤에서 가리키는 일의 목적이나 결과, 방식, 정도 등이 됨을 나타내는 연결 어미.
No hay expresión equivalente
Desinencia conectora que se usa cuando la palabra anterior es el objetivo, resultado, método, grado, etc. que indica al posterior. **<método>**

(자유롭+게)

자유롭다 (adjetivo) : 무엇에 얽매이거나 구속되지 않고 자기 생각과 의지대로 할 수 있다.
libre, independiente, autónomo, emancipado, soberano
Que puede hacer libremente como uno piensa o quiere sin estar sujeto o vinculado a algo.

-게 : 앞의 말이 뒤에서 가리키는 일의 목적이나 결과, 방식, 정도 등이 됨을 나타내는 연결 어미.
No hay expresión equivalente
Desinencia conectora que se usa cuando la palabra anterior es el objetivo, resultado, método, grado, etc. que indica al posterior. **<método>**

그런 사람+이+었+어요.

그런 (determinante) : 상태, 모양, 성질 등이 그러한.
tal, semejante
De tal estado, forma o naturaleza.

사람 (sustantivo) : 생각할 수 있으며 언어와 도구를 만들어 사용하고 사회를 이루어 사는 존재.
persona, hombre, ser humano
Existencia que puede pensar, inventa el lenguaje y la herramienta que utiliza y vive formando una sociedad.

이다 : 주어가 지시하는 대상의 속성이나 부류를 지정하는 뜻을 나타내는 서술격 조사.
No hay expresión equivalente
Posposición de caso atributivo, que se usa para designar el atributo o la clase del objeto al que se refiere el sujeto.

-었- : 어떤 사건이 과거에 완료되었거나 그 사건의 결과가 현재까지 지속되는 상황을 나타내는 어미.
No hay expresión equivalente
Desinencia que se usa cuando cierto suceso fue acabado en el pasado o cuando el resultado de ese suceso continúa hasta el presente.

-어요 : (두루높임으로) 어떤 사실을 서술하거나 질문, 명령, 권유함을 나타내는 종결 어미.
No hay expresión equivalente
(TRATAMIENTO HONORÍFICO GENERAL) Desinencia de terminación que se usa cuando se describe cierto hecho; o pregunta, ordena o reclama algo. **<narración>**

그런 인생+이+었+어요.

그런 (determinante) : 상태, 모양, 성질 등이 그러한.
tal, semejante
De tal estado, forma o naturaleza.

인생 (sustantivo) : 사람이 세상을 살아가는 일.
vida
Acción de vivir en el mundo.

이다 : 주어가 지시하는 대상의 속성이나 부류를 지정하는 뜻을 나타내는 서술격 조사.
No hay expresión equivalente
Posposición de caso atributivo, que se usa para designar el atributo o la clase del objeto al que se refiere el sujeto.

-었- : 어떤 사건이 과거에 완료되었거나 그 사건의 결과가 현재까지 지속되는 상황을 나타내는 어미.
No hay expresión equivalente
Desinencia que se usa cuando cierto suceso fue acabado en el pasado o cuando el resultado de ese suceso continúa hasta el presente.

-어요 : (두루높임으로) 어떤 사실을 서술하거나 질문, 명령, 권유함을 나타내는 종결 어미.
No hay expresión equivalente
(TRATAMIENTO HONORÍFICO GENERAL) Desinencia de terminación que se usa cuando se describe cierto hecho; o pregunta, ordena o reclama algo. **<narración>**

그렇+게 기억하+[여 주]+어요.

기억해 줘요

그렇다 (adjetivo) : 상태, 모양, 성질 등이 그와 같다.
tal, semejante
Que es de tal estado, forma o naturaleza.

-게 : 앞의 말이 뒤에서 가리키는 일의 목적이나 결과, 방식, 정도 등이 됨을 나타내는 연결 어미.
No hay expresión equivalente
Desinencia conectora que se usa cuando la palabra anterior es el objetivo, resultado, método, grado, etc. que indica al posterior. **<método>**

기억하다 (verbo) : 이전의 모습, 사실, 지식, 경험 등을 잊지 않거나 다시 생각해 내다.
recordarse, acordarse, hacer memoria
Traer a la memoria o hacer que no se olvide un aspecto, hecho, conocimiento, experiencia, etc. de antes.

-여 주다 : 남을 위해 앞의 말이 나타내는 행동을 함을 나타내는 표현.

No hay expresión equivalente

Expresión que indica la realización de una acción que indica el comentario anterior para el bien del otro.

-어요 : (두루높임으로) 어떤 사실을 서술하거나 질문, 명령, 권유함을 나타내는 종결 어미.

No hay expresión equivalente

(TRATAMIENTO HONORÍFICO GENERAL) Desinencia de terminación que se usa cuando se describe cierto hecho; o pregunta, ordena o reclama algo. **<orden>**

< 6 >

독주
(bebida alcohólica muy fuerte)

[발음(pronunciación)]

< 1 절(verso) >

누구라도 한 잔 술을 따라 줘요
누구라도 한 잔 수를 따라 줘요
nugurado han jan sureul ttara jwoyo

비우고 싶은 것이 많아서
비우고 시픈 거시 마나서
biugo sipeun geosi manaseo

이 한 잔 마시고 나면 잊을 수 있을까요?
이 한 잔 마시고 나면 이즐 쑤 이쓸까요?
i han jan masigo namyeon ijeul su isseulkkayo?

버리고 싶은 것이 가득해서
버리고 시픈 거시 가드캐서
beorigo sipeun geosi gadeukaeseo

뜨거웠던 가슴, 마지막 온기가 사라지기 전에
뜨거월떤 가슴, 마지막 온기가 사라지기 저네
tteugeowotdeon gaseum, majimak ongiga sarajigi jeone

누구라도 독한 술 한 잔 따라 줘요.
누구라도 도칸 술 한 잔 따라 줘요.
nugurado dokan sul han jan ttara jwoyo.

< 후렴(estribillo) >

이제부터 하얀 여백에 가득 찬
이제부터 하얀 여배게 가득 찬
ijebuteo hayan yeobaege gadeuk chan

내가 모르는 나를 지울 거예요
내가 모르는 나를 지울 꺼예요
naega moreuneun nareul jiul geoyeyo

오늘은 꼭 당신이 따라 준
오느른 꼭 당시니 따라 준
oneureun kkok dangsini ttara jun

한 잔의 가득한 독주를 비울 거예요.
한 자네 가드칸 독쭈를 비울 꺼예요.
han jane gadeukan dokjureul biul geoyeyo.

< 2 절(verso) >

누구라도 술 한 잔 따라 줘요
누구라도 술 한 잔 따라 줘요
nugurado sul han jan ttara jwoyo

추억에 취해 비틀거리기 전에
추어게 취해 비틀거리기 저네
chueoge chwihae biteulgeorigi jeone

이 한 잔 마시고 나면 지울 수 있을까요?
이 한 잔 마시고 나면 지울 쑤 이쓸까요?
i han jan masigo namyeon jiul su isseulkkayo?

그리움에 취해 잠들기 전에
그리우메 취해 잠들기 저네
geuriume chwihae jamdeulgi jeone

아직 어제를 살고 있는 이 꿈속에서 깨지 않도록
아직 어제를 살고 인는 이 꿈쏘게서 깨지 안토록
ajik eojereul salgo inneun i kkumsogeseo kkaeji antorok

누구라도 지독한 술 한 잔 따라 줘요.
누구라도 지도칸 술 한 잔 따라 줘요.
nugurado jidokan sul han jan ttara jwoyo.

< 후렴(estribillo) >

이제부터 하얀 여백에 가득 찬
이제부터 하얀 여배게 가득 찬
ijebuteo hayan yeobaege gadeuk chan

내가 모르는 나를 지울 거예요
내가 모르는 나를 지울 꺼예요
naega moreuneun nareul jiul geoyeyo

오늘은 꼭 당신이 따라 준
오느른 꼭 당시니 따라 준
oneureun kkok dangsini ttara jun

한 잔의 가득한 독주를 비울 거예요.
한 자네 가드칸 독쭈를 비울 꺼예요.
han jane gadeukan dokjureul biul geoyeyo.

이제부터 하얀 여백에 가득 찬
이제부터 하얀 여배게 가득 찬
ijebuteo hayan yeobaege gadeuk chan

내가 모르는 나를 지울 거예요
내가 모르는 나를 지울 꺼예요
naega moreuneun nareul jiul geoyeyo

오늘은 꼭 당신이 따라 준
오느른 꼭 당시니 따라 준
oneureun kkok dangsini ttara jun

한 잔의 가득한 독주를 비울 거예요.
한 자네 가드칸 독쭈를 비울 꺼예요.
han jane gadeukan dokjureul biul geoyeyo.

< 1 절(verso) >

누구+라도 한 잔 술+을 따르(따ㄹ)+[아 주]+어요.

따라 줘요

누구 (pronombre) : 정해지지 않은 어떤 사람을 가리키는 말.
alguien, alguno, quién
Pronombre que hace referencia a una persona no determinada.

라도 : 그것이 최선은 아니나 여럿 중에서는 그런대로 괜찮음을 나타내는 조사.
No hay expresión equivalente
Posposición que muestra que algo no es tan malo entre otros a pesar de no ser lo mejor.

한 (determinante) : 하나의.
No hay expresión equivalente
uno

잔 (sustantivo) : 음료나 술 등을 담은 그릇을 기준으로 그 분량을 세는 단위.
vaso, copa
Unidad para contar la cantidad de copas o vasos con refrescos o bebidas alcohólicas.

술 (sustantivo) : 맥주나 소주 등과 같이 알코올 성분이 들어 있어서 마시면 취하는 음료.
bebida alcohólica
Bebida que embriaga por contener elementos alcohólicos tales como cerveza, sochu(aguardiente coreano), etc..

을 : 동작이 직접적으로 영향을 미치는 대상을 나타내는 조사.
No hay expresión equivalente
Posposición que se usa para indicar el objeto que ha sido influido directamente por una acción.

따르다 (verbo) : 액체가 담긴 물건을 기울여 액체를 밖으로 조금씩 흐르게 하다.
verter
Inclinar una vasija para vaciar su contenido, especialmente para derramar líquidos poco a poco.

-아 주다 : 남을 위해 앞의 말이 나타내는 행동을 함을 나타내는 표현.
No hay expresión equivalente
Expresión que indica la realización de una acción que indica el comentario anterior para el bien del otro.

-어요 : (두루높임으로) 어떤 사실을 서술하거나 질문, 명령, 권유함을 나타내는 종결 어미.
No hay expresión equivalente
(TRATAMIENTO HONORÍFICO GENERAL) Desinencia de terminación que se usa cuando se describe cierto hecho; o pregunta, ordena o reclama algo. **<orden>**

비우+[고 싶]+[은 것]+이 많+아서

비우다 (verbo) : 욕심이나 집착을 버리다.
abandonar, desistir, renunciar
Renunciar a la avaricia o al apego.

-고 싶다 : 앞의 말이 나타내는 행동을 하기를 원함을 나타내는 표현.
No hay expresión equivalente
Expresión que se usa para mostrar el deseo de hacer un acto que representa el comentario anterior de la cláusula.

-은 것 : 명사가 아닌 것을 문장에서 명사처럼 쓰이게 하거나 '이다' 앞에 쓰일 수 있게 할 때 쓰는 표현.
No hay expresión equivalente
Expresión que se usa para hacer que una palabra que no es sustantivo sea utilizada como tal en una oración, o para hacer que se use delante de '이다' .

이 : 어떤 상태나 상황의 대상이나 동작의 주체를 나타내는 조사.
No hay expresión equivalente
Posposición que se usa para indicar el objeto de cierto estado o situación o el agente de un movimiento.

많다 (adjetivo) : 수나 양, 정도 등이 일정한 기준을 넘다.
mucho, generoso, abundante, satisfactorio, cuantioso
Que supera un determinado criterio en número, cantidad o nivel.

-아서 : 이유나 근거를 나타내는 연결 어미.
No hay expresión equivalente
Desinencia conectora que se usa para indicar causa o fundamento.

이 한 잔 마시+[고 나]+면 잊+[을 수 있]+을까요?

이 (determinante) : 바로 앞에서 이야기한 대상을 가리킬 때 쓰는 말.
este
Palabra que se utiliza para designar al sujeto mencionado anteriormente.

한 (determinante) : 하나의.
No hay expresión equivalente
uno

잔 (sustantivo) : 음료나 술 등을 담은 그릇을 기준으로 그 분량을 세는 단위.
vaso, copa
Unidad para contar la cantidad de copas o vasos con refrescos o bebidas alcohólicas.

마시다 (verbo) : 물 등의 액체를 목구멍으로 넘어가게 하다.
beber
Hacer que un líquido pase de la boca al estómago.

-고 나다 : 앞에 오는 말이 나타내는 행동이 끝났음을 나타내는 표현.
No hay expresión equivalente
Expresión que indica que la acción que representa la parte anterior de la cláusula terminó.

-면 : 뒤에 오는 말에 대한 근거나 조건이 됨을 나타내는 연결 어미.
No hay expresión equivalente
Desinencia conectora que se usa cuando es un fundamento o condición del contenido posterior.

잊다 (verbo) : 어려움이나 고통, 또는 좋지 않은 지난 일을 마음속에 두지 않거나 신경 쓰지 않다.
olvidarse
No guardar en el interior o no preocuparse de las dificultades, los dolores o los malos momentos del pasado.

-을 수 있다 : 어떤 행동이나 상태가 가능함을 나타내는 표현.
No hay expresión equivalente
Expresión que indica que es posible realizar cierta acción, o permanecer en cierto estado.

-을까요 : (두루높임으로) 아직 일어나지 않았거나 모르는 일에 대해서 말하는 사람이 추측하며 질문할 때 쓰는 표현.
No hay expresión equivalente
(TRATAMIENTO HONORÍFICO GENERAL) Expresión que usa el hablante para preguntar suponiendo un hecho que desconoce o que todavía no ha ocurrido.

버리+[고 싶]+[은 것]+이 가득하+여서
가득해서

버리다 (verbo) : 마음속에 가졌던 생각을 스스로 잊다.
abandonar, desistir, renunciar
Olvidarse de los pensamientos que se tenían por dentro.

-고 싶다 : 앞의 말이 나타내는 행동을 하기를 원함을 나타내는 표현.
No hay expresión equivalente
Expresión que se usa para mostrar el deseo de hacer un acto que representa el comentario anterior de la cláusula.

-은 것 : 명사가 아닌 것을 문장에서 명사처럼 쓰이게 하거나 '이다' 앞에 쓰일 수 있게 할 때 쓰는 표현.
No hay expresión equivalente
Expresión que se usa para hacer que una palabra que no es sustantivo sea utilizada como tal en una oración, o para hacer que se use delante de '이다'.

이 : 어떤 상태나 상황의 대상이나 동작의 주체를 나타내는 조사.
No hay expresión equivalente
Posposición que se usa para indicar el objeto de cierto estado o situación o el agente de un movimiento.

가득하다 (adjetivo) : 어떤 감정이나 생각이 강하다.
lleno, saturado
Dicho de un sentimiento o una idea intensa: estar lleno

-여서 : 이유나 근거를 나타내는 연결 어미.
No hay expresión equivalente
Desinencia conectora que se usa para indicar causa o fundamento.

뜨겁(뜨거우)+었던 가슴, 마지막 온기+가 사라지+[기 전에]
뜨거웠던

뜨겁다 (adjetivo) : (비유적으로) 감정이나 열정 등이 격렬하고 강하다.
intenso, ardiente, apasionado, vehemente, enérgico
(FIGURADO) Que manifiesta emoción o pasión intensa y vigorosa.

-었던 : 과거의 사건이나 상태를 다시 떠올리거나 그 사건이나 상태가 완료되지 않고 중단되었다는 의미를 나타내는 표현.
No hay expresión equivalente
Expresión que indica la suspensión de un caso o un estado sin concluir, o recuerda otra vez a aquellos hechos del pasado.

가슴 (sustantivo) : 마음이나 느낌.
corazón
Referido a los estados de ánimo o del alma.

마지막 (sustantivo) : 시간이나 순서의 맨 끝.
lo último, lo postrero
En una sucesión de tiempo o serie, lo que está de último.

온기 (sustantivo) : (비유적으로) 다정하거나 따뜻하게 베푸는 분위기나 마음.
calor
(FIGURADO) Ambiente o sentimiento cálido y agradable.

가 : 어떤 상태나 상황에 놓인 대상이나 동작의 주체를 나타내는 조사.
No hay expresión equivalente
Posposición que se usa para indicar el objeto de cierto estado o situación o el agente de un movimiento.

사라지다 (verbo) : 생각이나 감정 등이 없어지다.
borrarse, librarse, pasar, alejarse
Desaparecer una idea, sentimiento, etc.

-기 전에 : 뒤에 오는 말이 나타내는 행동이 앞에 오는 말이 나타내는 행동보다 앞서는 것을 나타내는 표현.
No hay expresión equivalente
Expresión que se usa para mostrar que un acto o estado precede al hecho que se dice en la parte anterior de la cláusula.

누구+라도 독하+ㄴ 술 한 잔 따르(따ㄹ)+[아 주]+어요.
독한 따라 줘요

누구 (pronombre) : 정해지지 않은 어떤 사람을 가리키는 말.
alguien, alguno, quién
Pronombre que hace referencia a una persona no determinada.

라도 : 그것이 최선은 아니나 여럿 중에서는 그런대로 괜찮음을 나타내는 조사.
No hay expresión equivalente
Posposición que muestra que algo no es tan malo entre otros a pesar de no ser lo mejor.

독하다 (adjetivo) : 맛이나 냄새 등이 지나치게 자극적이다.
picante, fuerte, potente
Que tiene un sabor o un olor demasiado intenso.

-ㄴ : 앞의 말이 관형어의 기능을 하게 만들고 현재의 상태를 나타내는 어미.
No hay expresión equivalente
Desinencia que hace que la palabra antecedente ejerza la función de una palabra determinante, e indica el estado del presente.

술 (sustantivo) : 맥주나 소주 등과 같이 알코올 성분이 들어 있어서 마시면 취하는 음료.
bebida alcohólica
Bebida que embriaga por contener elementos alcohólicos tales como cerveza, sochu(aguardiente coreano), etc..

한 (determinante) : 하나의.
No hay expresión equivalente
uno

잔 (sustantivo) : 음료나 술 등을 담은 그릇을 기준으로 그 분량을 세는 단위.
vaso, copa
Unidad para contar la cantidad de copas o vasos con refrescos o bebidas alcohólicas.

따르다 (verbo) : 액체가 담긴 물건을 기울여 액체를 밖으로 조금씩 흐르게 하다.
verter
Inclinar una vasija para vaciar su contenido, especialmente para derramar líquidos poco a poco.

-아 주다 : 남을 위해 앞의 말이 나타내는 행동을 함을 나타내는 표현.
No hay expresión equivalente
Expresión que indica la realización de una acción que indica el comentario anterior para el bien del otro.

-어요 : (두루높임으로) 어떤 사실을 서술하거나 질문, 명령, 권유함을 나타내는 종결 어미.
No hay expresión equivalente
(TRATAMIENTO HONORÍFICO GENERAL) Desinencia de terminación que se usa cuando se describe cierto hecho; o pregunta, ordena o reclama algo. **<orden>**

< 후렴(estribillo) >

이제+부터 하얗(하야)+ㄴ 여백+에 가득 차+ㄴ

하얀 **찬**

이제 (sustantivo) : 말하고 있는 바로 이때.
ahora
Justamente este momento en que se está hablando.

부터 : 어떤 일의 시작이나 처음을 나타내는 조사.
No hay expresión equivalente
Posposición que indica el inicio o la partida de cierta cosa.

하얗다 (adjetivo) : 눈이나 우유의 빛깔과 같이 밝고 선명하게 희다.
blanco
Que tiene un color claro y nítido, como el de la nieve o la leche.

-ㄴ : 앞의 말이 관형어의 기능을 하게 만들고 현재의 상태를 나타내는 어미.
No hay expresión equivalente
Desinencia que hace que la palabra antecedente ejerza la función de una palabra determinante, e indica el estado del presente.

여백 (sustantivo) : 종이 등에 글씨를 쓰거나 그림을 그리고 남은 빈 자리.
espacio en blanco
Espacio que queda libre en una hoja después de haber escrito o dibujado algo.

에 : 앞말이 어떤 장소나 자리임을 나타내는 조사.
No hay expresión equivalente
Posposición que se usa cuando la palabra anterior indica cierto lugar o sitio.

가득 (adverbio) : 어떤 감정이나 생각이 강한 모양.
llenamente, atestadamente, abundantemente, plenamente, repletamente
Dicho de un sentimiento o una idea: en forma fuerte e intensa.

차다 (verbo) : 감정이나 느낌 등이 가득하게 되다.
llenar
Colmar una emoción o un sentimiento.

-ㄴ : 앞의 말이 관형어의 기능을 하게 만들고 사건이나 동작이 완료되어 그 상태가 유지되고 있음을 나타내는 어미.
No hay expresión equivalente
Desinencia que hace que la palabra antecedente ejerza la función de una palabra determinante, e indica que un suceso o una acción se mantiene en el mismo estado que cuando concluyó en un momento del pasado.

내+가 모르+는 나+를 <u>지우+[ㄹ 것(거)]+이+에요</u>.
지울 거예요

내 (pronombre) : '나'에 조사 '가'가 붙을 때의 형태.
yo
Forma que toma la palabra '나' cuando va antecedida de la posposición '가'.

가 : 어떤 상태나 상황에 놓인 대상이나 동작의 주체를 나타내는 조사.
No hay expresión equivalente
Posposición que se usa para indicar el objeto de cierto estado o situación o el agente de un movimiento.

모르다 (verbo) : 사람이나 사물, 사실 등을 알지 못하거나 이해하지 못하다.
desconocer
No conocer algo o a alguien, o no comprenderlos.

-는 : 앞의 말이 관형어의 기능을 하게 만들고 사건이나 동작이 현재 일어남을 나타내는 어미.
No hay expresión equivalente
Desinencia que hace que la palabra antecedente ejerza la función de un componente determinante, e indica que un suceso o una acción se produce en el presente.

나 (pronombre) : 말하는 사람이 친구나 아랫사람에게 자기를 가리키는 말.
yo
Pronombre que usa el hablante para referirse a sí mismo ante alguien de edad igual o menor.

를 : 동작이 직접적으로 영향을 미치는 대상을 나타내는 조사.
No hay expresión equivalente
Posposición que indica el objeto que influye directamente en la acción.

지우다 (verbo) : 생각이나 기억을 없애거나 잊다.
borrar, eliminar
Olvidar o hacer que desaparezca un pensamiento o un recuerdo.

-ㄹ 것 : 명사가 아닌 것을 문장에서 명사처럼 쓰이게 하거나 '이다' 앞에 쓰일 수 있게 할 때 쓰는 표현.
No hay expresión equivalente
Expresión que se usa para hacer que una palabra que no es sustantivo sea utilizada como tal en una oración, o para hacer que se use delante de '이다' .

이다 : 주어가 지시하는 대상의 속성이나 부류를 지정하는 뜻을 나타내는 서술격 조사.
No hay expresión equivalente
Posposición de caso atributivo, que se usa para designar el atributo o la clase del objeto al que se refiere el sujeto.

-에요 : (두루높임으로) 어떤 사실을 서술하거나 질문함을 나타내는 종결 어미.
No hay expresión equivalente
(TRATAMIENTO HONORÍFICO GENERAL) Desinencia de terminación que se usa cuando se describe o interroga cierto hecho. **<narración>**

오늘+은 꼭 당신+이 따르(따르)+[아 주]+ㄴ

따라 준

오늘 (sustantivo) : 지금 지나가고 있는 이날.
hoy
Día actual que está transcurriendo ahora.

은 : 문장 속에서 어떤 대상이 화제임을 나타내는 조사.
No hay expresión equivalente
Posposición que se usa para indicar que cierto objeto es tópico en la oración.

꼭 (adverbio) : 어떤 일이 있어도 반드시.
sin falta, sin duda
Sí que sí, suceda lo que suceda.

당신 (pronombre) : (조금 높이는 말로) 듣는 사람을 가리키는 말.
usted
(HONORÍFICO MODERADO) Pronombre personal de segunda persona singular.

이 : 어떤 상태나 상황의 대상이나 동작의 주체를 나타내는 조사.
No hay expresión equivalente
Posposición que se usa para indicar el objeto de cierto estado o situación o el agente de un movimiento.

따르다 (verbo) : 액체가 담긴 물건을 기울여 액체를 밖으로 조금씩 흐르게 하다.
verter
Inclinar una vasija para vaciar su contenido, especialmente para derramar líquidos poco a poco.

-아 주다 : 남을 위해 앞의 말이 나타내는 행동을 함을 나타내는 표현.
No hay expresión equivalente
Expresión que indica la realización de una acción que indica el comentario anterior para el bien del otro.

-ㄴ : 앞의 말이 관형어의 기능을 하게 만들고 사건이나 동작이 완료되어 그 상태가 유지되고 있음을 나타내는 어미.
No hay expresión equivalente
Desinencia que hace que la palabra antecedente ejerza la función de una palabra determinante, e indica que un suceso o una acción se mantiene en el mismo estado que cuando concluyó en un momento del pasado.

한 잔+의 가득하+ㄴ 독주+를 비우+[ㄹ 것(거)]+이+에요.

가득한 비울 거예요

한 (determinante) : 하나의.
No hay expresión equivalente
uno

잔 (sustantivo) : 음료나 술 등을 담은 그릇을 기준으로 그 분량을 세는 단위.
vaso, copa
Unidad para contar la cantidad de copas o vasos con refrescos o bebidas alcohólicas.

의 : 앞의 말이 뒤의 말에 대하여 속성이나 수량을 한정하거나 같은 자격임을 나타내는 조사.
No hay expresión equivalente
Posposición que se usa para indicar que la palabra anterior limita el atributo o la cantidad a la posterior; o que estas son de mismo atributo.

가득하다 (adjetivo) : 양이나 수가 정해진 범위에 꽉 차 있다.
lleno, repleto, completo, saturado, colmado, henchido
Abundancia en cantidad o número que llena un espacio determinado.

-ㄴ : 앞의 말이 관형어의 기능을 하게 만들고 현재의 상태를 나타내는 어미.
No hay expresión equivalente
Desinencia que hace que la palabra antecedente ejerza la función de una palabra determinante, e indica el estado del presente.

독주 (sustantivo) : 매우 독한 술.
bebida alcohólica muy fuerte
Bebida alcohólica muy fuerte.

를 : 동작이 직접적으로 영향을 미치는 대상을 나타내는 조사.
No hay expresión equivalente
Posposición que indica el objeto que influye directamente en la acción.

비우다 (verbo) : 안에 든 것을 없애 속을 비게 하다.
vaciar, desocupar, descargar
Dejar vacío sacando todo lo que estaba adentro.

-ㄹ 것 : 명사가 아닌 것을 문장에서 명사처럼 쓰이게 하거나 '이다' 앞에 쓰일 수 있게 할 때 쓰는 표현.
No hay expresión equivalente
Expresión que se usa para hacer que una palabra que no es sustantivo sea utilizada como tal en una oración, o para hacer que se use delante de '이다'.

이다 : 주어가 지시하는 대상의 속성이나 부류를 지정하는 뜻을 나타내는 서술격 조사.
No hay expresión equivalente
Posposición de caso atributivo, que se usa para designar el atributo o la clase del objeto al que se refiere el sujeto.

-에요 : (두루높임으로) 어떤 사실을 서술하거나 질문함을 나타내는 종결 어미.
No hay expresión equivalente
(TRATAMIENTO HONORÍFICO GENERAL) Desinencia de terminación que se usa cuando se describe o interroga cierto hecho. **<narración>**

< 2 절(verso) >

누구+라도 술 한 잔 따르(따ㄹ)+[아 주]+어요.

따라 줘요

누구 (pronombre) : 정해지지 않은 어떤 사람을 가리키는 말.
alguien, alguno, quién
Pronombre que hace referencia a una persona no determinada.

라도 : 그것이 최선은 아니나 여럿 중에서는 그런대로 괜찮음을 나타내는 조사.
No hay expresión equivalente
Posposición que muestra que algo no es tan malo entre otros a pesar de no ser lo mejor.

술 (sustantivo) : 맥주나 소주 등과 같이 알코올 성분이 들어 있어서 마시면 취하는 음료.
bebida alcohólica
Bebida que embriaga por contener elementos alcohólicos tales como cerveza, sochu(aguardiente coreano), etc..

한 (determinante) : 하나의.
No hay expresión equivalente
uno

잔 (sustantivo) : 음료나 술 등을 담은 그릇을 기준으로 그 분량을 세는 단위.
vaso, copa
Unidad para contar la cantidad de copas o vasos con refrescos o bebidas alcohólicas.

따르다 (verbo) : 액체가 담긴 물건을 기울여 액체를 밖으로 조금씩 흐르게 하다.
verter
Inclinar una vasija para vaciar su contenido, especialmente para derramar líquidos poco a poco.

-아 주다 : 남을 위해 앞의 말이 나타내는 행동을 함을 나타내는 표현.
No hay expresión equivalente
Expresión que indica la realización de una acción que indica el comentario anterior para el bien del otro.

-어요 : (두루높임으로) 어떤 사실을 서술하거나 질문, 명령, 권유함을 나타내는 종결 어미.
No hay expresión equivalente
(TRATAMIENTO HONORÍFICO GENERAL) Desinencia de terminación que se usa cuando se describe cierto hecho; o pregunta, ordena o reclama algo. **<orden>**

추억+에 취하+여 비틀거리+[기 전에]
취해

추억 (sustantivo) : 지나간 일을 생각함. 또는 그런 생각이나 일.
recuerdo
Acción de pensar o tener en la mente memorias del pasado. O tales pensamientos o memorias.

에 : 앞말이 어떤 행위나 감정 등의 대상임을 나타내는 조사.
No hay expresión equivalente
Posposición que se usa cuando la palabra anterior es objeto de cierta acción, sentimiento, etc.

취하다 (verbo) : 무엇에 매우 깊이 빠져 마음을 빼앗기다.
estar perdido, estar metido, estar adicto, estar penetrado
Quedar enloquecido al estar penetrado en algo.

-여 : 앞에 오는 말이 뒤에 오는 말에 대한 원인이나 이유임을 나타내는 연결 어미.
No hay expresión equivalente
Desinencia conectora que se usa cuando la palabra anterior es la causa o la razón de la palabra posterior.

비틀거리다 (verbo) : 몸을 가누지 못하고 계속 이리저리 쓰러질 듯이 걷다.
tambalearse
Andar caminando sin poder controlar su cuerpo como si fuera a caer.

-기 전에 : 뒤에 오는 말이 나타내는 행동이 앞에 오는 말이 나타내는 행동보다 앞서는 것을 나타내는 표현.
No hay expresión equivalente
Expresión que se usa para mostrar que un acto o estado precede al hecho que se dice en la parte anterior de la cláusula.

이 한 잔 마시+[고 나]+면 지우+[ㄹ 수 있]+을까요?
지울 수 있을까요

이 (determinante) : 바로 앞에서 이야기한 대상을 가리킬 때 쓰는 말.
este
Palabra que se utiliza para designar al sujeto mencionado anteriormente.

한 (determinante) : 하나의.
No hay expresión equivalente
uno

잔 (sustantivo) : 음료나 술 등을 담은 그릇을 기준으로 그 분량을 세는 단위.
vaso, copa
Unidad para contar la cantidad de copas o vasos con refrescos o bebidas alcohólicas.

마시다 (verbo) : 물 등의 액체를 목구멍으로 넘어가게 하다.
beber
Hacer que un líquido pase de la boca al estómago.

-고 나다 : 앞에 오는 말이 나타내는 행동이 끝났음을 나타내는 표현.
No hay expresión equivalente
Expresión que indica que la acción que representa la parte anterior de la cláusula terminó.

-면 : 뒤에 오는 말에 대한 근거나 조건이 됨을 나타내는 연결 어미.
No hay expresión equivalente
Desinencia conectora que se usa cuando es un fundamento o condición del contenido posterior.

지우다 (verbo) : 생각이나 기억을 없애거나 잊다.
borrar, eliminar
Olvidar o hacer que desaparezca un pensamiento o un recuerdo.

-ㄹ 수 있다 : 어떤 행동이나 상태가 가능함을 나타내는 표현.
No hay expresión equivalente
Expresión que indica que es posible realizar cierta acción, o permanecer en cierto estado.

-을까요 : (두루높임으로) 아직 일어나지 않았거나 모르는 일에 대해서 말하는 사람이 추측하며 질문할 때 쓰는 표현.
No hay expresión equivalente
(TRATAMIENTO HONORÍFICO GENERAL) Expresión que usa el hablante para preguntar suponiendo un hecho que desconoce o que todavía no ha ocurrido.

그리움+에 <u>취하+여</u> 잠들+[기 전에]
취해

그리움 (sustantivo) : 어떤 대상을 몹시 보고 싶어 하는 안타까운 마음.
nostalgia
Sentimiento de añoranza o tristeza generado por el deseo de ver a una persona o una cosa.

에 : 앞말이 어떤 행위나 감정 등의 대상임을 나타내는 조사.
No hay expresión equivalente
Posposición que se usa cuando la palabra anterior es objeto de cierta acción, sentimiento, etc.

취하다 (verbo) : 무엇에 매우 깊이 빠져 마음을 빼앗기다.
estar perdido, estar metido, estar adicto, estar penetrado
Quedar enloquecido al estar penetrado en algo.

-여 : 앞에 오는 말이 뒤에 오는 말에 대한 원인이나 이유임을 나타내는 연결 어미.
No hay expresión equivalente
Desinencia conectora que se usa cuando la palabra anterior es la causa o la razón de la palabra posterior.

잠들다 (verbo) : 잠을 자는 상태가 되다.
dormir
Estar en un estado de reposo.

-기 전에 : 뒤에 오는 말이 나타내는 행동이 앞에 오는 말이 나타내는 행동보다 앞서는 것을 나타내는 표현.
No hay expresión equivalente
Expresión que se usa para mostrar que un acto o estado precede al hecho que se dice en la parte anterior de la cláusula.

아직 어제+를 살+[고 있]+는 이 꿈속+에서 깨+[지 않]+도록

아직 (adverbio) : 어떤 일이나 상태 또는 어떻게 되기까지 시간이 더 지나야 함을 나타내거나, 어떤 일이나 상태가 끝나지 않고 계속 이어지고 있음을 나타내는 말.
todavía, aún, ni hasta ahora
Palabra que indica que es necesario esperar más tiempo hasta que algún asunto alcance determinado nivel o estado, o denota que algo continúa en determinado nivel o estado sin cambiar.

어제 (sustantivo) : 지나간 때.
ayer
Tiempo pasado.

를 : 동작이 직접적으로 영향을 미치는 대상을 나타내는 조사.
No hay expresión equivalente
Posposición que indica el objeto que influye directamente en la acción.

살다 (verbo) : 사람이 생활을 하다.
vivir
Subsistir en la vida.

-고 있다 : 앞의 말이 나타내는 행동이 계속 진행됨을 나타내는 표현.
No hay expresión equivalente
Expresión que indica que la acción que representa la parte anterior de la cláusula continúa.

-는 : 앞의 말이 관형어의 기능을 하게 만들고 사건이나 동작이 현재 일어남을 나타내는 어미.
No hay expresión equivalente
Desinencia que hace que la palabra antecedente ejerza la función de un componente determinante, e indica que un suceso o una acción se produce en el presente.

이 (determinante) : 말하는 사람에게 가까이 있거나 말하는 사람이 생각하고 있는 대상을 가리킬 때 쓰는 말.
este
Palabra que se utiliza para designar al sujeto sobre el que se está pensando o se encuentra cerca de la persona que está hablando.

꿈속 (sustantivo) : 현실과 동떨어진 환상 속.
fantaseo, sueño despierto
Fantasía lejana de la realidad.

에서 : 앞말이 행동이 이루어지고 있는 장소임을 나타내는 조사.
No hay expresión equivalente
Posposición que se usa para indicar el lugar en el que se realiza la acción de la palabra anterior.

깨다 (verbo) : 잠이 든 상태에서 벗어나 정신을 차리다. 또는 그렇게 하다.
despertarse, desadormecerse
Volver al estado normal librándose del sueño. O hacer que se haga así.

-지 않다 : 앞의 말이 나타내는 행위나 상태를 부정하는 뜻을 나타내는 표현.
No hay expresión equivalente
Expresión para negar la acción o la situación de lo que se mencionó anteriormente.

-도록 : 앞에 오는 말이 뒤에 오는 말에 대한 목적이나 결과, 방식, 정도임을 나타내는 연결 어미.
No hay expresión equivalente
Desinencia conectora que se usa cuando la palabra anterior se refiere al objetivo, resultado, modo o grado de la palabra posterior. <objeto>

누구+라도 <u>지독하+ㄴ</u> 술 한 잔 <u>따르(따르)+[아 주]+어요</u>.

지독한 따라 줘요

누구 (pronombre) : 정해지지 않은 어떤 사람을 가리키는 말.
alguien, alguno, quién
Pronombre que hace referencia a una persona no determinada.

라도 : 그것이 최선은 아니나 여럿 중에서는 그런대로 괜찮음을 나타내는 조사.
No hay expresión equivalente
Posposición que muestra que algo no es tan malo entre otros a pesar de no ser lo mejor.

지독하다 (adjetivo) : 맛이나 냄새 등이 해롭거나 참기 어려울 정도로 심하다.
tremendo, terrible
Con aspectos extremos en sabor u olor que son perjudiciales o intolerables.

-ㄴ : 앞의 말이 관형어의 기능을 하게 만들고 현재의 상태를 나타내는 어미.
No hay expresión equivalente
Desinenci que hace que la palabra antecedente ejerza la función de una palabra determinante, e indica el estado del presente.

술 (sustantivo) : 맥주나 소주 등과 같이 알코올 성분이 들어 있어서 마시면 취하는 음료.
bebida alcohólica
Bebida que embriaga por contener elementos alcohólicos tales como cerveza, sochu(aguardiente coreano), etc..

한 (determinante) : 하나의.
No hay expresión equivalente
uno

잔 (sustantivo) : 음료나 술 등을 담은 그릇을 기준으로 그 분량을 세는 단위.
vaso, copa
Unidad para contar la cantidad de copas o vasos con refrescos o bebidas alcohólicas.

따르다 (verbo) : 액체가 담긴 물건을 기울여 액체를 밖으로 조금씩 흐르게 하다.
verter
Inclinar una vasija para vaciar su contenido, especialmente para derramar líquidos poco a poco.

-아 주다 : 남을 위해 앞의 말이 나타내는 행동을 함을 나타내는 표현.
No hay expresión equivalente
Expresión que indica la realización de una acción que indica el comentario anterior para el bien del otro.

-어요 : (두루높임으로) 어떤 사실을 서술하거나 질문, 명령, 권유함을 나타내는 종결 어미.
No hay expresión equivalente
(TRATAMIENTO HONORÍFICO GENERAL) Desinencia de terminación que se usa cuando se describe cierto hecho; o pregunta, ordena o reclama algo. **<orden>**

< 후렴(estribillo) >

이제+부터 하얗(하야)+ㄴ 여백+에 가득 차+ㄴ
하얀 찬

이제 (sustantivo) : 말하고 있는 바로 이때.
ahora
Justamente este momento en que se está hablando.

부터 : 어떤 일의 시작이나 처음을 나타내는 조사.
No hay expresión equivalente
Posposición que indica el inicio o la partida de cierta cosa.

하얗다 (adjetivo) : 눈이나 우유의 빛깔과 같이 밝고 선명하게 희다.
blanco
Que tiene un color claro y nítido, como el de la nieve o la leche.

-ㄴ : 앞의 말이 관형어의 기능을 하게 만들고 현재의 상태를 나타내는 어미.
No hay expresión equivalente
Desinencia que hace que la palabra antecedente ejerza la función de una palabra determinante, e indica el estado del presente.

여백 (sustantivo) : 종이 등에 글씨를 쓰거나 그림을 그리고 남은 빈 자리.
espacio en blanco
Espacio que queda libre en una hoja después de haber escrito o dibujado algo.

에 : 앞말이 어떤 장소나 자리임을 나타내는 조사.
No hay expresión equivalente
Posposición que se usa cuando la palabra anterior indica cierto lugar o sitio.

가득 (adverbio) : 어떤 감정이나 생각이 강한 모양.
llenamente, atestadamente, abundantemente, plenamente, repletamente
Dicho de un sentimiento o una idea: en forma fuerte e intensa.

차다 (verbo) : 감정이나 느낌 등이 가득하게 되다.
llenar
Colmar una emoción o un sentimiento.

-ㄴ : 앞의 말이 관형어의 기능을 하게 만들고 사건이나 동작이 완료되어 그 상태가 유지되고 있음을 나타내는 어미.

No hay expresión equivalente

Desinencia que hace que la palabra antecedente ejerza la función de una palabra determinante, e indica que un suceso o una acción se mantiene en el mismo estado que cuando concluyó en un momento del pasado.

내+가 모르+는 나+를 <u>지우+[ㄹ 것(거)]+이+에요</u>.

지울 거예요

내 (pronombre) : '나'에 조사 '가'가 붙을 때의 형태.

yo

Forma que toma la palabra '나' cuando va antecedida de la posposición '가'.

가 : 어떤 상태나 상황에 놓인 대상이나 동작의 주체를 나타내는 조사.

No hay expresión equivalente

Posposición que se usa para indicar el objeto de cierto estado o situación o el agente de un movimiento.

모르다 (verbo) : 사람이나 사물, 사실 등을 알지 못하거나 이해하지 못하다.

desconocer

No conocer algo o a alguien, o no comprenderlos.

-는 : 앞의 말이 관형어의 기능을 하게 만들고 사건이나 동작이 현재 일어남을 나타내는 어미.

No hay expresión equivalente

Desinencia que hace que la palabra antecedente ejerza la función de un componente determinante, e indica que un suceso o una acción se produce en el presente.

나 (pronombre) : 말하는 사람이 친구나 아랫사람에게 자기를 가리키는 말.

yo

Pronombre que usa el hablante para referirse a sí mismo ante alguien de edad igual o menor.

를 : 동작이 직접적으로 영향을 미치는 대상을 나타내는 조사.

No hay expresión equivalente

Posposición que indica el objeto que influye directamente en la acción.

지우다 (verbo) : 생각이나 기억을 없애거나 잊다.

borrar, eliminar

Olvidar o hacer que desaparezca un pensamiento o un recuerdo.

-ㄹ 것 : 명사가 아닌 것을 문장에서 명사처럼 쓰이게 하거나 '이다' 앞에 쓰일 수 있게 할 때 쓰는 표현.
No hay expresión equivalente
Expresión que se usa para hacer que una palabra que no es sustantivo sea utilizada como tal en una oración, o para hacer que se use delante de '이다'.

이다 : 주어가 지시하는 대상의 속성이나 부류를 지정하는 뜻을 나타내는 서술격 조사.
No hay expresión equivalente
Posposición de caso atributivo, que se usa para designar el atributo o la clase del objeto al que se refiere el sujeto.

-에요 : (두루높임으로) 어떤 사실을 서술하거나 질문함을 나타내는 종결 어미.
No hay expresión equivalente
(TRATAMIENTO HONORÍFICO GENERAL) Desinencia de terminación que se usa cuando se describe o interroga cierto hecho. **<narración>**

오늘+은 꼭 당신+이 따르(따르)+[아 주]+ㄴ

따라 준

오늘 (sustantivo) : 지금 지나가고 있는 이날.
hoy
Día actual que está transcurriendo ahora.

은 : 문장 속에서 어떤 대상이 화제임을 나타내는 조사.
No hay expresión equivalente
Posposición que se usa para indicar que cierto objeto es tópico en la oración.

꼭 (adverbio) : 어떤 일이 있어도 반드시.
sin falta, sin duda
Sí que sí, suceda lo que suceda.

당신 (pronombre) : (조금 높이는 말로) 듣는 사람을 가리키는 말.
usted
(HONORÍFICO MODERADO) Pronombre personal de segunda persona singular.

이 : 어떤 상태나 상황의 대상이나 동작의 주체를 나타내는 조사.
No hay expresión equivalente
Posposición que se usa para indicar el objeto de cierto estado o situación o el agente de un movimiento.

따르다 (verbo) : 액체가 담긴 물건을 기울여 액체를 밖으로 조금씩 흐르게 하다.
verter
Inclinar una vasija para vaciar su contenido, especialmente para derramar líquidos poco a poco.

-아 주다 : 남을 위해 앞의 말이 나타내는 행동을 함을 나타내는 표현.
No hay expresión equivalente
Expresión que indica la realización de una acción que indica el comentario anterior para el bien del otro.

-ㄴ : 앞의 말이 관형어의 기능을 하게 만들고 사건이나 동작이 완료되어 그 상태가 유지되고 있음을 나타내는 어미.
No hay expresión equivalente
Desinencia que hace que la palabra antecedente ejerza la función de una palabra determinante, e indica que un suceso o una acción se mantiene en el mismo estado que cuando concluyó en un momento del pasado.

한 잔+의 가득하+ㄴ 독주+를 비우+[ㄹ 것(거)]+이+에요.
가득한 비울 거예요

한 (determinante) : 하나의.
No hay expresión equivalente
uno

잔 (sustantivo) : 음료나 술 등을 담은 그릇을 기준으로 그 분량을 세는 단위.
vaso, copa
Unidad para contar la cantidad de copas o vasos con refrescos o bebidas alcohólicas.

의 : 앞의 말이 뒤의 말에 대하여 속성이나 수량을 한정하거나 같은 자격임을 나타내는 조사.
No hay expresión equivalente
Posposición que se usa para indicar que la palabra anterior limita el atributo o la cantidad a la posterior; o que estas son de mismo atributo.

가득하다 (adjetivo) : 양이나 수가 정해진 범위에 꽉 차 있다.
lleno, repleto, completo, saturado, colmado, henchido
Abundancia en cantidad o número que llena un espacio determinado.

-ㄴ : 앞의 말이 관형어의 기능을 하게 만들고 현재의 상태를 나타내는 어미.
No hay expresión equivalente
Desinencia que hace que la palabra antecedente ejerza la función de una palabra determinante, e indica el estado del presente.

독주 (sustantivo) : 매우 독한 술.
bebida alcohólica muy fuerte
Bebida alcohólica muy fuerte.

를 : 동작이 직접적으로 영향을 미치는 대상을 나타내는 조사.
No hay expresión equivalente
Posposición que indica el objeto que influye directamente en la acción.

비우다 (verbo) : 안에 든 것을 없애 속을 비게 하다.
vaciar, desocupar, descargar
Dejar vacío sacando todo lo que estaba adentro.

-ㄹ 것 : 명사가 아닌 것을 문장에서 명사처럼 쓰이게 하거나 '이다' 앞에 쓰일 수 있게 할 때 쓰는 표현.
No hay expresión equivalente
Expresión que se usa para hacer que una palabra que no es sustantivo sea utilizada como tal en una oración, o para hacer que se use delante de '이다'.

이다 : 주어가 지시하는 대상의 속성이나 부류를 지정하는 뜻을 나타내는 서술격 조사.
No hay expresión equivalente
Posposición de caso atributivo, que se usa para designar el atributo o la clase del objeto al que se refiere el sujeto.

-에요 : (두루높임으로) 어떤 사실을 서술하거나 질문함을 나타내는 종결 어미.
No hay expresión equivalente
(TRATAMIENTO HONORÍFICO GENERAL) Desinencia de terminación que se usa cuando se describe o interroga cierto hecho. **<narración>**

이제+부터 하얗(하야)+ㄴ 여백+에 가득 차+ㄴ
하얀 찬

이제 (sustantivo) : 말하고 있는 바로 이때.
ahora
Justamente este momento en que se está hablando.

부터 : 어떤 일의 시작이나 처음을 나타내는 조사.
No hay expresión equivalente
Posposición que indica el inicio o la partida de cierta cosa.

하얗다 (adjetivo) : 눈이나 우유의 빛깔과 같이 밝고 선명하게 희다.
blanco
Que tiene un color claro y nítido, como el de la nieve o la leche.

-ㄴ : 앞의 말이 관형어의 기능을 하게 만들고 현재의 상태를 나타내는 어미.
No hay expresión equivalente
Desinencia que hace que la palabra antecedente ejerza la función de una palabra determinante, e indica el estado del presente.

여백 (sustantivo) : 종이 등에 글씨를 쓰거나 그림을 그리고 남은 빈 자리.
espacio en blanco
Espacio que queda libre en una hoja después de haber escrito o dibujado algo.

에 : 앞말이 어떤 장소나 자리임을 나타내는 조사.
No hay expresión equivalente
Posposición que se usa cuando la palabra anterior indica cierto lugar o sitio.

가득 (adverbio) : 어떤 감정이나 생각이 강한 모양.
llenamente, atestadamente, abundantemente, plenamente, repletamente
Dicho de un sentimiento o una idea: en forma fuerte e intensa.

차다 (verbo) : 감정이나 느낌 등이 가득하게 되다.
llenar
Colmar una emoción o un sentimiento.

-ㄴ : 앞의 말이 관형어의 기능을 하게 만들고 사건이나 동작이 완료되어 그 상태가 유지되고 있음을 나타내는 어미.
No hay expresión equivalente
Desinencia que hace que la palabra antecedente ejerza la función de una palabra determinante, e indica que un suceso o una acción se mantiene en el mismo estado que cuando concluyó en un momento del pasado.

내+가 모르+는 나+를 지우+[ㄹ 것(거)]+이+에요.

지울 거예요

내 (pronombre) : '나'에 조사 '가'가 붙을 때의 형태.
yo
Forma que toma la palabra '나' cuando va antecedida de la posposición '가'.

가 : 어떤 상태나 상황에 놓인 대상이나 동작의 주체를 나타내는 조사.
No hay expresión equivalente
Posposición que se usa para indicar el objeto de cierto estado o situación o el agente de un movimiento.

모르다 (verbo) : 사람이나 사물, 사실 등을 알지 못하거나 이해하지 못하다.
desconocer
No conocer algo o a alguien, o no comprenderlos.

-는 : 앞의 말이 관형어의 기능을 하게 만들고 사건이나 동작이 현재 일어남을 나타내는 어미.
No hay expresión equivalente
Desinencia que hace que la palabra antecedente ejerza la función de un componente determinante, e indica que un suceso o una acción se produce en el presente.

나 (pronombre) : 말하는 사람이 친구나 아랫사람에게 자기를 가리키는 말.
yo
Pronombre que usa el hablante para referirse a sí mismo ante alguien de edad igual o menor.

를 : 동작이 직접적으로 영향을 미치는 대상을 나타내는 조사.
No hay expresión equivalente
Posposición que indica el objeto que influye directamente en la acción.

지우다 (verbo) : 생각이나 기억을 없애거나 잊다.
borrar, eliminar
Olvidar o hacer que desaparezca un pensamiento o un recuerdo.

-ㄹ 것 : 명사가 아닌 것을 문장에서 명사처럼 쓰이게 하거나 '이다' 앞에 쓰일 수 있게 할 때 쓰는 표현.
No hay expresión equivalente
Expresión que se usa para hacer que una palabra que no es sustantivo sea utilizada como tal en una oración, o para hacer que se use delante de '이다' .

이다 : 주어가 지시하는 대상의 속성이나 부류를 지정하는 뜻을 나타내는 서술격 조사.
No hay expresión equivalente
Posposición de caso atributivo, que se usa para designar el atributo o la clase del objeto al que se refiere el sujeto.

-에요 : (두루높임으로) 어떤 사실을 서술하거나 질문함을 나타내는 종결 어미.
No hay expresión equivalente
(TRATAMIENTO HONORÍFICO GENERAL) Desinencia de terminación que se usa cuando se describe o interroga cierto hecho. **<narración>**

오늘+은 꼭 당신+이 <u>따르(따르)+[아 주]+ㄴ</u>

따라 준

오늘 (sustantivo) : 지금 지나가고 있는 이날.
hoy
Día actual que está transcurriendo ahora.

은 : 문장 속에서 어떤 대상이 화제임을 나타내는 조사.
No hay expresión equivalente
Posposición que se usa para indicar que cierto objeto es tópico en la oración.

꼭 (adverbio) : 어떤 일이 있어도 반드시.
sin falta, sin duda
Sí que sí, suceda lo que suceda.

당신 (pronombre) : (조금 높이는 말로) 듣는 사람을 가리키는 말.
usted
(HONORÍFICO MODERADO) Pronombre personal de segunda persona singular.

이 : 어떤 상태나 상황의 대상이나 동작의 주체를 나타내는 조사.
No hay expresión equivalente
Posposición que se usa para indicar el objeto de cierto estado o situación o el agente de un movimiento.

따르다 (verbo) : 액체가 담긴 물건을 기울여 액체를 밖으로 조금씩 흐르게 하다.
verter
Inclinar una vasija para vaciar su contenido, especialmente para derramar líquidos poco a poco.

-아 주다 : 남을 위해 앞의 말이 나타내는 행동을 함을 나타내는 표현.
No hay expresión equivalente
Expresión que indica la realización de una acción que indica el comentario anterior para el bien del otro.

-ㄴ : 앞의 말이 관형어의 기능을 하게 만들고 사건이나 동작이 완료되어 그 상태가 유지되고 있음을 나타내는 어미.
No hay expresión equivalente
Desinencia que hace que la palabra antecedente ejerza la función de una palabra determinante, e indica que un suceso o una acción se mantiene en el mismo estado que cuando concluyó en un momento del pasado.

한 잔+의 가득하+ㄴ 독주+를 비우+[ㄹ 것(거)]+이+에요.
가득한 비울 거예요

한 (determinante) : 하나의.
No hay expresión equivalente
uno

잔 (sustantivo) : 음료나 술 등을 담은 그릇을 기준으로 그 분량을 세는 단위.
vaso, copa
Unidad para contar la cantidad de copas o vasos con refrescos o bebidas alcohólicas.

의 : 앞의 말이 뒤의 말에 대하여 속성이나 수량을 한정하거나 같은 자격임을 나타내는 조사.
No hay expresión equivalente
Posposición que se usa para indicar que la palabra anterior limita el atributo o la cantidad a la posterior; o que estas son de mismo atributo.

가득하다 (adjetivo) : 양이나 수가 정해진 범위에 꽉 차 있다.
lleno, repleto, completo, saturado, colmado, henchido
Abundancia en cantidad o número que llena un espacio determinado.

-ㄴ : 앞의 말이 관형어의 기능을 하게 만들고 현재의 상태를 나타내는 어미.
No hay expresión equivalente
Desinencia que hace que la palabra antecedente ejerza la función de una palabra determinante, e indica el estado del presente.

독주 (sustantivo) : 매우 독한 술.
bebida alcohólica muy fuerte
Bebida alcohólica muy fuerte.

를 : 동작이 직접적으로 영향을 미치는 대상을 나타내는 조사.
No hay expresión equivalente
Posposición que indica el objeto que influye directamente en la acción.

비우다 (verbo) : 안에 든 것을 없애 속을 비게 하다.
vaciar, desocupar, descargar
Dejar vacío sacando todo lo que estaba adentro.

-ㄹ 것 : 명사가 아닌 것을 문장에서 명사처럼 쓰이게 하거나 '이다' 앞에 쓰일 수 있게 할 때 쓰는 표현.
No hay expresión equivalente
Expresión que se usa para hacer que una palabra que no es sustantivo sea utilizada como tal en una oración, o para hacer que se use delante de '이다'.

이다 : 주어가 지시하는 대상의 속성이나 부류를 지정하는 뜻을 나타내는 서술격 조사.
No hay expresión equivalente
Posposición de caso atributivo, que se usa para designar el atributo o la clase del objeto al que se refiere el sujeto.

-에요 : (두루높임으로) 어떤 사실을 서술하거나 질문함을 나타내는 종결 어미.
No hay expresión equivalente
(TRATAMIENTO HONORÍFICO GENERAL) Desinencia de terminación que se usa cuando se describe o interroga cierto hecho. **<narración>**

< 7 >

애창곡
(canción favorita)

[발음(pronunciación)]

< 1 절(verso) >

내가 부르는 이 노래
내가 부르는 이 노래
naega bureuneun i norae

너에게 아직 다 못다 한 말
너에게 아직 다 몯따 한 말
neoege ajik da motda han mal

이 곡조엔 우리만 아는 속삭임
이 곡쪼엔 우리만 아는 속싸김
i gokjoen uriman aneun soksagim

내가 부르는 이 노래
내가 부르는 이 노래
naega bureuneun i norae

너에게 꼭 하고 싶은 말
너에게 꼭 하고 시픈 말
neoege kkok hago sipeun mal

이 선율엔 우리만 아는 귓속말
이 서뉴렌 우리만 아는 귇쏭말
i seonyuren uriman aneun gwitsongmal

아무리 화가 나도 삐져 있어도
아무리 화가 나도 삐저 이써도
amuri hwaga nado ppijeo isseodo

이 가락에 취해
이 가라게 취해
i garage chwihae

우린 서로 남몰래 눈을 맞춰요.
우린 서로 남몰래 누늘 맏춰요.
urin seoro nammollae nuneul matchwoyo.

내가 즐겨 부르는 이 노래
내가 즐겨 부르는 이 노래
naega jeulgyeo bureuneun i norae

이 음악이 흐르면
이 으마기 흐르면
i eumagi heureumyeon

너의 눈빛, 너의 표정
너에 눈삗, 너에 표정
neoe nunbit, neoe pyojeong

내 가슴이 살살 녹아요.
내 가스미 살살 노가요.
nae gaseumi salsal nogayo.

< 2 절(verso) >

내가 부르는 이 노래
내가 부르는 이 노래
naega bureuneun i norae

너에게만 들려줬던 말
너에게만 들려줟떤 말
neoegeman deullyeojwotdeon mal

이 곡조엔 둘이만 아는 짜릿함
이 곡쪼엔 두리만 아는 짜리탐
i gokjoen duriman aneun jjaritam

내가 부르는 이 노래
내가 부르는 이 노래
naega bureuneun i norae

너에게만 속삭였던 말
너에게만 속싸견떤 말
neoegeman soksagyeotdeon mal

이 선율엔 둘이만 아는 아찔함
이 서뉴렌 두리만 아는 아찔함
i seonyuren duriman aneun ajjilham

아무리 토라져도 삐져 있어도
아무리 토라저도 삐저 이써도
amuri torajeodo ppijeo isseodo

이 노랫말에 잠겨
이 노랜마레 잠겨
i noraenmare jamgyeo

우린 서로 남몰래 눈을 맞춰요.
우린 서로 남몰래 누늘 맏춰요.
urin seoro nammollae nuneul matchwoyo.

내가 즐겨 부르는 이 노래
내가 즐겨 부르는 이 노래
naega jeulgyeo bureuneun i norae

이 음악이 흐르면
이 으마기 흐르면
i eumagi heureumyeon

너의 눈빛, 너의 표정
너에 눈삗, 너에 표정
neoe nunbit, neoe pyojeong

내 가슴이 살살 녹아요.
내 가스미 살살 노가요.
nae gaseumi salsal nogayo.

< 3 절(verso) >

우리 둘이 부르는 이 노래
우리 두리 부르는 이 노래
uri duri bureuneun i norae

우리 둘만 아는 이 노래
우리 둘만 아는 이 노래
uri dulman aneun i norae

우리 둘이 영원히 함께 불러요
우리 두리 영원히 함께 불러요
uri duri yeongwonhi hamkke bulleoyo

이 음표에 우리 사랑 싣고
이 음표에 우리 사랑 싣꼬
i eumpyoe uri sarang sitgo

높고 낮게 길고 짧은 리듬
놉꼬 낟께 길고 짤븐 리듬
nopgo natge gilgo jjalbeun rideum

이 가락에 밤새도록 취해 봐요.
이 가라게 밤새도록 취해 봐요.
i garage bamsaedorok chwihae bwayo.

< 1 절(verso) >

내+가 부르+는 이 노래

내 (pronombre) : '나'에 조사 '가'가 붙을 때의 형태.
yo
Forma que toma la palabra '나' cuando va antecedida de la posposición '가'.

가 : 어떤 상태나 상황에 놓인 대상이나 동작의 주체를 나타내는 조사.
No hay expresión equivalente
Posposición que se usa para indicar el objeto de cierto estado o situación o el agente de un movimiento.

부르다 (verbo) : 곡조에 따라 노래하다.
cantar
Cantar de acuerdo a la melodía.

-는 : 앞의 말이 관형어의 기능을 하게 만들고 사건이나 동작이 현재 일어남을 나타내는 어미.
No hay expresión equivalente
Desinencia que hace que la palabra antecedente ejerza la función de un componente determinante, e indica que un suceso o una acción se produce en el presente.

이 (determinante) : 말하는 사람에게 가까이 있거나 말하는 사람이 생각하고 있는 대상을 가리킬 때 쓰는 말.
este
Palabra que se utiliza para designar al sujeto sobre el que se está pensando o se encuentra cerca de la persona que está hablando.

노래 (sustantivo) : 운율에 맞게 지은 가사에 곡을 붙인 음악. 또는 그런 음악을 소리 내어 부름.
canción, canto
Música con que se canta una composición lírica. O la acción de cantar tal música.

너+에게 아직 다 못다 하+ㄴ 말
한

너 (pronombre) : 듣는 사람이 친구나 아랫사람일 때, 그 사람을 가리키는 말.
tú, vos
Pronombre que designa al oyente cuando éste es de la misma edad o menor que el hablante.

에게 : 어떤 행동이 미치는 대상임을 나타내는 조사.
No hay expresión equivalente
Posposición que indica ser un objeto influyente de cierta acción.

아직 (adverbio) : 어떤 일이나 상태 또는 어떻게 되기까지 시간이 더 지나야 함을 나타내거나, 어떤 일이나 상태가 끝나지 않고 계속 이어지고 있음을 나타내는 말.
todavía, aún, ni hasta ahora
Palabra que indica que es necesario esperar más tiempo hasta que algún asunto alcance determinado nivel o estado, o denota que algo continúa en determinado nivel o estado sin cambiar.

다 (adverbio) : 남거나 빠진 것이 없이 모두.
todo
Enteramente, sin falta alguna.

못다 (adverbio) : '어떤 행동을 완전히 다하지 못함'을 나타내는 말.
todavía no, aún no
Palabra que indica 'no compleción de una determinada acción'.

하다 (verbo) : 어떤 행동이나 동작, 활동 등을 행하다.
hacer, realizar
Llevar a cabo un acto o una acción.

-ㄴ : 앞의 말이 관형어의 기능을 하게 만들고 사건이나 동작이 완료되어 그 상태가 유지되고 있음을 나타내는 어미.
No hay expresión equivalente
Desinencia que hace que la palabra antecedente ejerza la función de una palabra determinante, e indica que un suceso o una acción se mantiene en el mismo estado que cuando concluyó en un momento del pasado.

말 (sustantivo) : 생각이나 느낌을 표현하고 전달하는 사람의 소리.
habla, palabra,
Voz de una persona que expresa y transmite un pensamiento o un sentimiento.

이 곡조+에+는 우리+만 알(아)+는 속삭임
곡조엔 아는

이 (determinante) : 말하는 사람에게 가까이 있거나 말하는 사람이 생각하고 있는 대상을 가리킬 때 쓰는 말.
este
Palabra que se utiliza para designar al sujeto sobre el que se está pensando o se encuentra cerca de la persona que está hablando.

곡조 (sustantivo) : 음악이나 노래의 흐름.
melodía, tonada
Flujo de la música o canción.

에 : 앞말이 어떤 장소나 자리임을 나타내는 조사.
No hay expresión equivalente
Posposición que se usa cuando la palabra anterior indica cierto lugar o sitio.

는 : 문장 속에서 어떤 대상이 화제임을 나타내는 조사.
No hay expresión equivalente
Posposición que muestra que el referente es el tópico de una oración.

우리 (pronombre) : 말하는 사람이 자기보다 높지 않은 사람에게 자기를 포함한 여러 사람들을 가리키는 말.
nosotros
Palabra que el hablante usa para referirse a varias personas incluyendo a sí mismo delante de una persona que no es superior a él.

만 : 다른 것은 제외하고 어느 것을 한정함을 나타내는 조사.
No hay expresión equivalente
Posposición que indica la limitación de cierta cosa tras excluir otra cosa.

알다 (verbo) : 교육이나 경험, 생각 등을 통해 사물이나 상황에 대한 정보 또는 지식을 갖추다.
saber, conocer, aprender
Adquirir un conocimiento o una información sobre la situación de un objeto mediante la educación, experiencia o pensamiento.

-는 : 앞의 말이 관형어의 기능을 하게 만들고 사건이나 동작이 현재 일어남을 나타내는 어미.
No hay expresión equivalente
Desinencia que hace que la palabra antecedente ejerza la función de un componente determinante, e indica que un suceso o una acción se produce en el presente.

속삭임 (sustantivo) : 작고 낮은 목소리로 가만가만히 하는 이야기.
cuchicheo, susurro, murmullo
Acción de hablar en voz baja para que no se enteren los demás.

내+가 부르+는 이 노래

내 (pronombre) : '나'에 조사 '가'가 붙을 때의 형태.
yo
Forma que toma la palabra '나' cuando va antecedida de la posposición '가'.

가 : 어떤 상태나 상황에 놓인 대상이나 동작의 주체를 나타내는 조사.
No hay expresión equivalente
Posposición que se usa para indicar el objeto de cierto estado o situación o el agente de un movimiento.

부르다 (verbo) : 곡조에 따라 노래하다.
cantar
Cantar de acuerdo a la melodía.

-는 : 앞의 말이 관형어의 기능을 하게 만들고 사건이나 동작이 현재 일어남을 나타내는 어미.
No hay expresión equivalente
Desinencia que hace que la palabra antecedente ejerza la función de un componente determinante, e indica que un suceso o una acción se produce en el presente.

이 (determinante) : 말하는 사람에게 가까이 있거나 말하는 사람이 생각하고 있는 대상을 가리킬 때 쓰는 말.
este
Palabra que se utiliza para designar al sujeto sobre el que se está pensando o se encuentra cerca de la persona que está hablando.

노래 (sustantivo) : 운율에 맞게 지은 가사에 곡을 붙인 음악. 또는 그런 음악을 소리 내어 부름.
canción, canto
Música con que se canta una composición lírica. O la acción de cantar tal música.

너+에게 꼭 하+[고 싶]+은 말

너 (pronombre) : 듣는 사람이 친구나 아랫사람일 때, 그 사람을 가리키는 말.
tú, vos
Pronombre que designa al oyente cuando éste es de la misma edad o menor que el hablante.

에게 : 어떤 행동이 미치는 대상임을 나타내는 조사.
No hay expresión equivalente
Posposición que indica ser un objeto influyente de cierta acción.

꼭 (adverbio) : 어떤 일이 있어도 반드시.
sin falta, sin duda
Sí que sí, suceda lo que suceda.

하다 (verbo) : 어떤 행동이나 동작, 활동 등을 행하다.
hacer, realizar
Llevar a cabo un acto o una acción.

-고 싶다 : 앞의 말이 나타내는 행동을 하기를 원함을 나타내는 표현.
No hay expresión equivalente
Expresión que se usa para mostrar el deseo de hacer un acto que representa el comentario anterior de la cláusula.

-은 : 앞의 말이 관형어의 기능을 하게 만들고 현재의 상태를 나타내는 어미.
No hay expresión equivalente
Desinencia que hace que la palabra antecedente ejerza la función de un componente determinante, e indica que el estado del presente.

말 (sustantivo) : 생각이나 느낌을 표현하고 전달하는 사람의 소리.
habla, palabra,
Voz de una persona que expresa y transmite un pensamiento o un sentimiento.

이 <u>선율+에+는</u> 우리+만 <u>알(아)+는</u> 귓속말
선율엔　　　　　아는

이 (determinante) : 말하는 사람에게 가까이 있거나 말하는 사람이 생각하고 있는 대상을 가리킬 때 쓰는 말.
este
Palabra que se utiliza para designar al sujeto sobre el que se está pensando o se encuentra cerca de la persona que está hablando.

선율 (sustantivo) : 길고 짧거나 높고 낮은 소리가 어우러진 음의 흐름.
eufonía
Sonoridad resultante de armonizar sonidos largos, cortos, altos y bajos.

에 : 앞말이 어떤 장소나 자리임을 나타내는 조사.
No hay expresión equivalente
Posposición que se usa cuando la palabra anterior indica cierto lugar o sitio.

는 : 문장 속에서 어떤 대상이 화제임을 나타내는 조사.
No hay expresión equivalente
Posposición que muestra que el referente es el tópico de una oración.

우리 (pronombre) : 말하는 사람이 자기보다 높지 않은 사람에게 자기를 포함한 여러 사람들을 가리키는 말.
nosotros
Palabra que el hablante usa para referirse a varias personas incluyendo a sí mismo delante de una persona que no es superior a él.

만 : 다른 것은 제외하고 어느 것을 한정함을 나타내는 조사.
No hay expresión equivalente
Posposición que indica la limitación de cierta cosa tras excluir otra cosa.

알다 (verbo) : 교육이나 경험, 생각 등을 통해 사물이나 상황에 대한 정보 또는 지식을 갖추다.
saber, conocer, aprender
Adquirir un conocimiento o una información sobre la situación de un objeto mediante la educación, experiencia o pensamiento.

-는 : 앞의 말이 관형어의 기능을 하게 만들고 사건이나 동작이 현재 일어남을 나타내는 어미.
No hay expresión equivalente
Desinencia que hace que la palabra antecedente ejerza la función de un componente determinante, e indica que un suceso o una acción se produce en el presente.

귓속말 (sustantivo) : 남의 귀에 입을 가까이 대고 작은 소리로 말함. 또는 그런 말.
cuchicheo
Acción de hablar en voz baja acercando la boca al oído de otra persona, o conversación que se realiza de tal manera.

아무리 화+가 나+(아)도 삐지+[어 있]+어도
나도 삐져 있어도

아무리 (adverbio) : 비록 그렇다 하더라도.
por más que, por mucho que
A pesar de ello.

화 (sustantivo) : 몹시 못마땅하거나 노여워하는 감정.
cólera, ira
Pasión del alma que causa indignación y enojo.

가 : 어떤 상태나 상황에 놓인 대상이나 동작의 주체를 나타내는 조사.
No hay expresión equivalente
Posposición que se usa para indicar el objeto de cierto estado o situación o el agente de un movimiento.

나다 (verbo) : 어떤 감정이나 느낌이 생기다.
surgirse, producirse, generarse, ocasionarse, suscitarse
Producirse algún sentimiento o alguna sensación.

-아도 : 앞에 오는 말을 가정하거나 인정하지만 뒤에 오는 말에는 관계가 없거나 영향을 끼치지 않음을 나타내는 연결 어미.

No hay expresión equivalente

Desinencia conectora que se usa cuando se conjetura o se acepta el contenido anterior pero no se relaciona con el contenido posterior ni influye en él.

삐지다 (verbo) : 화가 나거나 서운해서 마음이 뒤틀리다.

ponerse malhumorado

Retorcerse el corazón de alguien por enfadarse o lastimarse emocionalmente.

-어 있다 : 앞의 말이 나타내는 상태가 계속됨을 나타내는 표현.

No hay expresión equivalente

Expresión que indica la continuación del estado que indica el comentario anterior.

-어도 : 앞에 오는 말을 가정하거나 인정하지만 뒤에 오는 말에는 관계가 없거나 영향을 끼치지 않음을 나타내는 연결 어미.

No hay expresión equivalente

Desinencia conectora que se usa cuando se conjetura o se acepta el contenido anterior pero no se relaciona con el contenido posterior ni influye en él.

이 가락+에 취하+여
취해

이 (determinante) : 말하는 사람에게 가까이 있거나 말하는 사람이 생각하고 있는 대상을 가리킬 때 쓰는 말.

este

Palabra que se utiliza para designar al sujeto sobre el que se está pensando o se encuentra cerca de la persona que está hablando.

가락 (sustantivo) : 음악에서 음의 높낮이의 흐름.

tono, melodía, cadencia, armonía

En música, secuencia de sonidos o notas musicales.

에 : 앞말이 어떤 행위나 감정 등의 대상임을 나타내는 조사.

No hay expresión equivalente

Posposición que se usa cuando la palabra anterior es objeto de cierta acción, sentimiento, etc.

취하다 (verbo) : 무엇에 매우 깊이 빠져 마음을 빼앗기다.

estar perdido, estar metido, estar adicto, estar penetrado

Quedar enloquecido al estar penetrado en algo.

-여 : 앞의 말이 뒤의 말보다 먼저 일어났거나 뒤의 말에 대한 방법이나 수단이 됨을 나타내는 연결 어미.
No hay expresión equivalente
Desinencia conectora que se usa cuando la palabra anterior se realiza antes de que la posterior, o es un método o medio de la palabra posterior.

우리+는 서로 남몰래 [눈을 맞추]+어요.
우린 눈을 맞춰요

우리 (pronombre) : 말하는 사람이 자기보다 높지 않은 사람에게 자기를 포함한 여러 사람들을 가리키는 말.
nosotros
Palabra que el hablante usa para referirse a varias personas incluyendo a sí mismo delante de una persona que no es superior a él.

는 : 문장 속에서 어떤 대상이 화제임을 나타내는 조사.
No hay expresión equivalente
Posposición que muestra que el referente es el tópico de una oración.

서로 (adverbio) : 관계를 맺고 있는 둘 이상의 대상이 함께. 또는 같이.
uno con otro
Dícese de conjunto de dos o más personas que establecen ciertas relaciones. O juntos.

남몰래 (adverbio) : 다른 사람이 모르게.
furtivamente, secretamente, en secreto
Sin ser advertido por nadie.

눈을 맞추다 (modismo) : 서로 눈을 마주 보다.
mirarse el uno al otro
Mirarse a los ojos el uno al otro.

-어요 : (두루높임으로) 어떤 사실을 서술하거나 질문, 명령, 권유함을 나타내는 종결 어미.
No hay expresión equivalente
(TRATAMIENTO HONORÍFICO GENERAL) Desinencia de terminación que se usa cuando se describe cierto hecho; o pregunta, ordena o reclama algo.

내+가 즐기+어 부르+는 이 노래
즐겨

내 (pronombre) : '나'에 조사 '가'가 붙을 때의 형태.
yo
Forma que toma la palabra '나' cuando va antecedida de la posposición '가'.

가 : 어떤 상태나 상황에 놓인 대상이나 동작의 주체를 나타내는 조사.
No hay expresión equivalente
Posposición que se usa para indicar el objeto de cierto estado o situación o el agente de un movimiento.

즐기다 (verbo) : 어떤 것을 좋아하여 자주 하다.
disfrutar, gozar
Realizar algo con frecuencia por placer.

-어 : 앞의 말이 뒤의 말보다 먼저 일어났거나 뒤의 말에 대한 방법이나 수단이 됨을 나타내는 연결 어미.
No hay expresión equivalente
Desinencia conectora que se usa cuando la palabra anterior se realiza antes de que la posterior, o es un método o medio de la palabra posterior.

부르다 (verbo) : 곡조에 따라 노래하다.
cantar
Cantar de acuerdo a la melodía.

-는 : 앞의 말이 관형어의 기능을 하게 만들고 사건이나 동작이 현재 일어남을 나타내는 어미.
No hay expresión equivalente
Desinencia que hace que la palabra antecedente ejerza la función de un componente determinante, e indica que un suceso o una acción se produce en el presente.

이 (determinante) : 말하는 사람에게 가까이 있거나 말하는 사람이 생각하고 있는 대상을 가리킬 때 쓰는 말.
este
Palabra que se utiliza para designar al sujeto sobre el que se está pensando o se encuentra cerca de la persona que está hablando.

노래 (sustantivo) : 운율에 맞게 지은 가사에 곡을 붙인 음악. 또는 그런 음악을 소리 내어 부름.
canción, canto
Música con que se canta una composición lírica. O la acción de cantar tal música.

이 음악+이 흐르+면

이 (determinante) : 말하는 사람에게 가까이 있거나 말하는 사람이 생각하고 있는 대상을 가리킬 때 쓰는 말.
este
Palabra que se utiliza para designar al sujeto sobre el que se está pensando o se encuentra cerca de la persona que está hablando.

음악 (sustantivo) : 목소리나 악기로 박자와 가락이 있게 소리 내어 생각이나 감정을 표현하는 예술.
música
Arte consistente en la expresión de ideas o emociones a través de sonidos melódicos y rítmicos creados con la voz o instrumentos musicales.

이 : 어떤 상태나 상황의 대상이나 동작의 주체를 나타내는 조사.
No hay expresión equivalente
Posposición que se usa para indicar el objeto de cierto estado o situación o el agente de un movimiento.

흐르다 (verbo) : 빛, 소리, 향기 등이 부드럽게 퍼지다.
esparcir
Expandirse suavemente una luz, un sonido o un aroma.

-면 : 뒤에 오는 말에 대한 근거나 조건이 됨을 나타내는 연결 어미.
No hay expresión equivalente
Desinencia conectora que se usa cuando es un fundamento o condición del contenido posterior.

너+의 눈빛, 너+의 표정

너 (pronombre) : 듣는 사람이 친구나 아랫사람일 때, 그 사람을 가리키는 말.
tú, vos
Pronombre que designa al oyente cuando éste es de la misma edad o menor que el hablante.

의 : 앞의 말이 뒤의 말에 대하여 소유, 소속, 소재, 관계, 기원, 주체의 관계를 가짐을 나타내는 조사.
No hay expresión equivalente
Posposición que se usa para indicar que la palabra anterior tiene una relación de posesión, pertenencia, integración, conexión, procedencia, sujeto con la posterior.

눈빛 (sustantivo) : 눈에 나타나는 감정.
expresión de los ojos
Emoción expresada a través de los ojos.

너 (pronombre) : 듣는 사람이 친구나 아랫사람일 때, 그 사람을 가리키는 말.
tú, vos
Pronombre que designa al oyente cuando éste es de la misma edad o menor que el hablante.

의 : 앞의 말이 뒤의 말에 대하여 소유, 소속, 소재, 관계, 기원, 주체의 관계를 가짐을 나타내는 조사.
No hay expresión equivalente
Posposición que se usa para indicar que la palabra anterior tiene una relación de posesión, pertenencia, integración, conexión, procedencia, sujeto con la posterior.

표정 (sustantivo) : 마음속에 품은 감정이나 생각 등이 얼굴에 드러남. 또는 그런 모습.
expresión facial
Estado del rostro de alguien que expresa sus sentimientos o pensamientos. O tal rostro expresivo.

나+의 가슴+이 살살 녹+아요.
내

나 (pronombre) : 말하는 사람이 친구나 아랫사람에게 자기를 가리키는 말.
yo
Pronombre que usa el hablante para referirse a sí mismo ante alguien de edad igual o menor.

의 : 앞의 말이 뒤의 말에 대하여 소유, 소속, 소재, 관계, 기원, 주체의 관계를 가짐을 나타내는 조사.
No hay expresión equivalente
Posposición que se usa para indicar que la palabra anterior tiene una relación de posesión, pertenencia, integración, conexión, procedencia, sujeto con la posterior.

가슴 (sustantivo) : 마음이나 느낌.
corazón
Referido a los estados de ánimo o del alma.

이 : 어떤 상태나 상황의 대상이나 동작의 주체를 나타내는 조사.
No hay expresión equivalente
Posposición que se usa para indicar el objeto de cierto estado o situación o el agente de un movimiento.

살살 (adverbio) : 눈이나 설탕 등이 모르는 사이에 저절로 녹는 모양.
rápidamente, prontamente, velozmente
Forma en que se derrite por sí solo la nieve, el azúcar, etc. sin que se perciba.

녹다 (verbo) : 어떤 대상에게 몹시 반하거나 빠지다.
derretirse
Enamorarse o mostrar y expresar afecto excesivo por alguien.

-아요 : (두루높임으로) 어떤 사실을 서술하거나 질문, 명령, 권유함을 나타내는 종결 어미.
No hay expresión equivalente
(TRATAMIENTO HONORÍFICO GENERAL) Desinencia de terminación que se usa cuando se describe cierto hecho; o pregunta, ordena o reclama algo.

< 2 절(verso) >

내+가 부르+는 이 노래

내 (pronombre) : '나'에 조사 '가'가 붙을 때의 형태.
yo
Forma que toma la palabra '나' cuando va antecedida de la posposición '가'.

가 : 어떤 상태나 상황에 놓인 대상이나 동작의 주체를 나타내는 조사.
No hay expresión equivalente
Posposición que se usa para indicar el objeto de cierto estado o situación o el agente de un movimiento.

부르다 (verbo) : 곡조에 따라 노래하다.
cantar
Cantar de acuerdo a la melodía.

-는 : 앞의 말이 관형어의 기능을 하게 만들고 사건이나 동작이 현재 일어남을 나타내는 어미.
No hay expresión equivalente
Desinencia que hace que la palabra antecedente ejerza la función de un componente determinante, e indica que un suceso o una acción se produce en el presente.

이 (determinante) : 말하는 사람에게 가까이 있거나 말하는 사람이 생각하고 있는 대상을 가리킬 때 쓰는 말.
este
Palabra que se utiliza para designar al sujeto sobre el que se está pensando o se encuentra cerca de la persona que está hablando.

노래 (sustantivo) : 운율에 맞게 지은 가사에 곡을 붙인 음악. 또는 그런 음악을 소리 내어 부름.
canción, canto
Música con que se canta una composición lírica. O la acción de cantar tal música.

너+에게+만 들려주+었던 말
들려줬던

너 (pronombre) : 듣는 사람이 친구나 아랫사람일 때, 그 사람을 가리키는 말.
tú, vos
Pronombre que designa al oyente cuando éste es de la misma edad o menor que el hablante.

에게 : 어떤 행동이 미치는 대상임을 나타내는 조사.
No hay expresión equivalente
Posposición que indica ser un objeto influyente de cierta acción.

만 : 다른 것은 제외하고 어느 것을 한정함을 나타내는 조사.
No hay expresión equivalente
Posposición que indica la limitación de cierta cosa tras excluir otra cosa.

들려주다 (verbo) : 소리나 말을 듣게 해 주다.
narrar
Contar una historia o suceso, real o imaginario, o recitarla en voz alta o de cualquier otra manera.

-었던 : 과거의 사건이나 상태를 다시 떠올리거나 그 사건이나 상태가 완료되지 않고 중단되었다는 의미를 나타내는 표현.
No hay expresión equivalente
Expresión que indica la suspensión de un caso o un estado sin concluir, o recuerda otra vez a aquellos hechos del pasado.

말 (sustantivo) : 생각이나 느낌을 표현하고 전달하는 사람의 소리.
habla, palabra,
Voz de una persona que expresa y transmite un pensamiento o un sentimiento.

이 곡조+에+는 둘+이+만 알(아)+는 짜릿하+ㅁ

곡조엔 아는 짜릿함

이 (determinante) : 말하는 사람에게 가까이 있거나 말하는 사람이 생각하고 있는 대상을 가리킬 때 쓰는 말.
este
Palabra que se utiliza para designar al sujeto sobre el que se está pensando o se encuentra cerca de la persona que está hablando.

곡조 (sustantivo) : 음악이나 노래의 흐름.
melodía, tonada
Flujo de la música o canción.

에 : 앞말이 어떤 장소나 자리임을 나타내는 조사.
No hay expresión equivalente
Posposición que se usa cuando la palabra anterior indica cierto lugar o sitio.

는 : 문장 속에서 어떤 대상이 화제임을 나타내는 조사.
No hay expresión equivalente
Posposición que muestra que el referente es el tópico de una oración.

둘 (pronombre numeral) : 하나에 하나를 더한 수.
dos
Número que se forma al sumar uno al uno.

이 : 어떤 상태나 상황의 대상이나 동작의 주체를 나타내는 조사.
No hay expresión equivalente
Posposición que se usa para indicar el objeto de cierto estado o situación o el agente de un movimiento.

만 : 다른 것은 제외하고 어느 것을 한정함을 나타내는 조사.
No hay expresión equivalente
Posposición que indica la limitación de cierta cosa tras excluir otra cosa.

알다 (verbo) : 교육이나 경험, 생각 등을 통해 사물이나 상황에 대한 정보 또는 지식을 갖추다.
saber, conocer, aprender
Adquirir un conocimiento o una información sobre la situación de un objeto mediante la educación, experiencia o pensamiento.

-는 : 앞의 말이 관형어의 기능을 하게 만들고 사건이나 동작이 현재 일어남을 나타내는 어미.
No hay expresión equivalente
Desinencia que hace que la palabra antecedente ejerza la función de un componente determinante, e indica que un suceso o una acción se produce en el presente.

짜릿하다 (adjetivo) : 심리적 자극을 받아 마음이 순간적으로 조금 흥분되고 떨리는 듯하다.
excitado, agitado
Que siente un sentimiento de excitación o temblor momentáneamente al recibir un estímulo psicológico.

-ㅁ : 앞의 말이 명사의 기능을 하게 하는 어미.
No hay expresión equivalente
Desinencia que se usa cuando la palabra anterior ejerce la función del sustantivo.

내+가 부르+는 이 노래

내 (pronombre) : '나'에 조사 '가'가 붙을 때의 형태.
yo
Forma que toma la palabra '나' cuando va antecedida de la posposición '가'.

가 : 어떤 상태나 상황에 놓인 대상이나 동작의 주체를 나타내는 조사.
No hay expresión equivalente
Posposición que se usa para indicar el objeto de cierto estado o situación o el agente de un movimiento.

부르다 (verbo) : 곡조에 따라 노래하다.
cantar
Cantar de acuerdo a la melodía.

-는 : 앞의 말이 관형어의 기능을 하게 만들고 사건이나 동작이 현재 일어남을 나타내는 어미.
No hay expresión equivalente
Desinencia que hace que la palabra antecedente ejerza la función de un componente determinante, e indica que un suceso o una acción se produce en el presente.

이 (determinante) : 말하는 사람에게 가까이 있거나 말하는 사람이 생각하고 있는 대상을 가리킬 때 쓰는 말.
este
Palabra que se utiliza para designar al sujeto sobre el que se está pensando o se encuentra cerca de la persona que está hablando.

노래 (sustantivo) : 운율에 맞게 지은 가사에 곡을 붙인 음악. 또는 그런 음악을 소리 내어 부름.
canción, canto
Música con que se canta una composición lírica. O la acción de cantar tal música.

너+에게+만 <u>속삭이+었던</u> 말
속삭였던

너 (pronombre) : 듣는 사람이 친구나 아랫사람일 때, 그 사람을 가리키는 말.
tú, vos
Pronombre que designa al oyente cuando éste es de la misma edad o menor que el hablante.

에게 : 어떤 행동이 미치는 대상임을 나타내는 조사.
No hay expresión equivalente
Posposición que indica ser un objeto influyente de cierta acción.

만 : 다른 것은 제외하고 어느 것을 한정함을 나타내는 조사.
No hay expresión equivalente
Posposición que indica la limitación de cierta cosa tras excluir otra cosa.

속삭이다 (verbo) : 남이 알아듣지 못하게 작은 목소리로 가만가만 이야기하다.
cuchichear, susurrar, murmurar
Hablar en voz baja para que no se enteren los demás.

-었던 : 과거의 사건이나 상태를 다시 떠올리거나 그 사건이나 상태가 완료되지 않고 중단되었다는 의미를 나타내는 표현.
No hay expresión equivalente
Expresión que indica la suspensión de un caso o un estado sin concluir, o recuerda otra vez a aquellos hechos del pasado.

말 (sustantivo) : 생각이나 느낌을 표현하고 전달하는 사람의 소리.
habla, palabra
Voz de una persona que expresa y transmite un pensamiento o un sentimiento.

이 선율+에+ㄴ 둘+이+만 알(아)+는 아찔하+ㅁ
선율엔 아는 아찔함

이 (determinante) : 말하는 사람에게 가까이 있거나 말하는 사람이 생각하고 있는 대상을 가리킬 때 쓰는 말.
este
Palabra que se utiliza para designar al sujeto sobre el que se está pensando o se encuentra cerca de la persona que está hablando.

선율 (sustantivo) : 길고 짧거나 높고 낮은 소리가 어우러진 음의 흐름.
eufonía
Sonoridad resultante de armonizar sonidos largos, cortos, altos y bajos.

에 : 앞말이 어떤 장소나 자리임을 나타내는 조사.
No hay expresión equivalente
Posposición que se usa cuando la palabra anterior indica cierto lugar o sitio.

는 : 문장 속에서 어떤 대상이 화제임을 나타내는 조사.
No hay expresión equivalente
Posposición que muestra que el referente es el tópico de una oración.

둘 (pronombre numeral) : 하나에 하나를 더한 수.
dos
Número que se forma al sumar uno al uno.

이 : 어떤 상태나 상황의 대상이나 동작의 주체를 나타내는 조사.
No hay expresión equivalente
Posposición que se usa para indicar el objeto de cierto estado o situación o el agente de un movimiento.

만 : 다른 것은 제외하고 어느 것을 한정함을 나타내는 조사.
No hay expresión equivalente
Posposición que indica la limitación de cierta cosa tras excluir otra cosa.

알다 (verbo) : 교육이나 경험, 생각 등을 통해 사물이나 상황에 대한 정보 또는 지식을 갖추다.
saber, conocer, aprender
Adquirir un conocimiento o una información sobre la situación de un objeto mediante la educación, experiencia o pensamiento.

-는 : 앞의 말이 관형어의 기능을 하게 만들고 사건이나 동작이 현재 일어남을 나타내는 어미.
No hay expresión equivalente
Desinencia que hace que la palabra antecedente ejerza la función de un componente determinante, e indica que un suceso o una acción se produce en el presente.

아찔하다 (adjetivo) : 놀라거나 해서 갑자기 정신이 흐려지고 어지럽다.
marearse, sentir vértigo
Sintiendo mareo o vértigo repentino por susto, etc.

-ㅁ : 앞의 말이 명사의 기능을 하게 하는 어미.
No hay expresión equivalente
Desinencia que se usa cuando la palabra anterior ejerce la función del sustantivo.

아무리 토라지+어도 삐지+[어 있]+어도

토라져도 삐져 있어도

아무리 (adverbio) : 비록 그렇다 하더라도.
por más que, por mucho que
A pesar de ello.

토라지다 (verbo) : 마음에 들지 않아 불만스러워 싹 돌아서다.
enfurruñarse, ponerse de malhumor
Darle la espalda a alguien en muestra de descontento o insatisfacción con él.

-어도 : 앞에 오는 말을 가정하거나 인정하지만 뒤에 오는 말에는 관계가 없거나 영향을 끼치지 않음을 나타내는 연결 어미.
No hay expresión equivalente
Desinencia conectora que se usa cuando se conjetura o se acepta el contenido anterior pero no se relaciona con el contenido posterior ni influye en él.

삐지다 (verbo) : 화가 나거나 서운해서 마음이 뒤틀리다.
ponerse malhumorado
Retorcerse el corazón de alguien por enfadarse o lastimarse emocionalmente.

-어 있다 : 앞의 말이 나타내는 상태가 계속됨을 나타내는 표현.
No hay expresión equivalente
Expresión que indica la continuación del estado que indica el comentario anterior.

-어도 : 앞에 오는 말을 가정하거나 인정하지만 뒤에 오는 말에는 관계가 없거나 영향을 끼치지 않음을 나타내는 연결 어미.
No hay expresión equivalente
Desinencia conectora que se usa cuando se conjetura o se acepta el contenido anterior pero no se relaciona con el contenido posterior ni influye en él.

이 노랫말+에 잠기+어
잠겨

이 (determinante) : 말하는 사람에게 가까이 있거나 말하는 사람이 생각하고 있는 대상을 가리킬 때 쓰는 말.
este
Palabra que se utiliza para designar al sujeto sobre el que se está pensando o se encuentra cerca de la persona que está hablando.

노랫말 (sustantivo) : 노래의 가락에 따라 부를 수 있게 만든 글이나 말.
letra de la canción
Escrito o dicho para que sea cantado con el acompañamiento de la melodía de la canción.

에 : 앞말이 어떤 행위나 감정 등의 대상임을 나타내는 조사.
No hay expresión equivalente
Posposición que se usa cuando la palabra anterior es objeto de cierta acción, sentimiento, etc.

잠기다 (verbo) : 생각이나 느낌 속에 빠지다.
sumergirse
Abstraerse en una idea o una sensación.

-어 : 앞의 말이 뒤의 말보다 먼저 일어났거나 뒤의 말에 대한 방법이나 수단이 됨을 나타내는 연결 어미.
No hay expresión equivalente
Desinencia conectora que se usa cuando la palabra anterior se realiza antes de que la posterior, o es un método o medio de la palabra posterior.

우리+는 서로 남몰래 [눈을 맞추]+어요.
우린 눈을 맞춰요

우리 (pronombre) : 말하는 사람이 자기보다 높지 않은 사람에게 자기를 포함한 여러 사람들을 가리키는 말.
nosotros
Palabra que el hablante usa para referirse a varias personas incluyendo a sí mismo delante de una persona que no es superior a él.

는 : 문장 속에서 어떤 대상이 화제임을 나타내는 조사.
No hay expresión equivalente
Posposición que muestra que el referente es el tópico de una oración.

서로 (adverbio) : 관계를 맺고 있는 둘 이상의 대상이 함께. 또는 같이.
uno con otro
Dícese de conjunto de dos o más personas que establecen ciertas relaciones. O juntos.

남몰래 (adverbio) : 다른 사람이 모르게.
furtivamente, secretamente, en secreto
Sin ser advertido por nadie.

눈을 맞추다 (modismo) : 서로 눈을 마주 보다.
mirarse el uno al otro
Mirarse a los ojos el uno al otro.

-어요 : (두루높임으로) 어떤 사실을 서술하거나 질문, 명령, 권유함을 나타내는 종결 어미.
No hay expresión equivalente
(TRATAMIENTO HONORÍFICO GENERAL) Desinencia de terminación que se usa cuando se describe cierto hecho; o pregunta, ordena o reclama algo.

내+가 즐기+어 부르+는 이 노래
즐겨

내 (pronombre) : '나'에 조사 '가'가 붙을 때의 형태.
yo
Forma que toma la palabra '나' cuando va antecedida de la posposición '가'.

가 : 어떤 상태나 상황에 놓인 대상이나 동작의 주체를 나타내는 조사.
No hay expresión equivalente
Posposición que se usa para indicar el objeto de cierto estado o situación o el agente de un movimiento.

즐기다 (verbo) : 어떤 것을 좋아하여 자주 하다.
disfrutar, gozar
Realizar algo con frecuencia por placer.

-어 : 앞의 말이 뒤의 말보다 먼저 일어났거나 뒤의 말에 대한 방법이나 수단이 됨을 나타내는 연결 어미.
No hay expresión equivalente
Desinencia conectora que se usa cuando la palabra anterior se realiza antes de que la posterior, o es un método o medio de la palabra posterior.

부르다 (verbo) : 곡조에 따라 노래하다.
cantar
Cantar de acuerdo a la melodía.

-는 : 앞의 말이 관형어의 기능을 하게 만들고 사건이나 동작이 현재 일어남을 나타내는 어미.
No hay expresión equivalente
Desinencia que hace que la palabra antecedente ejerza la función de un componente determinante, e indica que un suceso o una acción se produce en el presente.

이 (determinante) : 말하는 사람에게 가까이 있거나 말하는 사람이 생각하고 있는 대상을 가리킬 때 쓰는 말.
este
Palabra que se utiliza para designar al sujeto sobre el que se está pensando o se encuentra cerca de la persona que está hablando.

노래 (sustantivo) : 운율에 맞게 지은 가사에 곡을 붙인 음악. 또는 그런 음악을 소리 내어 부름.
canción, canto
Música con que se canta una composición lírica. O la acción de cantar tal música.

이 음악+이 흐르+면

이 (determinante) : 말하는 사람에게 가까이 있거나 말하는 사람이 생각하고 있는 대상을 가리킬 때 쓰는 말.
este
Palabra que se utiliza para designar al sujeto sobre el que se está pensando o se encuentra cerca de la persona que está hablando.

음악 (sustantivo) : 목소리나 악기로 박자와 가락이 있게 소리 내어 생각이나 감정을 표현하는 예술.
música
Arte consistente en la expresión de ideas o emociones a través de sonidos melódicos y rítmicos creados con la voz o instrumentos musicales.

이 : 어떤 상태나 상황의 대상이나 동작의 주체를 나타내는 조사.
No hay expresión equivalente
Posposición que se usa para indicar el objeto de cierto estado o situación o el agente de un movimiento.

흐르다 (verbo) : 빛, 소리, 향기 등이 부드럽게 퍼지다.
esparcir
Expandirse suavemente una luz, un sonido o un aroma.

-면 : 뒤에 오는 말에 대한 근거나 조건이 됨을 나타내는 연결 어미.
No hay expresión equivalente
Desinencia conectora que se usa cuando es un fundamento o condición del contenido posterior.

너+의 눈빛, 너+의 표정

너 (pronombre) : 듣는 사람이 친구나 아랫사람일 때, 그 사람을 가리키는 말.
tú, vos
Pronombre que designa al oyente cuando éste es de la misma edad o menor que el hablante.

의 : 앞의 말이 뒤의 말에 대하여 소유, 소속, 소재, 관계, 기원, 주체의 관계를 가짐을 나타내는 조사.
No hay expresión equivalente
Posposición que se usa para indicar que la palabra anterior tiene una relación de posesión, pertenencia, integración, conexión, procedencia, sujeto con la posterior.

눈빛 (sustantivo) : 눈에 나타나는 감정.
expresión de los ojos
Emoción expresada a través de los ojos.

너 (pronombre) : 듣는 사람이 친구나 아랫사람일 때, 그 사람을 가리키는 말.
tú, vos
Pronombre que designa al oyente cuando éste es de la misma edad o menor que el hablante.

의 : 앞의 말이 뒤의 말에 대하여 소유, 소속, 소재, 관계, 기원, 주체의 관계를 가짐을 나타내는 조사.
No hay expresión equivalente
Posposición que se usa para indicar que la palabra anterior tiene una relación de posesión, pertenencia, integración, conexión, procedencia, sujeto con la posterior.

표정 (sustantivo) : 마음속에 품은 감정이나 생각 등이 얼굴에 드러남. 또는 그런 모습.
expresión facial
Estado del rostro de alguien que expresa sus sentimientos o pensamientos. O tal rostro expresivo.

나+의 가슴+이 살살 녹+아요.
내

나 (pronombre) : 말하는 사람이 친구나 아랫사람에게 자기를 가리키는 말.
yo
Pronombre que usa el hablante para referirse a sí mismo ante alguien de edad igual o menor.

의 : 앞의 말이 뒤의 말에 대하여 소유, 소속, 소재, 관계, 기원, 주체의 관계를 가짐을 나타내는 조사.
No hay expresión equivalente
Posposición que se usa para indicar que la palabra anterior tiene una relación de posesión, pertenencia, integración, conexión, procedencia, sujeto con la posterior.

가슴 (sustantivo) : 마음이나 느낌.
corazón
Referido a los estados de ánimo o del alma.

이 : 어떤 상태나 상황의 대상이나 동작의 주체를 나타내는 조사.
No hay expresión equivalente
Posposición que se usa para indicar el objeto de cierto estado o situación o el agente de un movimiento.

살살 (adverbio) : 눈이나 설탕 등이 모르는 사이에 저절로 녹는 모양.
rápidamente, prontamente, velozmente
Forma en que se derrite por sí solo la nieve, el azúcar, etc. sin que se perciba.

녹다 (verbo) : 어떤 대상에게 몹시 반하거나 빠지다.
derretirse
Enamorarse o mostrar y expresar afecto excesivo por alguien.

-아요 : (두루높임으로) 어떤 사실을 서술하거나 질문, 명령, 권유함을 나타내는 종결 어미.
No hay expresión equivalente
(TRATAMIENTO HONORÍFICO GENERAL) Desinencia de terminación que se usa cuando se describe cierto hecho; o pregunta, ordena o reclama algo.

< 3 절(verso) >

우리 둘+이 부르+는 이 노래

우리 (pronombre) : 말하는 사람이 자기보다 높지 않은 사람에게 자기를 포함한 여러 사람들을 가리키는 말.
nosotros
Palabra que el hablante usa para referirse a varias personas incluyendo a sí mismo delante de una persona que no es superior a él.

둘 (pronombre numeral) : 하나에 하나를 더한 수.
dos
Número que se forma al sumar uno al uno.

이 : 어떤 상태나 상황의 대상이나 동작의 주체를 나타내는 조사.
No hay expresión equivalente
Posposición que se usa para indicar el objeto de cierto estado o situación o el agente de un movimiento.

부르다 (verbo) : 곡조에 따라 노래하다.
cantar
Cantar de acuerdo a la melodía.

-는 : 앞의 말이 관형어의 기능을 하게 만들고 사건이나 동작이 현재 일어남을 나타내는 어미.
No hay expresión equivalente
Desinencia que hace que la palabra antecedente ejerza la función de un componente determinante, e indica que un suceso o una acción se produce en el presente.

이 (determinante) : 말하는 사람에게 가까이 있거나 말하는 사람이 생각하고 있는 대상을 가리킬 때 쓰는 말.
este
Palabra que se utiliza para designar al sujeto sobre el que se está pensando o se encuentra cerca de la persona que está hablando.

노래 (sustantivo) : 운율에 맞게 지은 가사에 곡을 붙인 음악. 또는 그런 음악을 소리 내어 부름.
canción, canto
Música con que se canta una composición lírica. O la acción de cantar tal música.

우리 둘+만 알(아)+는 이 노래
아는

우리 (pronombre) : 말하는 사람이 자기보다 높지 않은 사람에게 자기를 포함한 여러 사람들을 가리키는 말.
nosotros
Palabra que el hablante usa para referirse a varias personas incluyendo a sí mismo delante de una persona que no es superior a él.

둘 (pronombre numeral) : 하나에 하나를 더한 수.
dos
Número que se forma al sumar uno al uno.

만 : 다른 것은 제외하고 어느 것을 한정함을 나타내는 조사.
No hay expresión equivalente
Posposición que indica la limitación de cierta cosa tras excluir otra cosa.

알다 (verbo) : 교육이나 경험, 생각 등을 통해 사물이나 상황에 대한 정보 또는 지식을 갖추다.
saber, conocer, aprender
Adquirir un conocimiento o una información sobre la situación de un objeto mediante la educación, experiencia o pensamiento.

-는 : 앞의 말이 관형어의 기능을 하게 만들고 사건이나 동작이 현재 일어남을 나타내는 어미.
No hay expresión equivalente
Desinencia que hace que la palabra antecedente ejerza la función de un componente determinante, e indica que un suceso o una acción se produce en el presente.

이 (determinante) : 말하는 사람에게 가까이 있거나 말하는 사람이 생각하고 있는 대상을 가리킬 때 쓰는 말.
este
Palabra que se utiliza para designar al sujeto sobre el que se está pensando o se encuentra cerca de la persona que está hablando.

노래 (sustantivo) : 운율에 맞게 지은 가사에 곡을 붙인 음악. 또는 그런 음악을 소리 내어 부름.
canción, canto
Música con que se canta una composición lírica. O la acción de cantar tal música.

우리 둘+이 영원히 함께 부르(불ㄹ)+어요.
불러요

우리 (pronombre) : 말하는 사람이 자기보다 높지 않은 사람에게 자기를 포함한 여러 사람들을 가리키는 말.
nosotros
Palabra que el hablante usa para referirse a varias personas incluyendo a sí mismo delante de una persona que no es superior a él.

둘 (pronombre numeral) : 하나에 하나를 더한 수.
dos
Número que se forma al sumar uno al uno.

이 : 어떤 상태나 상황의 대상이나 동작의 주체를 나타내는 조사.
No hay expresión equivalente
Posposición que se usa para indicar el objeto de cierto estado o situación o el agente de un movimiento.

영원히 (adverbio) : 끝없이 이어지는 상태로. 또는 언제까지나 변하지 않는 상태로.
eternamente, perpetuamente
En un estado eterno, o en un estado perpetuo sin cambios.

함께 (adverbio) : 여럿이서 한꺼번에 같이.
juntos, todos juntos
Dicho de dos o más personas, todas juntas.

부르다 (verbo) : 곡조에 따라 노래하다.
cantar
Cantar de acuerdo a la melodía.

-어요 : (두루높임으로) 어떤 사실을 서술하거나 질문, 명령, 권유함을 나타내는 종결 어미.
No hay expresión equivalente
(TRATAMIENTO HONORÍFICO GENERAL) Desinencia de terminación que se usa cuando se describe cierto hecho; o pregunta, ordena o reclama algo.

이 음표+에 우리 사랑 싣+고

이 (determinante) : 말하는 사람에게 가까이 있거나 말하는 사람이 생각하고 있는 대상을 가리킬 때 쓰는 말.
este
Palabra que se utiliza para designar al sujeto sobre el que se está pensando o se encuentra cerca de la persona que está hablando.

음표 (sustantivo) : 악보에서 음의 길이와 높낮이를 나타내는 기호.
nota
En el pentagrama, signo que representa la duración y la altura de un sonido.

에 : 앞말이 어떤 행위나 작용이 미치는 대상임을 나타내는 조사.
No hay expresión equivalente
Posposición que se usa cuando la palabra anterior es objeto que influye en cierta acción o función.

우리 (pronombre) : 말하는 사람이 자기보다 높지 않은 사람에게 자기를 포함한 여러 사람들을 가리키는 말.
nosotros
Palabra que el hablante usa para referirse a varias personas incluyendo a sí mismo delante de una persona que no es superior a él.

사랑 (sustantivo) : 상대에게 성적으로 매력을 느껴 열렬히 좋아하는 마음.
amor
Sentimiento de gustar ardientemente por sentir atracción sexual del otro.

싣다 (verbo) : 어떤 현상이나 뜻을 나타내거나 담다.
llevar, tener, aparentar, simbolizar
Representar o incorporar cierto fenómeno o significado.

-고 : 앞의 말이 나타내는 행동이나 그 결과가 뒤에 오는 행동이 일어나는 동안에 그대로 지속됨을 나타내는 연결 어미.
No hay expresión equivalente
Desinencia conectora que se usa cuando la acción y su resultado que indica la palabra anterior siguen igual que durante el desarrollo de la acción que viene después.

높+고 낮+게 길+고 짧+은 리듬

높다 (adjetivo) : 소리가 음의 차례에서 위쪽이거나 진동수가 크다.
alto, elevado, agudo
Dicho de un sonido que corresponde al rango agudo de la escala musical o presenta mayor frecuencia de vibraciones acústicas.

-고 : 두 가지 이상의 대등한 사실을 나열할 때 쓰는 연결 어미.
No hay expresión equivalente
Desinencia conectora que se usa cuando se enumeran más de dos hechos similares.

낮다 (adjetivo) : 소리가 음의 차례에서 아래쪽이거나 진동수가 작다.
bajo, grave
Dícese de un sonido grave o con menor vibración.

-게 : 앞의 말이 뒤에서 가리키는 일의 목적이나 결과, 방식, 정도 등이 됨을 나타내는 연결 어미.
No hay expresión equivalente
Desinencia conectora que se usa cuando la palabra anterior es el objetivo, resultado, método, grado, etc. que indica al posterior.

길다 (adjetivo) : 한 때에서 다음의 한 때까지 이어지는 시간이 오래다.
largo, duradero
Dícese de un período de tiempo que tiene una gran brecha entre dos determinados momentos.

-고 : 두 가지 이상의 대등한 사실을 나열할 때 쓰는 연결 어미.
No hay expresión equivalente
Desinencia conectora que se usa cuando se enumeran más de dos hechos similares.

짧다 (adjetivo) : 한 때에서 다른 때까지의 동안이 오래지 않다.
breve, corto
Que no es mucha la distancia de tiempo entre un periodo y el otro.

-은 : 앞의 말이 관형어의 기능을 하게 만들고 현재의 상태를 나타내는 어미.
No hay expresión equivalente
Desinencia que hace que la palabra antecedente ejerza la función de un componente determinante, e indica que el estado del presente.

리듬 (sustantivo) : 소리의 높낮이, 길이, 세기 등이 일정하게 반복되는 것.
ritmo
Repetición uniforme del tono, duración, intensidad, etc. de un sonido.

이 가락+에 밤새+도록 취하+[여 보]+아요.

취해 봐요

이 (determinante) : 말하는 사람에게 가까이 있거나 말하는 사람이 생각하고 있는 대상을 가리킬 때 쓰는 말.
este
Palabra que se utiliza para designar al sujeto sobre el que se está pensando o se encuentra cerca de la persona que está hablando.

가락 (sustantivo) : 음악에서 음의 높낮이의 흐름.
tono, melodía, cadencia, armonía
En música, secuencia de sonidos o notas musicales.

에 : 앞말이 어떤 행위나 감정 등의 대상임을 나타내는 조사.
No hay expresión equivalente
Posposición que se usa cuando la palabra anterior es objeto de cierta acción, sentimiento, etc.

밤새다 (verbo) : 밤이 지나 아침이 오다.
amanecerse, trasnocharse, velarse, pernoctarse
Llegar la mañana tras pasar la noche.

-도록 : 앞에 오는 말이 뒤에 오는 말에 대한 목적이나 결과, 방식, 정도임을 나타내는 연결 어미.
No hay expresión equivalente
Desinencia conectora que se usa cuando la palabra anterior se refiere al objetivo, resultado, modo o grado de la palabra posterior.

취하다 (verbo) : 무엇에 매우 깊이 빠져 마음을 빼앗기다.
estar perdido, estar metido, estar adicto, estar penetrado
Quedar enloquecido al estar penetrado en algo.

-여 보다 : 앞의 말이 나타내는 행동을 시험 삼아 함을 나타내는 표현.
No hay expresión equivalente
Expresión que indica la realización de la acción que indica el comentario anterior a modo de prueba.

-아요 : (두루높임으로) 어떤 사실을 서술하거나 질문, 명령, 권유함을 나타내는 종결 어미.
No hay expresión equivalente
(TRATAMIENTO HONORÍFICO GENERAL) Desinencia de terminación que se usa cuando se describe cierto hecho; o pregunta, ordena o reclama algo.

< 8 >

최고야

너는 최고야.
(Eress el mejor.)

[발음(pronunciación)]

< 1 절(verso) >

엄마, 치킨 먹고 싶어.
엄마, 치킨 먹꼬 시퍼.
eomma, chikin meokgo sipeo.

아빠, 피자 먹고 싶어.
아빠, 피자 먹꼬 시퍼.
appa, pija meokgo sipeo.

치킨 먹고 싶어.
치킨 먹꼬 시퍼.
chikin meokgo sipeo.

피자 먹고 싶어.
피자 먹꼬 시퍼.
pija meokgo sipeo.

시켜 줘, 시켜 줘.
시켜 줘, 시켜 줘.
sikyeo jwo, sikyeo jwo.

전부 시켜 줘.
전부 시켜 줘.
jeonbu sikyeo jwo.

시켜, 뭐든지 시켜.
시켜, 뭐든지 시켜.
sikyeo, mwodeunji sikyeo.

시켜, 전부 다 시켜.
시켜, 전부 다 시켜.
sikyeo, jeonbu da sikyeo.

먹고 싶은 거, 맛보고 싶은 거 전부 다 시켜.
먹꼬 시픈 거, 맏뽀고 시픈 거 전부 다 시켜.
meokgo sipeun geo, matbogo sipeun geo jeonbu da sikyeo.

엄만 언제나 최고야.
엄만 언제나 최고야.
eomman eonjena choegoya.

최고, 최고, 최고
최고, 최고, 최고
choego, choego, choego

아빤 언제나 최고야.
아빤 언제나 최고야.
appan eonjena choegoya.

최고, 최고, 아빠 최고.
최고, 최고, 아빠 최고.
choego, choego, appa choego.

엄마 최고, 아빠 최고, 엄마 최고, 아빠 최고.
엄마 최고, 아빠 최고, 엄마 최고, 아빠 최고.
eomma choego, appa choego, eomma choego, appa choego.

< 2 절(verso) >

언니, 햄버거 먹고 싶어.
언니, 햄버거 먹꼬 시퍼.
eonni, haembeogeo meokgo sipeo.

오빠, 돈가스 먹고 싶어.
오빠, 돈가스 먹꼬 시퍼.
oppa, dongaseu meokgo sipeo.

햄버거 먹고 싶어.
햄버거 먹꼬 시퍼.
haembeogeo meokgo sipeo.

돈가스 먹고 싶어.
돈가스 먹꼬 시퍼.
dongaseu meokgo sipeo.

시켜 줘, 시켜 줘.
시켜 줘, 시켜 줘.
sikyeo jwo, sikyeo jwo.

전부 시켜 줘.
전부 시켜 줘.
jeonbu sikyeo jwo.

시켜, 뭐든지 시켜.
시켜, 뭐든지 시켜.
sikyeo, mwodeunji sikyeo.

시켜, 전부 다 시켜.
시켜, 전부 다 시켜.
sikyeo, jeonbu da sikyeo.

먹고 싶은 거, 맛보고 싶은 거 전부 다 시켜.
먹꼬 시픈 거, 맏뽀고 시픈 거 전부 다 시켜.
meokgo sipeun geo, matbogo sipeun geo jeonbu da sikyeo.

초밥도, 짜장면도, 짬뽕도, 탕수육도, 떡볶이도, 순대도, 김밥도, 냉면도.
초밥또, 짜장면도, 짬뽕도, 탕수육또, 떡뽀끼도, 순대도, 김밥또, 냉면도.
chobapdo, jjajangmyeondo, jjamppongdo, tangsuyukdo, tteokbokkido, sundaedo, gimbapdo, naengmyeondo.

시켜, 시켜, 뭐든지 시켜.
시켜, 시켜, 뭐든지 시켜.
sikyeo, sikyeo, mwodeunji sikyeo.

먹고 싶은 거 다 시켜.
먹꼬 시픈 거 다 시켜.
meokgo sipeun geo da sikyeo.

뭐든지 다 시켜 줄게.
뭐든지 다 시켜 줄께.
mwodeunji da sikyeo julge.

전부 다 시켜 줄게.
전부 다 시켜 줄께.
jeonbu da sikyeo julge.

언닌 언제나 최고야.
언닌 언제나 최고야.
eonnin eonjena choegoya.

최고, 최고, 최고.
최고, 최고, 최고.
choego, choego, choego.

오빤 언제나 최고야.
오빤 언제나 최고야.
oppan eonjena choegoya.

최고, 최고, 오빠 최고.
최고, 최고, 오빠 최고.
choego, choego, oppa choego.

엄마가 최고야, 엄마 최고.
엄마가 최고야, 엄마 최고.
eommaga choegoya, eomma choego.

아빠가 최고야, 아빠 최고.
아빠가 최고야, 아빠 최고.
appaga choegoya, appa choego.

최고, 최고, 언니 최고.
최고, 최고, 언니 최고.
choego, choego, eonni choego.

오빠가 최고야, 오빠 최고.
오빠가 최고야, 오빠 최고.
oppaga choegoya, oppa choego.

< 1 절(verso) >

엄마, 치킨 먹+[고 싶]+어.

엄마 (sustantivo) : 격식을 갖추지 않아도 되는 상황에서 어머니를 이르거나 부르는 말.
mamá
Palabra que se usa para referirse o llamar a la madre de uno en un entorno informal.

치킨 (sustantivo) : 토막을 낸 닭에 밀가루 등을 묻혀 기름에 튀기거나 구운 음식.
pollo frito, pollo a la brasa
Trozos de pollo rebozados en harina y fritos o cocidos a la brasa.

먹다 (verbo) : 음식 등을 입을 통하여 배 속에 들여보내다.
comer
Introducir por boca alimentos, etc. en el estómago.

-고 싶다 : 앞의 말이 나타내는 행동을 하기를 원함을 나타내는 표현.
No hay expresión equivalente
Expresión que se usa para mostrar el deseo de hacer un acto que representa el comentario anterior de la cláusula.

-어 : (두루낮춤으로) 어떤 사실을 서술하거나 물음, 명령, 권유를 나타내는 종결 어미.
No hay expresión equivalente
(TRATAMIENTO DE MODESTIA GENERAL) Desinencia de terminación que se usa cuando se describe cierto hecho; o pregunta, ordena o reclama algo. <narración>

아빠, 피자 먹+[고 싶]+어.

아빠 (sustantivo) : 격식을 갖추지 않아도 되는 상황에서 아버지를 이르거나 부르는 말.
papá, papi
Palabra que se usa para referirse o llamar al padre de uno en un entorno informal.

피자 (sustantivo) : 이탈리아에서 유래한 것으로 둥글고 납작한 밀가루 반죽 위에 토마토, 고기, 치즈 등을 얹어 구운 음식.
pizza
Plato originario de Italia, consistente en una masa de harina redonda y plana cubierta con salsa de tomate, carne, queso, etc. y cocida en el horno.

먹다 (verbo) : 음식 등을 입을 통하여 배 속에 들여보내다.
comer
Introducir por boca alimentos, etc. en el estómago.

-고 싶다 : 앞의 말이 나타내는 행동을 하기를 원함을 나타내는 표현.
No hay expresión equivalente
Expresión que se usa para mostrar el deseo de hacer un acto que representa el comentario anterior de la cláusula.

-어 : (두루낮춤으로) 어떤 사실을 서술하거나 물음, 명령, 권유를 나타내는 종결 어미.
No hay expresión equivalente
(TRATAMIENTO DE MODESTIA GENERAL) Desinencia de terminación que se usa cuando se describe cierto hecho; o pregunta, ordena o reclama algo. <narración>

치킨 먹+[고 싶]+어.

치킨 (sustantivo) : 토막을 낸 닭에 밀가루 등을 묻혀 기름에 튀기거나 구운 음식.
pollo frito, pollo a la brasa
Trozos de pollo rebozados en harina y fritos o cocidos a la brasa.

먹다 (verbo) : 음식 등을 입을 통하여 배 속에 들여보내다.
comer
Introducir por boca alimentos, etc. en el estómago.

-고 싶다 : 앞의 말이 나타내는 행동을 하기를 원함을 나타내는 표현.
No hay expresión equivalente
Expresión que se usa para mostrar el deseo de hacer un acto que representa el comentario anterior de la cláusula.

-어 : (두루낮춤으로) 어떤 사실을 서술하거나 물음, 명령, 권유를 나타내는 종결 어미.
No hay expresión equivalente
(TRATAMIENTO DE MODESTIA GENERAL) Desinencia de terminación que se usa cuando se describe cierto hecho; o pregunta, ordena o reclama algo. <narración>

피자 먹+[고 싶]+어.

피자 (sustantivo) : 이탈리아에서 유래한 것으로 둥글고 납작한 밀가루 반죽 위에 토마토, 고기, 치즈 등을 얹어 구운 음식.
pizza
Plato originario de Italia, consistente en una masa de harina redonda y plana cubierta con salsa de tomate, carne, queso, etc. y cocida en el horno.

먹다 (verbo) : 음식 등을 입을 통하여 배 속에 들여보내다.
comer
Introducir por boca alimentos, etc. en el estómago.

-고 싶다 : 앞의 말이 나타내는 행동을 하기를 원함을 나타내는 표현.
No hay expresión equivalente
Expresión que se usa para mostrar el deseo de hacer un acto que representa el comentario anterior de la cláusula.

-어 : (두루낮춤으로) 어떤 사실을 서술하거나 물음, 명령, 권유를 나타내는 종결 어미.
No hay expresión equivalente
(TRATAMIENTO DE MODESTIA GENERAL) Desinencia de terminación que se usa cuando se describe cierto hecho; o pregunta, ordena o reclama algo. <narración>

시키+[어 주]+어, 시키+[어 주]+어.
시켜 줘 시켜 줘

시키다 (verbo) : 음식이나 술, 음료 등을 주문하다.
pedir
Solicitar alguna comida o bebida.

-어 주다 : 남을 위해 앞의 말이 나타내는 행동을 함을 나타내는 표현.
No hay expresión equivalente
Expresión que indica la realización de una acción que indica el comentario anterior para el bien del otro.

-어 : (두루낮춤으로) 어떤 사실을 서술하거나 물음, 명령, 권유를 나타내는 종결 어미.
No hay expresión equivalente
(TRATAMIENTO DE MODESTIA GENERAL) Desinencia de terminación que se usa cuando se describe cierto hecho; o pregunta, ordena o reclama algo. <orden>

전부 시키+[어 주]+어.
시켜 줘

전부 (adverbio) : 빠짐없이 다.
totalmente, completamente, enteramente
Todo, sin omisión.

시키다 (verbo) : 음식이나 술, 음료 등을 주문하다.
pedir
Solicitar alguna comida o bebida.

-어 주다 : 남을 위해 앞의 말이 나타내는 행동을 함을 나타내는 표현.
No hay expresión equivalente
Expresión que indica la realización de una acción que indica el comentario anterior para el bien del otro.

-어 : (두루낮춤으로) 어떤 사실을 서술하거나 물음, 명령, 권유를 나타내는 종결 어미.
No hay expresión equivalente
(TRATAMIENTO DE MODESTIA GENERAL) Desinencia de terminación que se usa cuando se describe cierto hecho; o pregunta, ordena o reclama algo. <orden>

시키+어, 뭐+든지 시키+어.
시켜 시켜

시키다 (verbo) : 음식이나 술, 음료 등을 주문하다.
pedir
Solicitar alguna comida o bebida.

-어 : (두루낮춤으로) 어떤 사실을 서술하거나 물음, 명령, 권유를 나타내는 종결 어미.
No hay expresión equivalente
(TRATAMIENTO DE MODESTIA GENERAL) Desinencia de terminación que se usa cuando se describe cierto hecho; o pregunta, ordena o reclama algo. <orden>

뭐 (pronombre) : 정해지지 않은 대상이나 굳이 이름을 밝힐 필요가 없는 대상을 가리키는 말.
algo
Pronombre indefinido que se usa para indicar algo no determinado o algo que no es necesario nombrar.

든지 : 어느 것이 선택되어도 차이가 없음을 나타내는 조사.
No hay expresión equivalente
Posposición que muestra indiferencia de cuál fuere elegido.

시키다 (verbo) : 음식이나 술, 음료 등을 주문하다.
pedir
Solicitar alguna comida o bebida.

-어 : (두루낮춤으로) 어떤 사실을 서술하거나 물음, 명령, 권유를 나타내는 종결 어미.
No hay expresión equivalente
(TRATAMIENTO DE MODESTIA GENERAL) Desinencia de terminación que se usa cuando se describe cierto hecho; o pregunta, ordena o reclama algo. <orden>

시키+어, 전부 다 시키+어.
시켜 시켜

시키다 (verbo) : 음식이나 술, 음료 등을 주문하다.
pedir
Solicitar alguna comida o bebida.

-어 : (두루낮춤으로) 어떤 사실을 서술하거나 물음, 명령, 권유를 나타내는 종결 어미.
No hay expresión equivalente
(TRATAMIENTO DE MODESTIA GENERAL) Desinencia de terminación que se usa cuando se describe cierto hecho; o pregunta, ordena o reclama algo. <orden>

전부 (adverbio) : 빠짐없이 다.
totalmente, completamente, enteramente
Todo, sin omisión.

다 (adverbio) : 남거나 빠진 것이 없이 모두.
todo
Enteramente, sin falta alguna.

시키다 (verbo) : 음식이나 술, 음료 등을 주문하다.
pedir
Solicitar alguna comida o bebida.

-어 : (두루낮춤으로) 어떤 사실을 서술하거나 물음, 명령, 권유를 나타내는 종결 어미.
No hay expresión equivalente
(TRATAMIENTO DE MODESTIA GENERAL) Desinencia de terminación que se usa cuando se describe cierto hecho; o pregunta, ordena o reclama algo. <orden>

먹+[고 싶]+[은 거], 맛보+[고 싶]+[은 거] 전부 다 시키+어.
시켜

먹다 (verbo) : 음식 등을 입을 통하여 배 속에 들여보내다.
comer
Introducir por boca alimentos, etc. en el estómago.

-고 싶다 : 앞의 말이 나타내는 행동을 하기를 원함을 나타내는 표현.
No hay expresión equivalente
Expresión que se usa para mostrar el deseo de hacer un acto que representa el comentario anterior de la cláusula.

-은 거 : 명사가 아닌 것을 문장에서 명사처럼 쓰이게 하거나 '이다' 앞에 쓰일 수 있게 할 때 쓰는 표현.
No hay expresión equivalente
Expresión que se usa para hacer que una palabra que no es sustantivo sea utilizada como tal en una oración, o para hacer que se use delante de '이다'.

맛보다 (verbo) : 음식의 맛을 알기 위해 먹어 보다.
probar
Catar o tomar una pequeña porción de una comida para degustarla.

-고 싶다 : 앞의 말이 나타내는 행동을 하기를 원함을 나타내는 표현.
No hay expresión equivalente
Expresión que se usa para mostrar el deseo de hacer un acto que representa el comentario anterior de la cláusula.

-은 거 : 명사가 아닌 것을 문장에서 명사처럼 쓰이게 하거나 '이다' 앞에 쓰일 수 있게 할 때 쓰는 표현.
No hay expresión equivalente
Expresión que se usa para hacer que una palabra que no es sustantivo sea utilizada como tal en una oración, o para hacer que se use delante de '이다'.

전부 (adverbio) : 빠짐없이 다.
totalmente, completamente, enteramente
Todo, sin omisión.

다 (adverbio) : 남거나 빠진 것이 없이 모두.
todo
Enteramente, sin falta alguna.

시키다 (verbo) : 음식이나 술, 음료 등을 주문하다.
pedir
Solicitar alguna comida o bebida.

-어 : (두루낮춤으로) 어떤 사실을 서술하거나 물음, 명령, 권유를 나타내는 종결 어미.
No hay expresión equivalente
(TRATAMIENTO DE MODESTIA GENERAL) Desinencia de terminación que se usa cuando se describe cierto hecho; o pregunta, ordena o reclama algo. <orden>

엄마+는 언제나 최고+(이)+야.
엄만 최고야

엄마 (sustantivo) : 격식을 갖추지 않아도 되는 상황에서 어머니를 이르거나 부르는 말.
mamá
Palabra que se usa para referirse o llamar a la madre de uno en un entorno informal.

는 : 문장 속에서 어떤 대상이 화제임을 나타내는 조사.
No hay expresión equivalente
Posposición que muestra que el referente es el tópico de una oración.

언제나 (adverbio) : 어느 때에나. 또는 때에 따라 달라지지 않고 변함없이.
siempre
En todo momento o como siempre sin dar cambios según la situación.

최고 (sustantivo) : 가장 좋거나 뛰어난 것.
máximo, mejor
Lo mejor o lo más sobresaliente.

이다 : 주어가 지시하는 대상의 속성이나 부류를 지정하는 뜻을 나타내는 서술격 조사.
No hay expresión equivalente
Posposición de caso atributivo, que se usa para designar el atributo o la clase del objeto al que se refiere el sujeto.

-야 : (두루낮춤으로) 어떤 사실에 대하여 서술하거나 물음을 나타내는 종결 어미.
No hay expresión equivalente
(TRATAMIENTO DE MODESTIA GENERAL) Desinencia de terminación que se usa cuando se describe o interroga sobre cierto hecho. <narración>

최고, 최고, 최고.

최고 (sustantivo) : 가장 좋거나 뛰어난 것.
máximo, mejor
Lo mejor o lo más sobresaliente.

아빠+는 언제나 최고+(이)+야.
아빤 최고야

아빠 (sustantivo) : 격식을 갖추지 않아도 되는 상황에서 아버지를 이르거나 부르는 말.
papá, papi
Palabra que se usa para referirse o llamar al padre de uno en un entorno informal.

는 : 문장 속에서 어떤 대상이 화제임을 나타내는 조사.
No hay expresión equivalente
Posposición que muestra que el referente es el tópico de una oración.

언제나 (adverbio) : 어느 때에나. 또는 때에 따라 달라지지 않고 변함없이.
siempre
En todo momento o como siempre sin dar cambios según la situación.

최고 (sustantivo) : 가장 좋거나 뛰어난 것.
máximo, mejor
Lo mejor o lo más sobresaliente.

이다 : 주어가 지시하는 대상의 속성이나 부류를 지정하는 뜻을 나타내는 서술격 조사.
No hay expresión equivalente
Posposición de caso atributivo, que se usa para designar el atributo o la clase del objeto al que se refiere el sujeto.

-야 : (두루낮춤으로) 어떤 사실에 대하여 서술하거나 물음을 나타내는 종결 어미.
No hay expresión equivalente
(TRATAMIENTO DE MODESTIA GENERAL) Desinencia de terminación que se usa cuando se describe o interroga sobre cierto hecho. <narración>

최고, 최고, 아빠 최고.

최고 (sustantivo) : 가장 좋거나 뛰어난 것.
máximo, mejor
Lo mejor o lo más sobresaliente.

아빠 (sustantivo) : 격식을 갖추지 않아도 되는 상황에서 아버지를 이르거나 부르는 말.
papá, papi
Palabra que se usa para referirse o llamar al padre de uno en un entorno informal.

최고 (sustantivo) : 가장 좋거나 뛰어난 것.
máximo, mejor
Lo mejor o lo más sobresaliente.

엄마 최고, 아빠 최고, 엄마 최고, 아빠 최고.

엄마 (sustantivo) : 격식을 갖추지 않아도 되는 상황에서 어머니를 이르거나 부르는 말.
mamá
Palabra que se usa para referirse o llamar a la madre de uno en un entorno informal.

최고 (sustantivo) : 가장 좋거나 뛰어난 것.
máximo, mejor
Lo mejor o lo más sobresaliente.

아빠 (sustantivo) : 격식을 갖추지 않아도 되는 상황에서 아버지를 이르거나 부르는 말.
papá, papi
Palabra que se usa para referirse o llamar al padre de uno en un entorno informal.

최고 (sustantivo) : 가장 좋거나 뛰어난 것.
máximo, mejor
Lo mejor o lo más sobresaliente.

< 2 절(verso) >

언니, 햄버거 먹+[고 싶]+어.

언니 (sustantivo) : 여자가 형제나 친척 형제들 중에서 자기보다 나이가 많은 여자를 이르거나 부르는 말.
eonni, hermana mayor
Palabra usada por una mujer para referirse o llamar a otra mayor que sí misma, de entre sus hermanas carnales y cohermanas.

햄버거 (sustantivo) : 둥근 빵 사이에 고기와 채소와 치즈 등을 끼운 음식.
hamburguesa
Alimento consistente en un medallón de carne junto con verdura, queso, etc., entre dos bollos redondos.

먹다 (verbo) : 음식 등을 입을 통하여 배 속에 들여보내다.
comer
Introducir por boca alimentos, etc. en el estómago.

-고 싶다 : 앞의 말이 나타내는 행동을 하기를 원함을 나타내는 표현.
No hay expresión equivalente
Expresión que se usa para mostrar el deseo de hacer un acto que representa el comentario anterior de la cláusula.

-어 : (두루낮춤으로) 어떤 사실을 서술하거나 물음, 명령, 권유를 나타내는 종결 어미.
No hay expresión equivalente
(TRATAMIENTO DE MODESTIA GENERAL) Desinencia de terminación que se usa cuando se describe cierto hecho; o pregunta, ordena o reclama algo. <narración>

오빠, 돈가스 먹+[고 싶]+어.

오빠 (sustantivo) : 여자가 형제나 친척 형제들 중에서 자기보다 나이가 많은 남자를 이르거나 부르는 말.

oppa, hermano mayor

Palabra usada por una mujer para referirse o llamar a un varón mayor que sí misma, de entre sus hermanos carnales y parientes colaterales más lejanos.

돈가스 (sustantivo) : 도톰하게 썬 돼지고기를 양념하여 빵가루를 묻히고 기름에 튀긴 음식.

dongaseu, chuleta de carne de cerdo rebozada

Rodaja gruesa de carne porcina condimentada, rebozada en pan rallado y frita.

먹다 (verbo) : 음식 등을 입을 통하여 배 속에 들여보내다.

comer

Introducir por boca alimentos, etc. en el estómago.

-고 싶다 : 앞의 말이 나타내는 행동을 하기를 원함을 나타내는 표현.

No hay expresión equivalente

Expresión que se usa para mostrar el deseo de hacer un acto que representa el comentario anterior de la cláusula.

-어 : (두루낮춤으로) 어떤 사실을 서술하거나 물음, 명령, 권유를 나타내는 종결 어미.

No hay expresión equivalente

(TRATAMIENTO DE MODESTIA GENERAL) Desinencia de terminación que se usa cuando se describe cierto hecho; o pregunta, ordena o reclama algo. <narración>

햄버거 먹+[고 싶]+어.

햄버거 (sustantivo) : 둥근 빵 사이에 고기와 채소와 치즈 등을 끼운 음식.

hamburguesa

Alimento consistente en un medallón de carne junto con verdura, queso, etc., entre dos bollos redondos.

먹다 (verbo) : 음식 등을 입을 통하여 배 속에 들여보내다.

comer

Introducir por boca alimentos, etc. en el estómago.

-고 싶다 : 앞의 말이 나타내는 행동을 하기를 원함을 나타내는 표현.

No hay expresión equivalente

Expresión que se usa para mostrar el deseo de hacer un acto que representa el comentario anterior de la cláusula.

-어 : (두루낮춤으로) 어떤 사실을 서술하거나 물음, 명령, 권유를 나타내는 종결 어미.
No hay expresión equivalente
(TRATAMIENTO DE MODESTIA GENERAL) Desinencia de terminación que se usa cuando se describe cierto hecho; o pregunta, ordena o reclama algo. <narración>

돈가스 먹+[고 싶]+어.

돈가스 (sustantivo) : 도톰하게 썬 돼지고기를 양념하여 빵가루를 묻히고 기름에 튀긴 음식.
dongaseu, chuleta de carne de cerdo rebozada
Rodaja gruesa de carne porcina condimentada, rebozada en pan rallado y frita.

먹다 (verbo) : 음식 등을 입을 통하여 배 속에 들여보내다.
comer
Introducir por boca alimentos, etc. en el estómago.

-고 싶다 : 앞의 말이 나타내는 행동을 하기를 원함을 나타내는 표현.
No hay expresión equivalente
Expresión que se usa para mostrar el deseo de hacer un acto que representa el comentario anterior de la cláusula.

-어 : (두루낮춤으로) 어떤 사실을 서술하거나 물음, 명령, 권유를 나타내는 종결 어미.
No hay expresión equivalente
(TRATAMIENTO DE MODESTIA GENERAL) Desinencia de terminación que se usa cuando se describe cierto hecho; o pregunta, ordena o reclama algo. <narración>

시키+[어 주]+어, 시키+[어 주]+어.
시켜 줘 시켜 줘

시키다 (verbo) : 음식이나 술, 음료 등을 주문하다.
pedir
Solicitar alguna comida o bebida.

-어 주다 : 남을 위해 앞의 말이 나타내는 행동을 함을 나타내는 표현.
No hay expresión equivalente
Expresión que indica la realización de una acción que indica el comentario anterior para el bien del otro.

-어 : (두루낮춤으로) 어떤 사실을 서술하거나 물음, 명령, 권유를 나타내는 종결 어미.
No hay expresión equivalente
(TRATAMIENTO DE MODESTIA GENERAL) Desinencia de terminación que se usa cuando se describe cierto hecho; o pregunta, ordena o reclama algo. <orden>

전부 시키+[어 주]+어.
시켜 줘

전부 (adverbio) : 빠짐없이 다.
totalmente, completamente, enteramente
Todo, sin omisión.

시키다 (verbo) : 음식이나 술, 음료 등을 주문하다.
pedir
Solicitar alguna comida o bebida.

-어 주다 : 남을 위해 앞의 말이 나타내는 행동을 함을 나타내는 표현.
No hay expresión equivalente
Expresión que indica la realización de una acción que indica el comentario anterior para el bien del otro.

-어 : (두루낮춤으로) 어떤 사실을 서술하거나 물음, 명령, 권유를 나타내는 종결 어미.
No hay expresión equivalente
(TRATAMIENTO DE MODESTIA GENERAL) Desinencia de terminación que se usa cuando se describe cierto hecho; o pregunta, ordena o reclama algo. <orden>

시키+어, 뭐+든지 시키+어.
시켜 시켜

시키다 (verbo) : 음식이나 술, 음료 등을 주문하다.
pedir
Solicitar alguna comida o bebida.

-어 : (두루낮춤으로) 어떤 사실을 서술하거나 물음, 명령, 권유를 나타내는 종결 어미.
No hay expresión equivalente
(TRATAMIENTO DE MODESTIA GENERAL) Desinencia de terminación que se usa cuando se describe cierto hecho; o pregunta, ordena o reclama algo. <orden>

뭐 (pronombre) : 정해지지 않은 대상이나 굳이 이름을 밝힐 필요가 없는 대상을 가리키는 말.
algo
Pronombre indefinido que se usa para indicar algo no determinado o algo que no es necesario nombrar.

듣지 : 어느 것이 선택되어도 차이가 없음을 나타내는 조사.
No hay expresión equivalente
Posposición que muestra indiferencia de cuál fuere elegido.

시키다 (verbo) : 음식이나 술, 음료 등을 주문하다.
pedir
Solicitar alguna comida o bebida.

-어 : (두루낮춤으로) 어떤 사실을 서술하거나 물음, 명령, 권유를 나타내는 종결 어미.
No hay expresión equivalente
(TRATAMIENTO DE MODESTIA GENERAL) Desinencia de terminación que se usa cuando se describe cierto hecho; o pregunta, ordena o reclama algo. <orden>

시키+어, 전부 다 시키+어.
시켜 시켜

시키다 (verbo) : 음식이나 술, 음료 등을 주문하다.
pedir
Solicitar alguna comida o bebida.

-어 : (두루낮춤으로) 어떤 사실을 서술하거나 물음, 명령, 권유를 나타내는 종결 어미.
No hay expresión equivalente
(TRATAMIENTO DE MODESTIA GENERAL) Desinencia de terminación que se usa cuando se describe cierto hecho; o pregunta, ordena o reclama algo. <orden>

전부 (adverbio) : 빠짐없이 다.
totalmente, completamente, enteramente
Todo, sin omisión.

다 (adverbio) : 남거나 빠진 것이 없이 모두.
todo
Enteramente, sin falta alguna.

시키다 (verbo) : 음식이나 술, 음료 등을 주문하다.
pedir
Solicitar alguna comida o bebida.

-어 : (두루낮춤으로) 어떤 사실을 서술하거나 물음, 명령, 권유를 나타내는 종결 어미.
No hay expresión equivalente
(TRATAMIENTO DE MODESTIA GENERAL) Desinencia de terminación que se usa cuando se describe cierto hecho; o pregunta, ordena o reclama algo. <orden>

먹+[고 싶]+[은 거], 맛보+[고 싶]+[은 거] 전부 다 시키+어.
시켜

먹다 (verbo) : 음식 등을 입을 통하여 배 속에 들여보내다.
comer
Introducir por boca alimentos, etc. en el estómago.

-고 싶다 : 앞의 말이 나타내는 행동을 하기를 원함을 나타내는 표현.
No hay expresión equivalente
Expresión que se usa para mostrar el deseo de hacer un acto que representa el comentario anterior de la cláusula.

-은 거 : 명사가 아닌 것을 문장에서 명사처럼 쓰이게 하거나 '이다' 앞에 쓰일 수 있게 할 때 쓰는 표현.
No hay expresión equivalente
Expresión que se usa para hacer que una palabra que no es sustantivo sea utilizada como tal en una oración, o para hacer que se use delante de '이다'.

맛보다 (verbo) : 음식의 맛을 알기 위해 먹어 보다.
probar
Catar o tomar una pequeña porción de una comida para degustarla.

-은 거 : 명사가 아닌 것을 문장에서 명사처럼 쓰이게 하거나 '이다' 앞에 쓰일 수 있게 할 때 쓰는 표현.
No hay expresión equivalente
Expresión que se usa para hacer que una palabra que no es sustantivo sea utilizada como tal en una oración, o para hacer que se use delante de '이다'.

전부 (adverbio) : 빠짐없이 다.
totalmente, completamente, enteramente
Todo, sin omisión.

다 (adverbio) : 남거나 빠진 것이 없이 모두.
todo
Enteramente, sin falta alguna.

시키다 (verbo) : 음식이나 술, 음료 등을 주문하다.
pedir
Solicitar alguna comida o bebida.

-어 : (두루낮춤으로) 어떤 사실을 서술하거나 물음, 명령, 권유를 나타내는 종결 어미.
No hay expresión equivalente
(TRATAMIENTO DE MODESTIA GENERAL) Desinencia de terminación que se usa cuando se describe cierto hecho; o pregunta, ordena o reclama algo. <orden>

초밥+도, 짜장면+도, 짬뽕+도, 탕수육+도.

초밥 (sustantivo) : 식초와 소금으로 간을 하여 작게 뭉친 흰밥에 생선을 얹거나 김, 유부 등으로 싸서 만든 일본 음식.
sushi
Comida japonesa que se prepara formando una pequeña bola con arroz blanco cocido condimentado con vinagre y sal, y colocando encima algún tipo de pescado o enrollando el arroz con algas secas o tofu frito.

도 : 둘 이상의 것을 나열함을 나타내는 조사.
No hay expresión equivalente
Posposición que enumera más de dos cosas.

짜장면 (sustantivo) : 중국식 된장에 고기와 채소 등을 넣어 볶은 양념에 면을 비벼 먹는 음식.
jjajangmyeon, fideos con salsa negra de soja
Comida que se sirve tras mezclar fideos con una salsa de carne y verduras salteadas en una pasta de soja de color negro al estilo chino.

도 : 둘 이상의 것을 나열함을 나타내는 조사.
No hay expresión equivalente
Posposición que enumera más de dos cosas.

짬뽕 (sustantivo) : 여러 가지 해물과 야채를 볶고 매콤한 국물을 부어 만든 중국식 국수.
No hay expresión equivalente
Fideos al estilo chino que se preparan echando un caldo picante con varios mariscos y verduras salteadas.

도 : 둘 이상의 것을 나열함을 나타내는 조사.
No hay expresión equivalente
Posposición que enumera más de dos cosas.

탕수육 (sustantivo) : 튀김옷을 입혀 튀긴 고기에 식초, 간장, 설탕, 채소 등을 넣고 끓인 녹말 물을 부어 만든 중국요리.
cerdo en salsa agridulce
Comida china que se prepara friendo la carne bañada en masa, y echando encima de la carne frita una salsa de almidón hervida con vinagre, salsa de soja, azúcar y verduras.

도 : 둘 이상의 것을 나열함을 나타내는 조사.
No hay expresión equivalente
Posposición que enumera más de dos cosas.

떡볶이+도, 순대+도, 김밥+도, 냉면+도.

떡볶이 (sustantivo) : 적당히 자른 가래떡에 간장이나 고추장 등의 양념과 여러 가지 채소를 넣고 볶은 음식.
tteokbokki
Platillo que se elabora salteando los pastelitos de arroz cortados en forma cilíndrica con una variedad de verduras, condimentando con salsa de soja o pasta picante.

도 : 둘 이상의 것을 나열함을 나타내는 조사.
No hay expresión equivalente
Posposición que enumera más de dos cosas.

순대 (sustantivo) : 당면, 두부, 찹쌀 등을 양념하여 돼지의 창자 속에 넣고 찐 음식.
sundae
Embutido preparado con tripas de cerdo rellenas con una mezcla condimentada de fideos de alforfón, tofu, arroz glutinoso, etc..

도 : 둘 이상의 것을 나열함을 나타내는 조사.
No hay expresión equivalente
Posposición que enumera más de dos cosas.

김밥 (sustantivo) : 밥과 여러 가지 반찬을 김으로 말아 싸서 썰어 먹는 음식.
gimbap
Comida envuelta por alga rellenado de arroz y de varias guarniciones y que se sirve cortado en rodajas.

도 : 둘 이상의 것을 나열함을 나타내는 조사.
No hay expresión equivalente
Posposición que enumera más de dos cosas.

냉면 (sustantivo) : 국수를 냉국이나 김칫국 등에 말거나 고추장 양념에 비벼서 먹는 음식.
naengmyeon, plato de fideos fríos
Plato de fideos que se sirve frío.

도 : 둘 이상의 것을 나열함을 나타내는 조사.
No hay expresión equivalente
Posposición que enumera más de dos cosas.

시키+어, 시키+어, 뭐+든지 시키+어.
시켜 시켜 시켜

시키다 (verbo) : 음식이나 술, 음료 등을 주문하다.
pedir
Solicitar alguna comida o bebida.

-어 : (두루낮춤으로) 어떤 사실을 서술하거나 물음, 명령, 권유를 나타내는 종결 어미.
No hay expresión equivalente
(TRATAMIENTO DE MODESTIA GENERAL) Desinencia de terminación que se usa cuando se describe cierto hecho; o pregunta, ordena o reclama algo. <orden>

뭐 (pronombre) : 정해지지 않은 대상이나 굳이 이름을 밝힐 필요가 없는 대상을 가리키는 말.
algo
Pronombre indefinido que se usa para indicar algo no determinado o algo que no es necesario nombrar.

든지 : 어느 것이 선택되어도 차이가 없음을 나타내는 조사.
No hay expresión equivalente
Posposición que muestra indiferencia de cuál fuere elegido.

시키다 (verbo) : 음식이나 술, 음료 등을 주문하다.
pedir
Solicitar alguna comida o bebida.

-어 : (두루낮춤으로) 어떤 사실을 서술하거나 물음, 명령, 권유를 나타내는 종결 어미.
No hay expresión equivalente
(TRATAMIENTO DE MODESTIA GENERAL) Desinencia de terminación que se usa cuando se describe cierto hecho; o pregunta, ordena o reclama algo. <orden>

먹+[고 싶]+[은 거] 다 시키+어.
시켜

먹다 (verbo) : 음식 등을 입을 통하여 배 속에 들여보내다.
comer
Introducir por boca alimentos, etc. en el estómago.

-고 싶다 : 앞의 말이 나타내는 행동을 하기를 원함을 나타내는 표현.
No hay expresión equivalente
Expresión que se usa para mostrar el deseo de hacer un acto que representa el comentario anterior de la cláusula.

-은 거 : 명사가 아닌 것을 문장에서 명사처럼 쓰이게 하거나 '이다' 앞에 쓰일 수 있게 할 때 쓰는 표현.
No hay expresión equivalente
Expresión que se usa para hacer que una palabra que no es sustantivo sea utilizada como tal en una oración, o para hacer que se use delante de '이다'.

다 (adverbio) : 남거나 빠진 것이 없이 모두.
todo
Enteramente, sin falta alguna.

시키다 (verbo) : 음식이나 술, 음료 등을 주문하다.
pedir
Solicitar alguna comida o bebida.

-어 : (두루낮춤으로) 어떤 사실을 서술하거나 물음, 명령, 권유를 나타내는 종결 어미.
No hay expresión equivalente
(TRATAMIENTO DE MODESTIA GENERAL) Desinencia de terminación que se usa cuando se describe cierto hecho; o pregunta, ordena o reclama algo. <orden>

뭐+든지 다 시키+[어 주]+ㄹ게.
시켜 줄게

뭐 (pronombre) : 정해지지 않은 대상이나 굳이 이름을 밝힐 필요가 없는 대상을 가리키는 말.
algo
Pronombre indefinido que se usa para indicar algo no determinado o algo que no es necesario nombrar.

든지 : 어느 것이 선택되어도 차이가 없음을 나타내는 조사.
No hay expresión equivalente
Posposición que muestra indiferencia de cuál fuere elegido.

다 (adverbio) : 남거나 빠진 것이 없이 모두.
todo
Enteramente, sin falta alguna.

시키다 (verbo) : 음식이나 술, 음료 등을 주문하다.
pedir
Solicitar alguna comida o bebida.

-어 주다 : 남을 위해 앞의 말이 나타내는 행동을 함을 나타내는 표현.
No hay expresión equivalente
Expresión que indica la realización de una acción que indica el comentario anterior para el bien del otro.

-ㄹ게 : (두루낮춤으로) 말하는 사람이 어떤 행동을 할 것을 듣는 사람에게 약속하거나 의지를 나타내는 종결 어미.
No hay expresión equivalente
(TRATAMIENTO DE MODESTIA GENERAL) Desinencia de terminación que se usa cuando el hablante promete o informa al oyente que efectuará cierta acción.

전부 다 시키+[어 주]+ㄹ게.
시켜 줄게

전부 (adverbio) : 빠짐없이 다.
totalmente, completamente, enteramente
Todo, sin omisión.

다 (adverbio) : 남거나 빠진 것이 없이 모두.
todo
Enteramente, sin falta alguna.

시키다 (verbo) : 음식이나 술, 음료 등을 주문하다.
pedir
Solicitar alguna comida o bebida.

-어 주다 : 남을 위해 앞의 말이 나타내는 행동을 함을 나타내는 표현.
No hay expresión equivalente
Expresión que indica la realización de una acción que indica el comentario anterior para el bien del otro.

-ㄹ게 : (두루낮춤으로) 말하는 사람이 어떤 행동을 할 것을 듣는 사람에게 약속하거나 의지를 나타내는 종결 어미.
No hay expresión equivalente
(TRATAMIENTO DE MODESTIA GENERAL) Desinencia de terminación que se usa cuando el hablante promete o informa al oyente que efectuará cierta acción.

언니+는 언제나 최고+(이)+야.
언닌 최고야

언니 (sustantivo) : 여자가 형제나 친척 형제들 중에서 자기보다 나이가 많은 여자를 이르거나 부르는 말.
eonni, hermana mayor
Palabra usada por una mujer para referirse o llamar a otra mayor que sí misma, de entre sus hermanas carnales y cohermanas.

는 : 문장 속에서 어떤 대상이 화제임을 나타내는 조사.
No hay expresión equivalente
Posposición que muestra que el referente es el tópico de una oración.

언제나 (adverbio) : 어느 때에나. 또는 때에 따라 달라지지 않고 변함없이.
siempre
En todo momento o como siempre sin dar cambios según la situación.

최고 (sustantivo) : 가장 좋거나 뛰어난 것.
máximo, mejor
Lo mejor o lo más sobresaliente.

이다 : 주어가 지시하는 대상의 속성이나 부류를 지정하는 뜻을 나타내는 서술격 조사.
No hay expresión equivalente
Posposición de caso atributivo, que se usa para designar el atributo o la clase del objeto al que se refiere el sujeto.

-야 : (두루낮춤으로) 어떤 사실에 대하여 서술하거나 물음을 나타내는 종결 어미.
No hay expresión equivalente
(TRATAMIENTO DE MODESTIA GENERAL) Desinencia de terminación que se usa cuando se describe o interroga sobre cierto hecho. <narración>

최고, 최고, 최고.

최고 (sustantivo) : 가장 좋거나 뛰어난 것.
máximo, mejor
Lo mejor o lo más sobresaliente.

오빠+는 언제나 최고+(이)+야.

오빤 최고야

오빠 (sustantivo) : 여자가 형제나 친척 형제들 중에서 자기보다 나이가 많은 남자를 이르거나 부르는 말.
oppa, hermano mayor
Palabra usada por una mujer para referirse o llamar a un varón mayor que sí misma, de entre sus hermanos carnales y parientes colaterales más lejanos.

는 : 문장 속에서 어떤 대상이 화제임을 나타내는 조사.
No hay expresión equivalente
Posposición que muestra que el referente es el tópico de una oración.

언제나 (adverbio) : 어느 때에나. 또는 때에 따라 달라지지 않고 변함없이.
siempre
En todo momento o como siempre sin dar cambios según la situación.

최고 (sustantivo) : 가장 좋거나 뛰어난 것.
máximo, mejor
Lo mejor o lo más sobresaliente.

이다 : 주어가 지시하는 대상의 속성이나 부류를 지정하는 뜻을 나타내는 서술격 조사.
No hay expresión equivalente
Posposición de caso atributivo, que se usa para designar el atributo o la clase del objeto al que se refiere el sujeto.

-야 : (두루낮춤으로) 어떤 사실에 대하여 서술하거나 물음을 나타내는 종결 어미.
No hay expresión equivalente
(TRATAMIENTO DE MODESTIA GENERAL) Desinencia de terminación que se usa cuando se describe o interroga sobre cierto hecho. <narración>

최고, 최고, 오빠 최고.

최고 (sustantivo) : 가장 좋거나 뛰어난 것.
máximo, mejor
Lo mejor o lo más sobresaliente.

오빠 (sustantivo) : 여자가 형제나 친척 형제들 중에서 자기보다 나이가 많은 남자를 이르거나 부르는 말.
oppa, hermano mayor
Palabra usada por una mujer para referirse o llamar a un varón mayor que sí misma, de entre sus hermanos carnales y parientes colaterales más lejanos.

최고 (sustantivo) : 가장 좋거나 뛰어난 것.
máximo, mejor
Lo mejor o lo más sobresaliente.

엄마+가 최고+(이)+야, 엄마 최고.
최고야

엄마 (sustantivo) : 격식을 갖추지 않아도 되는 상황에서 어머니를 이르거나 부르는 말.
mamá
Palabra que se usa para referirse o llamar a la madre de uno en un entorno informal.

가 : 어떤 상태나 상황에 놓인 대상이나 동작의 주체를 나타내는 조사.
No hay expresión equivalente
Posposición que se usa para indicar el objeto de cierto estado o situación o el agente de un movimiento.

최고 (sustantivo) : 가장 좋거나 뛰어난 것.
máximo, mejor
Lo mejor o lo más sobresaliente.

이다 : 주어가 지시하는 대상의 속성이나 부류를 지정하는 뜻을 나타내는 서술격 조사.
No hay expresión equivalente
Posposición de caso atributivo, que se usa para designar el atributo o la clase del objeto al que se refiere el sujeto.

-야 : (두루낮춤으로) 어떤 사실에 대하여 서술하거나 물음을 나타내는 종결 어미.
No hay expresión equivalente
(TRATAMIENTO DE MODESTIA GENERAL) Desinencia de terminación que se usa cuando se describe o interroga sobre cierto hecho. <narración>

엄마 (sustantivo) : 격식을 갖추지 않아도 되는 상황에서 어머니를 이르거나 부르는 말.
mamá
Palabra que se usa para referirse o llamar a la madre de uno en un entorno informal.

최고 (sustantivo) : 가장 좋거나 뛰어난 것.
máximo, mejor
Lo mejor o lo más sobresaliente.

아빠+가 최고+(이)+야, 아빠 최고.
최고야

아빠 (sustantivo) : 격식을 갖추지 않아도 되는 상황에서 아버지를 이르거나 부르는 말.
papá, papi
Palabra que se usa para referirse o llamar al padre de uno en un entorno informal.

가 : 어떤 상태나 상황에 놓인 대상이나 동작의 주체를 나타내는 조사.
No hay expresión equivalente
Posposición que se usa para indicar el objeto de cierto estado o situación o el agente de un movimiento.

최고 (sustantivo) : 가장 좋거나 뛰어난 것.
máximo, mejor
Lo mejor o lo más sobresaliente.

이다 : 주어가 지시하는 대상의 속성이나 부류를 지정하는 뜻을 나타내는 서술격 조사.
No hay expresión equivalente
Posposición de caso atributivo, que se usa para designar el atributo o la clase del objeto al que se refiere el sujeto.

-야 : (두루낮춤으로) 어떤 사실에 대하여 서술하거나 물음을 나타내는 종결 어미.
No hay expresión equivalente
(TRATAMIENTO DE MODESTIA GENERAL) Desinencia de terminación que se usa cuando se describe o interroga sobre cierto hecho. <narración>

아빠 (sustantivo) : 격식을 갖추지 않아도 되는 상황에서 아버지를 이르거나 부르는 말.
papá, papi
Palabra que se usa para referirse o llamar al padre de uno en un entorno informal.

최고 (sustantivo) : 가장 좋거나 뛰어난 것.
máximo, mejor
Lo mejor o lo más sobresaliente.

최고, 최고, 언니 최고.

최고 (sustantivo) : 가장 좋거나 뛰어난 것.
máximo, mejor
Lo mejor o lo más sobresaliente.

언니 (sustantivo) : 여자가 형제나 친척 형제들 중에서 자기보다 나이가 많은 여자를 이르거나 부르는 말.
eonni, hermana mayor
Palabra usada por una mujer para referirse o llamar a otra mayor que sí misma, de entre sus hermanas carnales y cohermanas.

최고 (sustantivo) : 가장 좋거나 뛰어난 것.
máximo, mejor
Lo mejor o lo más sobresaliente.

오빠+가 최고+(이)+야, 오빠 최고.

최고야

오빠 (sustantivo) : 여자가 형제나 친척 형제들 중에서 자기보다 나이가 많은 남자를 이르거나 부르는 말.

oppa, hermano mayor

Palabra usada por una mujer para referirse o llamar a un varón mayor que sí misma, de entre sus hermanos carnales y parientes colaterales más lejanos.

가 : 어떤 상태나 상황에 놓인 대상이나 동작의 주체를 나타내는 조사.

No hay expresión equivalente

Posposición que se usa para indicar el objeto de cierto estado o situación o el agente de un movimiento.

최고 (sustantivo) : 가장 좋거나 뛰어난 것.

máximo, mejor

Lo mejor o lo más sobresaliente.

이다 : 주어가 지시하는 대상의 속성이나 부류를 지정하는 뜻을 나타내는 서술격 조사.

No hay expresión equivalente

Posposición de caso atributivo, que se usa para designar el atributo o la clase del objeto al que se refiere el sujeto.

-야 : (두루낮춤으로) 어떤 사실에 대하여 서술하거나 물음을 나타내는 종결 어미.

No hay expresión equivalente

(TRATAMIENTO DE MODESTIA GENERAL) Desinencia de terminación que se usa cuando se describe o interroga sobre cierto hecho. <narración>

오빠 (sustantivo) : 여자가 형제나 친척 형제들 중에서 자기보다 나이가 많은 남자를 이르거나 부르는 말.

oppa, hermano mayor

Palabra usada por una mujer para referirse o llamar a un varón mayor que sí misma, de entre sus hermanos carnales y parientes colaterales más lejanos.

최고 (sustantivo) : 가장 좋거나 뛰어난 것.

máximo, mejor

Lo mejor o lo más sobresaliente.

< 9 >

어쩌라고?

나한테 어떻게 하라고?
(¿Que quieres que haga?)

[발음(pronunciación)]

< 1 절(verso) >

가라고, 가라고, 가라고.
가라고, 가라고, 가라고.
garago, garago, garago.

보기 싫으니까 가라고, 가라고.
보기 시르니까 가라고, 가라고.
bogi sireunikka garago, garago.

알았어.
아라써.
arasseo.

나 갈게.
나 갈게.
na galge.

가란다고 진짜 가.
가란다고 진짜 가.
garandago jinjja ga.

알았어.
아라써.
arasseo.

안 갈게.
안 갈께.
an galge.

가라는데 왜 안 가?
가라는데 왜 안 가?
garaneunde wae an ga?

알았어.
아라써.
arasseo.

가면 되지.
가면 되지.
gamyeon doeji.

가라고 하면 안 가야지.
가라고 하면 안 가야지.
garago hamyeon an gayaji.

짜증 나, 짜증 나, 짜증 나.
짜증 나, 짜증 나, 짜증 나.
jjajeung na, jjajeung na, jjajeung na.

어쩌라고? 어쩌라고? 어쩌라고? 어쩌라고?
어쩌라고? 어쩌라고? 어쩌라고? 어쩌라고?
eojjeorago? eojjeorago? eojjeorago? eojjeorago?

도대체 나보고 어쩌라고?
도대체 나보고 어쩌라고?
dodaeche nabogo eojjeorago?

도대체 나보고 어쩌라고?
도대체 나보고 어쩌라고?
dodaeche nabogo eojjeorago?

도대체 나보고 어쩌라고?
도대체 나보고 어쩌라고?
dodaeche nabogo eojjeorago?

어쩌라고?
어쩌라고?
eojjeorago?

< 2 절(verso) >

왜 안 가?
왜 안 가?
wae an ga?

왜 안 가?
왜 안 가?
wae an ga?

왜 안 가?
왜 안 가?
wae an ga?

가라는데 왜 안 가?
가라는데 왜 안 가?
garaneunde wae an ga?

왜 안 가?
왜 안 가?
wae an ga?

알았어.
아라써.
arasseo.

가면 되지.
가면 되지.
gamyeon doeji.

가란다고 진짜 가.
가란다고 진짜 가.
garandago jinjja ga.

가라는데 왜 안 가?
가라는데 왜 안 가?
garaneunde wae an ga?

가도 화내.
가도 화내.
gado hwanae.

안 가도 화내.
안 가도 화내.
an gado hwanae.

짜증 나, 짜증 나, 짜증 나.
짜증 나, 짜증 나, 짜증 나.
jjajeung na, jjajeung na, jjajeung na.

어쩌라고? 어쩌라고? 어쩌라고? 어쩌라고?
어쩌라고? 어쩌라고? 어쩌라고? 어쩌라고?
eojjeorago? eojjeorago? eojjeorago? eojjeorago?

도대체 나보고 어쩌라고?
도대체 나보고 어쩌라고?
dodaeche nabogo eojjeorago?

도대체 나보고 어쩌라고?
도대체 나보고 어쩌라고?
dodaeche nabogo eojjeorago?

도대체 나보고 어쩌라고?
도대체 나보고 어쩌라고?
dodaeche nabogo eojjeorago?

어쩌라고?
어쩌라고?
eojjeorago?

가라고, 가라고, 가라고.
가라고, 가라고, 가라고.
garago, garago, garago.

보기 싫으니까 가라고, 가라고.
보기 시르니까 가라고, 가라고.
bogi sireunikka garago, garago.

알았어.
아라써
arasseo.

나 갈게.
나 갈께
na galge.

어쩌라고?
어쩌라고?
eojjeorago?

< 1 절(verso) >

가+라고, 가+라고, 가+라고.

가다 (verbo) : 한 곳에서 다른 곳으로 장소를 이동하다.
Ir
Trasladarse de un lugar a otro.

-라고 : (두루낮춤으로) 말하는 사람의 생각이나 주장을 듣는 사람에게 강조하여 말함을 나타내는 종결 어미.
No hay expresión equivalente
(TRATAMIENTO DE MODESTIA GENERAL) Desinencia de terminación que se usa cuando el hablante recalca su idea o argumento al oyente.

보+기 싫+으니까 가+라고, 가+라고.

보다 (verbo) : 눈으로 대상의 존재나 겉모습을 알다.
ver, mirar, observar
Percibir por los ojos la existencia o la apariencia de un objeto.

-기 : 앞의 말이 명사의 기능을 하게 하는 어미.
No hay expresión equivalente
Desinencia que se usa cuando la palabra anterior ejerce la función del sustantivo.

싫다 (adjetivo) : 어떤 일을 하고 싶지 않다.
sin ganas de algo
Que no tiene ganas de hacer algo.

-으니까 : 뒤에 오는 말에 대하여 앞에 오는 말이 원인이나 근거, 전제가 됨을 강조하여 나타내는 연결 어미.
No hay expresión equivalente
Desinencia conectora que se usa cuando la palabra anterior es una causa, fundamento o premisa de la palabra posterior.

가다 (verbo) : 한 곳에서 다른 곳으로 장소를 이동하다.
Ir
Trasladarse de un lugar a otro.

-라고 : (두루낮춤으로) 말하는 사람의 생각이나 주장을 듣는 사람에게 강조하여 말함을 나타내는 종결 어미.
No hay expresión equivalente
(TRATAMIENTO DE MODESTIA GENERAL) Desinencia de terminación que se usa cuando el hablante recalca su idea o argumento al oyente.

알+았+어.

알다 (verbo) : 상대방의 어떤 명령이나 요청에 대해 그대로 하겠다는 동의의 뜻을 나타내는 말.
acordar, coincidir
Palabra para expresar consenso sobre una petición o una orden de la contraparte.

-았- : 어떤 사건이 과거에 완료되었거나 그 사건의 결과가 현재까지 지속되는 상황을 나타내는 어미.
No hay expresión equivalente
Desinencia que se usa cuando cierto suceso fue acabado en el pasado o cuando el resultado de ese suceso continúa hasta el presente.

-어 : (두루낮춤으로) 어떤 사실을 서술하거나 물음, 명령, 권유를 나타내는 종결 어미.
No hay expresión equivalente
(TRATAMIENTO DE MODESTIA GENERAL) Desinencia de terminación que se usa cuando se describe cierto hecho; o pregunta, ordena o reclama algo. <narración>

나 가+ㄹ게.
갈게

나 (pronombre) : 말하는 사람이 친구나 아랫사람에게 자기를 가리키는 말.
yo
Pronombre que usa el hablante para referirse a sí mismo ante alguien de edad igual o menor.

가다 (verbo) : 한 곳에서 다른 곳으로 장소를 이동하다.
Ir
Trasladarse de un lugar a otro.

-ㄹ게 : (두루낮춤으로) 말하는 사람이 어떤 행동을 할 것을 듣는 사람에게 약속하거나 의지를 나타내는 종결 어미.
No hay expresión equivalente
(TRATAMIENTO DE MODESTIA GENERAL) Desinencia de terminación que se usa cuando el hablante promete o informa al oyente que efectuará cierta acción.

가+라고 하+ㄴ다고 진짜 가+(아).
가란다고 가

가다 (verbo) : 한 곳에서 다른 곳으로 장소를 이동하다.
Ir
Trasladarse de un lugar a otro.

-라고 : 다른 사람에게서 들은 내용을 간접적으로 전달하거나 주어의 생각, 의견 등을 나타내는 표현.
No hay expresión equivalente
Expresión que se usa para transmitir de manera indirecta algo que se ha escuchado o mostrar la opinión o postura del sujeto.

하다 (verbo) : 무엇에 대해 말하다.
abordar, tratar
Hablar sobre un tema.

-ㄴ다고 : 어떤 행위의 목적, 의도를 나타내거나 어떤 상황의 이유, 원인을 나타내는 연결 어미.
No hay expresión equivalente
Desinencia conectora que se usa cuando se indica el propósito o la intención de cierta acción, o la causa o la razón de cierta circunstancia.

진짜 (adverbio) : 꾸밈이나 거짓이 없이 참으로.
verdaderamente, realmente
Con sinceridad, sin mentira ni falsedad.

가다 (verbo) : 한 곳에서 다른 곳으로 장소를 이동하다.
Ir
Trasladarse de un lugar a otro.

-아 : (두루낮춤으로) 어떤 사실을 서술하거나 물음, 명령, 권유를 나타내는 종결 어미.
No hay expresión equivalente
(TRATAMIENTO DE MODESTIA GENERAL) Desinencia de terminación que se usa cuando se describe cierto hecho; o pregunta, ordena o reclama algo. <narración>

알+았+어.

알다 (verbo) : 상대방의 어떤 명령이나 요청에 대해 그대로 하겠다는 동의의 뜻을 나타내는 말.
acordar, coincidir
Palabra para expresar consenso sobre una petición o una orden de la contraparte.

-았- : 어떤 사건이 과거에 완료되었거나 그 사건의 결과가 현재까지 지속되는 상황을 나타내는 어미.
No hay expresión equivalente
Desinencia que se usa cuando cierto suceso fue acabado en el pasado o cuando el resultado de ese suceso continúa hasta el presente.

-어 : (두루낮춤으로) 어떤 사실을 서술하거나 물음, 명령, 권유를 나타내는 종결 어미.
No hay expresión equivalente
(TRATAMIENTO DE MODESTIA GENERAL) Desinencia de terminación que se usa cuando se describe cierto hecho; o pregunta, ordena o reclama algo. <narración>

안 가+ㄹ게.
갈게

안 (adverbio) : 부정이나 반대의 뜻을 나타내는 말.
no
Palabra que expresa negación u oposición.

가다 (verbo) : 한 곳에서 다른 곳으로 장소를 이동하다.
Ir
Trasladarse de un lugar a otro.

-ㄹ게 : (두루낮춤으로) 말하는 사람이 어떤 행동을 할 것을 듣는 사람에게 약속하거나 의지를 나타내는 종결 어미.
No hay expresión equivalente
(TRATAMIENTO DE MODESTIA GENERAL) Desinencia de terminación que se usa cuando el hablante promete o informa al oyente que efectuará cierta acción.

가+라는데 왜 안 가+(아)?
가

가다 (verbo) : 한 곳에서 다른 곳으로 장소를 이동하다.
Ir
Trasladarse de un lugar a otro.

-라는데 : 명령이나 요청 등의 말을 전달하며 자신의 말을 이어 나타내는 표현.
No hay expresión equivalente
Expresión que indica la continuación de su comentario mientras trasmite alguna orden o petición.

왜 (adverbio) : 무슨 이유로. 또는 어째서.
por qué, porque
Por qué causa. O el porqué.

안 (adverbio) : 부정이나 반대의 뜻을 나타내는 말.
no
Palabra que expresa negación u oposición.

가다 (verbo) : 한 곳에서 다른 곳으로 장소를 이동하다.
Ir
Trasladarse de un lugar a otro.

-아 : (두루낮춤으로) 어떤 사실을 서술하거나 물음, 명령, 권유를 나타내는 종결 어미.
No hay expresión equivalente
(TRATAMIENTO DE MODESTIA GENERAL) Desinencia de terminación que se usa cuando se describe cierto hecho; o pregunta, ordena o reclama algo. <pregunta>

알+았+어.

알다 (verbo) : 상대방의 어떤 명령이나 요청에 대해 그대로 하겠다는 동의의 뜻을 나타내는 말.
acordar, coincidir
Palabra para expresar consenso sobre una petición o una orden de la contraparte.

-았- : 어떤 사건이 과거에 완료되었거나 그 사건의 결과가 현재까지 지속되는 상황을 나타내는 어미.
No hay expresión equivalente
Desinencia que se usa cuando cierto suceso fue acabado en el pasado o cuando el resultado de ese suceso continúa hasta el presente.

-어 : (두루낮춤으로) 어떤 사실을 서술하거나 물음, 명령, 권유를 나타내는 종결 어미.
No hay expresión equivalente
(TRATAMIENTO DE MODESTIA GENERAL) Desinencia de terminación que se usa cuando se describe cierto hecho; o pregunta, ordena o reclama algo. <narración>

가+[면 되]+지.

가다 (verbo) : 한 곳에서 다른 곳으로 장소를 이동하다.
Ir
Trasladarse de un lugar a otro.

-면 되다 : 조건이 되는 어떤 행동을 하거나 어떤 상태만 갖추어지면 문제가 없거나 충분함을 나타내는 표현.
No hay expresión equivalente
Expresión que indica la realización de una acción que sirve de condición o muestra de que no hay problema o es suficiente con que se llegue a cierto nivel.

-지 : (두루낮춤으로) 말하는 사람이 자신에 대한 이야기나 자신의 생각을 친근하게 말할 때 쓰는 종결 어미.
No hay expresión equivalente
(TRATAMIENTO DE MODESTIA GENERAL) Desinencia de terminación que se usa cuando el hablante habla íntimamente sobre su historia o idea.

가+라고 하+면 안 가+(아)야지.
가야지

가다 (verbo) : 한 곳에서 다른 곳으로 장소를 이동하다.
Ir
Trasladarse de un lugar a otro.

-라고 : 다른 사람에게서 들은 내용을 간접적으로 전달하거나 주어의 생각, 의견 등을 나타내는 표현.
No hay expresión equivalente
Expresión que se usa para transmitir de manera indirecta algo que se ha escuchado o mostrar la opinión o postura del sujeto.

하다 (verbo) : 무엇에 대해 말하다.
abordar, tratar
Hablar sobre un tema.

-면 : 뒤에 오는 말에 대한 근거나 조건이 됨을 나타내는 연결 어미.
No hay expresión equivalente
Desinencia conectora que se usa cuando es un fundamento o condición del contenido posterior.

안 (adverbio) : 부정이나 반대의 뜻을 나타내는 말.
no
Palabra que expresa negación u oposición.

가다 (verbo) : 한 곳에서 다른 곳으로 장소를 이동하다.
Ir
Trasladarse de un lugar a otro.

-아야지 : (두루낮춤으로) 듣는 사람이나 다른 사람이 어떤 일을 해야 하거나 어떤 상태여야 함을 나타내는 종결 어미.
No hay expresión equivalente
(TRATAMIENTO DE MODESTIA GENERAL) Desinencia de terminación que se usa cuando el oyente u otra persona debe hacer algo o debe estar en cierto estado.

짜증 나+(아), 짜증 나+(아), 짜증 나+(아).
나 나 나

짜증 (sustantivo) : 마음에 들지 않아서 화를 내거나 싫은 느낌을 겉으로 드러내는 일. 또는 그런 성미.
irritación, enfado
Expresión de enfado o disgusto por algo insatisfactorio. O tal carácter.

나다 (verbo) : 어떤 감정이나 느낌이 생기다.
surgirse, producirse, generarse, ocasionarse, suscitarse
Producirse algún sentimiento o alguna sensación.

-아 : (두루낮춤으로) 어떤 사실을 서술하거나 물음, 명령, 권유를 나타내는 종결 어미.
No hay expresión equivalente
(TRATAMIENTO DE MODESTIA GENERAL) Desinencia de terminación que se usa cuando se describe cierto hecho; o pregunta, ordena o reclama algo. <narración>

어쩌+라고? 어쩌+라고? 어쩌+라고? 어쩌+라고?

어쩌다 (verbo) : 무엇을 어떻게 하다.
acción de hacer algo de cierta manera
Acción de hacer algo de cierta manera.

-라고 : (두루낮춤으로) 들은 사실을 되물으면서 확인함을 나타내는 종결 어미.
No hay expresión equivalente
(TRATAMIENTO DE MODESTIA GENERAL) Desinencia de terminación que se usa cuando se confirma lo que ha escuchado volviéndolo a preguntar.

도대체 나+보고 어쩌+라고?

도대체 (adverbio) : 아주 궁금해서 묻는 말인데.
demonios, diablos
Expresión que se usa con un pronombre interrogativo para preguntar algo sobre lo que se tiene duda o curiosidad.

나 (pronombre) : 말하는 사람이 친구나 아랫사람에게 자기를 가리키는 말.
yo
Pronombre que usa el hablante para referirse a sí mismo ante alguien de edad igual o menor.

보고 : 어떤 행동이 미치는 대상임을 나타내는 조사.
No hay expresión equivalente
Posposición que indica el ser objeto de influencia de cierta acción.

어쩌다 (verbo) : 무엇을 어떻게 하다.
acción de hacer algo de cierta manera
Acción de hacer algo de cierta manera.

-라고 : (두루낮춤으로) 들은 사실을 되물으면서 확인함을 나타내는 종결 어미.
No hay expresión equivalente
(TRATAMIENTO DE MODESTIA GENERAL) Desinencia de terminación que se usa cuando se confirma lo que ha escuchado volviéndolo a preguntar.

어쩌+라고?

어쩌다 (verbo) : 무엇을 어떻게 하다.
acción de hacer algo de cierta manera
Acción de hacer algo de cierta manera.

-라고 : (두루낮춤으로) 들은 사실을 되물으면서 확인함을 나타내는 종결 어미.
No hay expresión equivalente
(TRATAMIENTO DE MODESTIA GENERAL) Desinencia de terminación que se usa cuando se confirma lo que ha escuchado volviéndolo a preguntar.

< 2 절(verso) >

왜 안 가+(아)? 왜 안 가+(아)? 왜 안 가+(아)?

가 가 가

왜 (adverbio) : 무슨 이유로. 또는 어째서.
por qué, porque
Por qué causa. O el porqué.

안 (adverbio) : 부정이나 반대의 뜻을 나타내는 말.
no
Palabra que expresa negación u oposición.

가다 (verbo) : 한 곳에서 다른 곳으로 장소를 이동하다.
Ir
Trasladarse de un lugar a otro.

-아 : (두루낮춤으로) 어떤 사실을 서술하거나 물음, 명령, 권유를 나타내는 종결 어미.
No hay expresión equivalente
(TRATAMIENTO DE MODESTIA GENERAL) Desinencia de terminación que se usa cuando se describe cierto hecho; o pregunta, ordena o reclama algo. <pregunta>

가+라는데 왜 안 가+(아)?
가

가다 (verbo) : 한 곳에서 다른 곳으로 장소를 이동하다.
Ir
Trasladarse de un lugar a otro.

-라는데 : 명령이나 요청 등의 말을 전달하며 자신의 말을 이어 나타내는 표현.
No hay expresión equivalente
Expresión que indica la continuación de su comentario mientras trasmite alguna orden o petición.

왜 (adverbio) : 무슨 이유로. 또는 어째서.
por qué, porque
Por qué causa. O el porqué.

안 (adverbio) : 부정이나 반대의 뜻을 나타내는 말.
no
Palabra que expresa negación u oposición.

가다 (verbo) : 한 곳에서 다른 곳으로 장소를 이동하다.
Ir
Trasladarse de un lugar a otro.

-아 : (두루낮춤으로) 어떤 사실을 서술하거나 물음, 명령, 권유를 나타내는 종결 어미.
No hay expresión equivalente
(TRATAMIENTO DE MODESTIA GENERAL) Desinencia de terminación que se usa cuando se describe cierto hecho; o pregunta, ordena o reclama algo. <pregunta>

왜 안 가+(아)?
가

왜 (adverbio) : 무슨 이유로. 또는 어째서.
por qué, porque
Por qué causa. O el porqué.

안 (adverbio) : 부정이나 반대의 뜻을 나타내는 말.
no
Palabra que expresa negación u oposición.

가다 (verbo) : 한 곳에서 다른 곳으로 장소를 이동하다.
Ir
Trasladarse de un lugar a otro.

-아 : (두루낮춤으로) 어떤 사실을 서술하거나 물음, 명령, 권유를 나타내는 종결 어미.
No hay expresión equivalente
(TRATAMIENTO DE MODESTIA GENERAL) Desinencia de terminación que se usa cuando se describe cierto hecho; o pregunta, ordena o reclama algo. <pregunta>

알+았+어.

알다 (verbo) : 상대방의 어떤 명령이나 요청에 대해 그대로 하겠다는 동의의 뜻을 나타내는 말.
acordar, coincidir
Palabra para expresar consenso sobre una petición o una orden de la contraparte.

-았- : 어떤 사건이 과거에 완료되었거나 그 사건의 결과가 현재까지 지속되는 상황을 나타내는 어미.
No hay expresión equivalente
Desinencia que se usa cuando cierto suceso fue acabado en el pasado o cuando el resultado de ese suceso continúa hasta el presente.

-어 : (두루낮춤으로) 어떤 사실을 서술하거나 물음, 명령, 권유를 나타내는 종결 어미.
No hay expresión equivalente
(TRATAMIENTO DE MODESTIA GENERAL) Desinencia de terminación que se usa cuando se describe cierto hecho; o pregunta, ordena o reclama algo. <narración>

가+[면 되]+지.

가다 (verbo) : 한 곳에서 다른 곳으로 장소를 이동하다.
Ir
Trasladarse de un lugar a otro.

-면 되다 : 조건이 되는 어떤 행동을 하거나 어떤 상태만 갖추어지면 문제가 없거나 충분함을 나타내는 표현.
No hay expresión equivalente
Expresión que indica la realización de una acción que sirve de condición o muestra de que no hay problema o es suficiente con que se llegue a cierto nivel.

-지 : (두루낮춤으로) 말하는 사람이 자신에 대한 이야기나 자신의 생각을 친근하게 말할 때 쓰는 종결 어미.
No hay expresión equivalente
(TRATAMIENTO DE MODESTIA GENERAL) Desinencia de terminación que se usa cuando el hablante habla íntimamente sobre su historia o idea.

가+라고 하+ㄴ다고 진짜 가+(아).
가란다고 가

가다 (verbo) : 한 곳에서 다른 곳으로 장소를 이동하다.
Ir
Trasladarse de un lugar a otro.

-라고 : 다른 사람에게서 들은 내용을 간접적으로 전달하거나 주어의 생각, 의견 등을 나타내는 표현.
No hay expresión equivalente
Expresión que se usa para transmitir de manera indirecta algo que se ha escuchado o mostrar la opinión o postura del sujeto.

하다 (verbo) : 무엇에 대해 말하다.
abordar, tratar
Hablar sobre un tema.

-ㄴ다고 : 어떤 행위의 목적, 의도를 나타내거나 어떤 상황의 이유, 원인을 나타내는 연결 어미.
No hay expresión equivalente
Desinencia conectora que se usa cuando se indica el propósito o la intención de cierta acción, o la causa o la razón de cierta circunstancia.

진짜 (adverbio) : 꾸밈이나 거짓이 없이 참으로.
verdaderamente, realmente
Con sinceridad, sin mentira ni falsedad.

가다 (verbo) : 한 곳에서 다른 곳으로 장소를 이동하다.
Ir
Trasladarse de un lugar a otro.

-아 : (두루낮춤으로) 어떤 사실을 서술하거나 물음, 명령, 권유를 나타내는 종결 어미.
No hay expresión equivalente
(TRATAMIENTO DE MODESTIA GENERAL) Desinencia de terminación que se usa cuando se describe cierto hecho; o pregunta, ordena o reclama algo. <narración>

가+라는데 왜 안 가+(아)?
가

가다 (verbo) : 한 곳에서 다른 곳으로 장소를 이동하다.
Ir
Trasladarse de un lugar a otro.

-라는데 : 명령이나 요청 등의 말을 전달하며 자신의 말을 이어 나타내는 표현.
No hay expresión equivalente
Expresión que indica la continuación de su comentario mientras trasmite alguna orden o petición.

왜 (adverbio) : 무슨 이유로. 또는 어째서.
por qué, porque
Por qué causa. O el porqué.

안 (adverbio) : 부정이나 반대의 뜻을 나타내는 말.
no
Palabra que expresa negación u oposición.

가다 (verbo) : 한 곳에서 다른 곳으로 장소를 이동하다.
Ir
Trasladarse de un lugar a otro.

-아 : (두루낮춤으로) 어떤 사실을 서술하거나 물음, 명령, 권유를 나타내는 종결 어미.
No hay expresión equivalente
(TRATAMIENTO DE MODESTIA GENERAL) Desinencia de terminación que se usa cuando se describe cierto hecho; o pregunta, ordena o reclama algo. <pregunta>

가+(아)도 화내+(어).
가도 화내

가다 (verbo) : 한 곳에서 다른 곳으로 장소를 이동하다.
Ir
Trasladarse de un lugar a otro.

-아도 : 앞에 오는 말을 가정하거나 인정하지만 뒤에 오는 말에는 관계가 없거나 영향을 끼치지 않음을 나타내는 연결 어미.
No hay expresión equivalente
Desinencia conectora que se usa cuando se conjetura o se acepta el contenido anterior pero no se relaciona con el contenido posterior ni influye en él.

화내다 (verbo) : 몹시 기분이 상해 노여워하는 감정을 드러내다.
enojarse con
Mostrar su enojo hacia alguien que le molesta.

-어 : (두루낮춤으로) 어떤 사실을 서술하거나 물음, 명령, 권유를 나타내는 종결 어미.
No hay expresión equivalente
(TRATAMIENTO DE MODESTIA GENERAL) Desinencia de terminación que se usa cuando se describe cierto hecho; o pregunta, ordena o reclama algo. <narración>

안 가+(아)도 화내+(어).
가도 화내

안 (adverbio) : 부정이나 반대의 뜻을 나타내는 말.
no
Palabra que expresa negación u oposición.

가다 (verbo) : 한 곳에서 다른 곳으로 장소를 이동하다.
Ir
Trasladarse de un lugar a otro.

-아도 : 앞에 오는 말을 가정하거나 인정하지만 뒤에 오는 말에는 관계가 없거나 영향을 끼치지 않음을 나타내는 연결 어미.
No hay expresión equivalente
Desinencia conectora que se usa cuando se conjetura o se acepta el contenido anterior pero no se relaciona con el contenido posterior ni influye en él.

화내다 (verbo) : 몹시 기분이 상해 노여워하는 감정을 드러내다.
enojarse con
Mostrar su enojo hacia alguien que le molesta.

-어 : (두루낮춤으로) 어떤 사실을 서술하거나 물음, 명령, 권유를 나타내는 종결 어미.
No hay expresión equivalente
(TRATAMIENTO DE MODESTIA GENERAL) Desinencia de terminación que se usa cuando se describe cierto hecho; o pregunta, ordena o reclama algo. <narración>

짜증 나+(아), 짜증 나+(아), 짜증 나+(아).
나 나 나

짜증 (sustantivo) : 마음에 들지 않아서 화를 내거나 싫은 느낌을 겉으로 드러내는 일. 또는 그런 성미.
irritación, enfado
Expresión de enfado o disgusto por algo insatisfactorio. O tal carácter.

나다 (verbo) : 어떤 감정이나 느낌이 생기다.
surgirse, producirse, generarse, ocasionarse, suscitarse
Producirse algún sentimiento o alguna sensación.

-아 : (두루낮춤으로) 어떤 사실을 서술하거나 물음, 명령, 권유를 나타내는 종결 어미.
No hay expresión equivalente
(TRATAMIENTO DE MODESTIA GENERAL) Desinencia de terminación que se usa cuando se describe cierto hecho; o pregunta, ordena o reclama algo. <narración>

어쩌+라고? 어쩌+라고? 어쩌+라고? 어쩌+라고?

어쩌다 (verbo) : 무엇을 어떻게 하다.
acción de hacer algo de cierta manera
Acción de hacer algo de cierta manera.

-라고 : (두루낮춤으로) 들은 사실을 되물으면서 확인함을 나타내는 종결 어미.
No hay expresión equivalente
(TRATAMIENTO DE MODESTIA GENERAL) Desinencia de terminación que se usa cuando se confirma lo que ha escuchado volviéndolo a preguntar.

도대체 나+보고 어쩌+라고?

도대체 (adverbio) : 아주 궁금해서 묻는 말인데.
demonios, diablos
Expresión que se usa con un pronombre interrogativo para preguntar algo sobre lo que se tiene duda o curiosidad.

나 (pronombre) : 말하는 사람이 친구나 아랫사람에게 자기를 가리키는 말.
yo
Pronombre que usa el hablante para referirse a sí mismo ante alguien de edad igual o menor.

보고 : 어떤 행동이 미치는 대상임을 나타내는 조사.
No hay expresión equivalente
Posposición que indica el ser objeto de influencia de cierta acción.

어쩌다 (verbo) : 무엇을 어떻게 하다.
acción de hacer algo de cierta manera
Acción de hacer algo de cierta manera.

-라고 : (두루낮춤으로) 들은 사실을 되물으면서 확인함을 나타내는 종결 어미.
No hay expresión equivalente
(TRATAMIENTO DE MODESTIA GENERAL) Desinencia de terminación que se usa cuando se confirma lo que ha escuchado volviéndolo a preguntar.

어쩌+라고?

어쩌다 (verbo) : 무엇을 어떻게 하다.
acción de hacer algo de cierta manera
Acción de hacer algo de cierta manera.

-라고 : (두루낮춤으로) 들은 사실을 되물으면서 확인함을 나타내는 종결 어미.
No hay expresión equivalente
(TRATAMIENTO DE MODESTIA GENERAL) Desinencia de terminación que se usa cuando se confirma lo que ha escuchado volviéndolo a preguntar.

가+라고, 가+라고, 가+라고.

가다 (verbo) : 한 곳에서 다른 곳으로 장소를 이동하다.
Ir
Trasladarse de un lugar a otro.

-라고 : (두루낮춤으로) 말하는 사람의 생각이나 주장을 듣는 사람에게 강조하여 말함을 나타내는 종결 어미.

No hay expresión equivalente

(TRATAMIENTO DE MODESTIA GENERAL) Desinencia de terminación que se usa cuando el hablante recalca su idea o argumento al oyente.

보+기 싫+으니까 가+라고, 가+라고.

보다 (verbo) : 눈으로 대상의 존재나 겉모습을 알다.

ver, mirar, observar

Percibir por los ojos la existencia o la apariencia de un objeto.

-기 : 앞의 말이 명사의 기능을 하게 하는 어미.

No hay expresión equivalente

Desinencia que se usa cuando la palabra anterior ejerce la función del sustantivo.

싫다 (adjetivo) : 어떤 일을 하고 싶지 않다.

sin ganas de algo

Que no tiene ganas de hacer algo.

-으니까 : 뒤에 오는 말에 대하여 앞에 오는 말이 원인이나 근거, 전제가 됨을 강조하여 나타내는 연결 어미.

No hay expresión equivalente

Desinencia conectora que se usa cuando la palabra anterior es una causa, fundamento o premisa de la palabra posterior.

가다 (verbo) : 한 곳에서 다른 곳으로 장소를 이동하다.

Ir

Trasladarse de un lugar a otro.

-라고 : (두루낮춤으로) 말하는 사람의 생각이나 주장을 듣는 사람에게 강조하여 말함을 나타내는 종결 어미.

No hay expresión equivalente

(TRATAMIENTO DE MODESTIA GENERAL) Desinencia de terminación que se usa cuando el hablante recalca su idea o argumento al oyente.

알+았+어.

알다 (verbo) : 상대방의 어떤 명령이나 요청에 대해 그대로 하겠다는 동의의 뜻을 나타내는 말.

acordar, coincidir

Palabra para expresar consenso sobre una petición o una orden de la contraparte.

-았- : 어떤 사건이 과거에 완료되었거나 그 사건의 결과가 현재까지 지속되는 상황을 나타내는 어미.
No hay expresión equivalente
Desinencia que se usa cuando cierto suceso fue acabado en el pasado o cuando el resultado de ese suceso continúa hasta el presente.

-어 : (두루낮춤으로) 어떤 사실을 서술하거나 물음, 명령, 권유를 나타내는 종결 어미.
No hay expresión equivalente
(TRATAMIENTO DE MODESTIA GENERAL) Desinencia de terminación que se usa cuando se describe cierto hecho; o pregunta, ordena o reclama algo. <narración>

나 가+ㄹ게.
갈게

나 (pronombre) : 말하는 사람이 친구나 아랫사람에게 자기를 가리키는 말.
yo
Pronombre que usa el hablante para referirse a sí mismo ante alguien de edad igual o menor.

가다 (verbo) : 한 곳에서 다른 곳으로 장소를 이동하다.
Ir
Trasladarse de un lugar a otro.

-ㄹ게 : (두루낮춤으로) 말하는 사람이 어떤 행동을 할 것을 듣는 사람에게 약속하거나 의지를 나타내는 종결 어미.
No hay expresión equivalente
(TRATAMIENTO DE MODESTIA GENERAL) Desinencia de terminación que se usa cuando el hablante promete o informa al oyente que efectuará cierta acción.

어쩌+라고?

어쩌다 (verbo) : 무엇을 어떻게 하다.
acción de hacer algo de cierta manera
Acción de hacer algo de cierta manera.

-라고 : (두루낮춤으로) 들은 사실을 되물으면서 확인함을 나타내는 종결 어미.
No hay expresión equivalente
(TRATAMIENTO DE MODESTIA GENERAL) Desinencia de terminación que se usa cuando el hablante recalca su idea o argumento al oyente.

< 10 >

궁금해

나는 궁금해.
(Me pregunto.)

[발음(pronunciación)]

< 1 절(verso) >

파도처럼 내 맘속으로 밀려 오다 바람처럼 흔적 없이 사라져.
파도처럼 내 맘소그로 밀려 오다 바람처럼 흔적 업씨 사라저.
padocheoreom nae mamsogeuro millyeooda baramcheoreom heunjeok eopsi sarajeo.

파도는 멈출 수가 없는 거니?
파도는 멈출 쑤가 엄는 거니?
padoneun meomchul suga eomneun geoni?

바람은 머물 수가 없는 거니?
바라믄 머물 쑤가 엄는 거니?
barameun meomul suga eomneun geoni?

피어나는 내 맘이 시들지 않게 그치지 않는 세찬 비를 뿌려줘.
피어나는 내 마미 시들지 안케 그치지 안는 세찬 비를 뿌려줘.
pieonaneun nae mami sideulji anke geuchiji anneun sechan bireul ppuryeojwo.

어떤 사람인지 궁금해.
어떤 사라민지 궁금해.
eotteon saraminji gunggeumhae.

너의 그 향기가 궁금해.
너에 그 향기가 궁금해.
neoe geu hyanggiga gunggeumhae.

어떤 사랑일지 너의 그 느낌이.
어떤 사랑일찌 너에 그 느끼미.
eotteon sarangilji neoe geu neukkimi.

궁금해, 궁금해, 궁금해, 궁금해, 궁금해.
궁금해, 궁금해, 궁금해, 궁금해, 궁금해.
gunggeumhae, gunggeumhae, gunggeumhae, gunggeumhae, gunggeumhae.

< 2 절(verso) >

감미로운 미소로 눈을 맞추면서 고개만 끄덕이다 말없이 사라져.
감미로운 미소로 누늘 맏추면서 고개만 끄더기다 마럽씨 사라저.
gammiroun misoro nuneul matchumyeonseo gogaeman kkeudeogida mareopsi sarajeo.

파도처럼 밀려드는 사랑이 보여.
파도처럼 밀려드는 사랑이 보여.
padocheoreom millyeodeuneun sarangi boyeo.

바람처럼 스치는 사랑이 느껴져.
바람처럼 스치는 사랑이 느껴저.
baramcheoreom seuchineun sarangi neukkyeojeo.

타오르는 열정이 꺼지지 않게 폭풍이 되어 내게 다가와 줘.
타오르는 열쩡이 꺼지지 안케 폭풍이 되어 내게 다가와 줘.
taoreuneun yeoljeongi kkeojiji anke pokpungi doeeo naege dagawa jwo.

어떤 사람인지 궁금해.
어떤 사라민지 궁금해.
eotteon saraminji gunggeumhae.

너의 그 향기가 궁금해.
너에 그 향기가 궁금해.
neoe geu hyanggiga gunggeumhae.

어떤 사랑일지 너의 그 느낌이.
어떤 사랑일찌 너에 그 느끼미.
eotteon sarangilji neoe geu neukkimi.

궁금해, 궁금해, 궁금해, 궁금해, 궁금해.
궁금해, 궁금해, 궁금해, 궁금해, 궁금해.
gunggeumhae, gunggeumhae, gunggeumhae, gunggeumhae, gunggeumhae.

< 3 절(verso) >

바람을 붙잡을 수 없더라도.
바라믈 붇짜블 쑤 업떠라도.
barameul butjabeul su eopdeorado.

파도가 비에 젖지 않더라도.
파도가 비에 전찌 안터라도.
padoga bie jeotji anteorado.

내일은 가슴이 아프더라도.
내이른 가스미 아프더라도.
naeireun gaseumi apeudeorado.

미련과 후회만 남더라도.
미련과 후회만 남더라도.
miryeongwa huhoeman namdeorado.

어떤 사람인지 궁금해.
어떤 사라민지 궁금해.
eotteon saraminji gunggeumhae.

너의 그 향기가 궁금해.
너에 그 향기가 궁금해.
neoe geu hyanggiga gunggeumhae.

어떤 사랑일지 너의 그 느낌이.
어떤 사랑일찌 너에 그 느끼미.
eotteon sarangilji neoe geu neukkimi.

궁금해, 궁금해, 궁금해, 궁금해, 궁금해.
궁금해, 궁금해, 궁금해, 궁금해, 궁금해.
gunggeumhae, gunggeumhae, gunggeumhae, gunggeumhae, gunggeumhae.

< 1 절(verso) >

파도+처럼 나+의 맘속+으로 밀리+[어 오]+다
내 밀려 오다

파도 (sustantivo) : 바다에 이는 물결.
ola
Onda que se forma en la superficie del agua del mar.

처럼 : 모양이나 정도가 서로 비슷하거나 같음을 나타내는 조사.
como, al igual que, de modo que, de manera que
Posposición que representa igualdad o similitud de la forma o de un estado.

나 (pronombre) : 말하는 사람이 친구나 아랫사람에게 자기를 가리키는 말.
yo
Pronombre que usa el hablante para referirse a sí mismo ante alguien de edad igual o menor.

의 : 앞의 말이 뒤의 말에 대하여 소유, 소속, 소재, 관계, 기원, 주체의 관계를 가짐을 나타내는 조사.
No hay expresión equivalente
Posposición que se usa para indicar que la palabra anterior tiene una relación de posesión, pertenencia, integración, conexión, procedencia, sujeto con la posterior.

맘속 (sustantivo) : 마음의 깊은 곳.
fondo del corazón
Desde o en lo más profundo del alma.

으로 : 움직임의 방향을 나타내는 조사.
No hay expresión equivalente
Posposición que se usa para indicar la dirección del movimiento.

밀리다 (verbo) : 방향의 반대쪽에서 힘이 가해져서 움직여지다.
ser empujado, ser impelido, ser impulsado
Moverse tras hacer fuerza desde la dirección contraria.

-어 오다 : 앞의 말이 나타내는 행동이나 상태가 어떤 기준점으로 가까워지면서 계속 진행됨을 나타내는 표현.
No hay expresión equivalente
Expresión que indica la sucesiva continuación de una acción o un estado que indica el comentario anterior, a medida que se acerca a su objetivo.

-다 : 어떤 행동이나 상태 등이 중단되고 다른 행동이나 상태로 바뀜을 나타내는 연결 어미.
No hay expresión equivalente
Desinencia conectora que se usa cuando se suspende cierta acción o estado y se convierte en otra acción o estado.

바람+처럼 흔적 없이 사라지+어.
사라져

바람 (sustantivo) : 기압의 변화 또는 사람이나 기계에 의해 일어나는 공기의 움직임.
viento
Movimiento del aire que surge debido a una persona o máquina o por un cambio en la presión atmosférica.

처럼 : 모양이나 정도가 서로 비슷하거나 같음을 나타내는 조사.
como, al igual que, de modo que, de manera que
Posposición que representa igualdad o similitud de la forma o de un estado.

흔적 (sustantivo) : 사물이나 현상이 없어지거나 지나간 뒤에 남겨진 것.
trazar, marca
una marca o huella dejaron después de un objeto o fenómeno desaparece o pasa por.

없이 (adverbio) : 사람, 사물, 현상 등이 어떤 곳에 자리나 공간을 차지하고 존재하지 않게.
sin, sin que
Sin la presencia u ocupación de una persona, cosa, fenómeno, etc. en un lugar o espacio.

사라지다 (verbo) : 어떤 현상이나 물체의 자취 등이 없어지다.
desaparecerse, desvanecerse, esfumarse
Desaparecer cierto fenómeno, rastro de una cosa, etc.

-어 : (두루낮춤으로) 어떤 사실을 서술하거나 물음, 명령, 권유를 나타내는 종결 어미.
No hay expresión equivalente
(TRATAMIENTO DE MODESTIA GENERAL) Desinencia de terminación que se usa cuando se describe cierto hecho; o pregunta, ordena o reclama algo. <narración>

파도+는 멈추+[ㄹ 수가 없]+[는 거]+(이)+니?
멈출 수가 없는 거니

파도 (sustantivo) : 바다에 이는 물결.
ola
Onda que se forma en la superficie del agua del mar.

는 : 문장 속에서 어떤 대상이 화제임을 나타내는 조사.
No hay expresión equivalente
Posposición que muestra que el referente es el tópico de una oración.

멈추다 (verbo) : 동작이나 상태가 계속되지 않다.
pararse, terminarse
Cesar o interrumpirse un movimiento o acción.

-ㄹ 수가 없다 : 앞에 오는 말이 나타내는 일이 가능하지 않음을 나타내는 표현.
No hay expresión equivalente
Expresión que indica que es imposible de realizar lo que dice el comentario anterior.

-는 거 : 명사가 아닌 것을 문장에서 명사처럼 쓰이게 하거나 '이다' 앞에 쓰일 수 있게 할 때 쓰는 표현.
No hay expresión equivalente
Expresión que se usa para hacer que una palabra que no es sustantivo sea utilizada como tal en una oración, o para hacer que se use delante de '이다'.

이다 : 주어가 지시하는 대상의 속성이나 부류를 지정하는 뜻을 나타내는 서술격 조사.
No hay expresión equivalente
Posposición de caso atributivo, que se usa para designar el atributo o la clase del objeto al que se refiere el sujeto.

-니 : (아주낮춤으로) 물음을 나타내는 종결 어미.
No hay expresión equivalente
(TRATAMIENTO DE MODESTIA MÁXIMA) Desinencia de terminación que se usa cuando se interroga algo.

바람+은 머물+[(ㄹ) 수가 없]+[는 거]+(이)+니?

머물 수가 없는 거니

바람 (sustantivo) : 기압의 변화 또는 사람이나 기계에 의해 일어나는 공기의 움직임.
viento
Movimiento del aire que surge debido a una persona o máquina o por un cambio en la presión atmosférica.

은 : 문장 속에서 어떤 대상이 화제임을 나타내는 조사.
No hay expresión equivalente
Posposición que se usa para indicar que cierto objeto es tópico en la oración.

머물다 (verbo) : 도중에 멈추거나 일시적으로 어떤 곳에 묵다.
detenerse, quedarse temporalmente, alojarse
Detenerse en medio de alguna actividad o vivir temporalmente en un lugar.

-ㄹ 수가 없다 : 앞에 오는 말이 나타내는 일이 가능하지 않음을 나타내는 표현.
No hay expresión equivalente
Expresión que indica que es imposible de realizar lo que dice el comentario anterior.

-는 거 : 명사가 아닌 것을 문장에서 명사처럼 쓰이게 하거나 '이다' 앞에 쓰일 수 있게 할 때 쓰는 표현.
No hay expresión equivalente
Expresión que se usa para hacer que una palabra que no es sustantivo sea utilizada como tal en una oración, o para hacer que se use delante de '이다'.

이다 : 주어가 지시하는 대상의 속성이나 부류를 지정하는 뜻을 나타내는 서술격 조사.
No hay expresión equivalente
Posposición de caso atributivo, que se usa para designar el atributo o la clase del objeto al que se refiere el sujeto.

-니 : (아주낮춤으로) 물음을 나타내는 종결 어미.
No hay expresión equivalente
(TRATAMIENTO DE MODESTIA MÁXIMA) Desinencia de terminación que se usa cuando se interroga algo.

피어나+는 <u>나+의</u> 맘+이 시들+[지 않]+게
내

피어나다 (sustantivo) : 어떤 느낌이나 생각 등이 일어나다.
surgir, ocurrir
Venir a la mente algún sentimiento, idea, etc.

-는 : 앞의 말이 관형어의 기능을 하게 만들고 사건이나 동작이 현재 일어남을 나타내는 어미.
No hay expresión equivalente
Desinencia que hace que la palabra antecedente ejerza la función de un componente determinante, e indica que un suceso o una acción se produce en el presente.

나 (pronombre) : 말하는 사람이 친구나 아랫사람에게 자기를 가리키는 말.
yo
Pronombre que usa el hablante para referirse a sí mismo ante alguien de edad igual o menor.

의 : 앞의 말이 뒤의 말에 대하여 소유, 소속, 소재, 관계, 기원, 주체의 관계를 가짐을 나타내는 조사.
No hay expresión equivalente
Posposición que se usa para indicar que la palabra anterior tiene una relación de posesión, pertenencia, integración, conexión, procedencia, sujeto con la posterior.

맘 (sustantivo) : 좋아하는 마음이나 관심.
No hay expresión equivalente
Interés o sentimiento de afecto.

이 : 어떤 상태나 상황의 대상이나 동작의 주체를 나타내는 조사.
No hay expresión equivalente
Posposición que se usa para indicar el objeto de cierto estado o situación o el agente de un movimiento.

시들다 (verbo) : 어떤 일에 대한 관심이나 기세가 이전보다 줄어들다.
disminuirse, reducirse, menoscabar
Reducirse el interés o el vigor en cierto asunto.

-지 않다 : 앞의 말이 나타내는 행위나 상태를 부정하는 뜻을 나타내는 표현.
No hay expresión equivalente
Expresión para negar la acción o la situación de lo que se mencionó anteriormente.

-게 : 앞의 말이 뒤에서 가리키는 일의 목적이나 결과, 방식, 정도 등이 됨을 나타내는 연결 어미.
No hay expresión equivalente
Desinencia conectora que se usa cuando la palabra anterior es el objetivo, resultado, método, grado, etc. que indica al posterior.

그치+[지 않]+는 세차+ㄴ 비+를 뿌리+[어 주]+어.
세찬 뿌려 줘

그치다 (verbo) : 계속되던 일, 움직임, 현상 등이 계속되지 않고 멈추다.
pararse, cesarse, detenerse
Detener algún trabajo, movimiento, estado que se estaba realizando.

-지 않다 : 앞의 말이 나타내는 행위나 상태를 부정하는 뜻을 나타내는 표현.
No hay expresión equivalente
Expresión para negar la acción o la situación de lo que se mencionó anteriormente.

-는 : 앞의 말이 관형어의 기능을 하게 만들고 사건이나 동작이 현재 일어남을 나타내는 어미.
No hay expresión equivalente
Desinencia que hace que la palabra antecedente ejerza la función de un componente determinante, e indica que un suceso o una acción se produce en el presente.

세차다 (adjetivo) : 기운이나 일이 되어가는 형편 등이 힘 있고 거세다.
intenso, vehemente, impetuoso, violento
Que se desarrolla con intensidad y violentamente.

-ㄴ : 앞의 말이 관형어의 기능을 하게 만들고 현재의 상태를 나타내는 어미.
No hay expresión equivalente
Desinencia que hace que la palabra antecedente ejerza la función de una palabra determinante, e indica el estado del presente.

비 (sustantivo) : 높은 곳에서 구름을 이루고 있던 수증기가 식어서 뭉쳐 떨어지는 물방울.
lluvia, precipitación
Gota de agua que cae por enfriarse el vapor que formaba una nube en un lugar alto.

를 : 동작이 직접적으로 영향을 미치는 대상을 나타내는 조사.
No hay expresión equivalente
Posposición que indica el objeto que influye directamente en la acción.

뿌리다 (verbo) : 눈이나 비 등이 날려 떨어지다. 또는 떨어지게 하다.
caer
Caer nieve, lluvia, etc. O hacer que caiga.

-어 주다 : 남을 위해 앞의 말이 나타내는 행동을 함을 나타내는 표현.
No hay expresión equivalente
Expresión que indica la realización de una acción que indica el comentario anterior para el bien del otro.

-어 : (두루낮춤으로) 어떤 사실을 서술하거나 물음, 명령, 권유를 나타내는 종결 어미.
No hay expresión equivalente
(TRATAMIENTO DE MODESTIA GENERAL) Desinencia de terminación que se usa cuando se describe cierto hecho; o pregunta, ordena o reclama algo. <orden>

어떤 사람+이+ㄴ지 궁금하+여.
사람인지 궁금해

어떤 (determinante) : 사람이나 사물의 특징, 내용, 성격, 성질, 모양 등이 무엇인지 물을 때 쓰는 말.
qué
Palabra que se usa para preguntar sobre la característica, contenido, carácter, cualidad, forma, etc. de alguien o de algo.

사람 (sustantivo) : 생각할 수 있으며 언어와 도구를 만들어 사용하고 사회를 이루어 사는 존재.
persona, hombre, ser humano
Existencia que puede pensar, inventa el lenguaje y la herramienta que utiliza y vive formando una sociedad.

이다 : 주어가 지시하는 대상의 속성이나 부류를 지정하는 뜻을 나타내는 서술격 조사.
No hay expresión equivalente
Posposición de caso atributivo, que se usa para designar el atributo o la clase del objeto al que se refiere el sujeto.

-ㄴ지 : 뒤에 오는 말의 내용에 대한 막연한 이유나 판단을 나타내는 연결 어미.
No hay expresión equivalente
Desinencia conectora que se usa cuando se indica una razón o un juicio vago sobre el contenido de la palabra posterior.

궁금하다 (adjetivo) : 무엇이 무척 알고 싶다.
curioso
Con deseos de conocer o enterarse de algo.

-여 : (두루낮춤으로) 어떤 사실을 서술하거나 물음, 명령, 권유를 나타내는 종결 어미.
No hay expresión equivalente
(TRATAMIENTO DE MODESTIA GENERAL) Desinencia de terminación que se usa cuando se describe cierto hecho; o pregunta, ordena o reclama algo. <narración>

너+의 그 향기+가 <u>궁금하+여</u>.
궁금해

너 (pronombre) : 듣는 사람이 친구나 아랫사람일 때, 그 사람을 가리키는 말.
tú, vos
Pronombre que designa al oyente cuando éste es de la misma edad o menor que el hablante.

의 : 앞의 말이 뒤의 말에 대하여 소유, 소속, 소재, 관계, 기원, 주체의 관계를 가짐을 나타내는 조사.
No hay expresión equivalente
Posposición que se usa para indicar que la palabra anterior tiene una relación de posesión, pertenencia, integración, conexión, procedencia, sujeto con la posterior.

그 (determinante) : 듣는 사람에게 가까이 있거나 듣는 사람이 생각하고 있는 대상을 가리킬 때 쓰는 말.
ese
Expresión con la que se designa a alguien o algo que está cerca del interlocutor, o señala lo que éste tiene en mente.

향기 (sustantivo) : 좋은 냄새.
aroma; fragancia
huele bien.

가 : 어떤 상태나 상황에 놓인 대상이나 동작의 주체를 나타내는 조사.
No hay expresión equivalente
Posposición que se usa para indicar el objeto de cierto estado o situación o el agente de un movimiento.

궁금하다 (adjetivo) : 무엇이 무척 알고 싶다.
curioso
Con deseos de conocer o enterarse de algo.

-여 : (두루낮춤으로) 어떤 사실을 서술하거나 물음, 명령, 권유를 나타내는 종결 어미.
No hay expresión equivalente
(TRATAMIENTO DE MODESTIA GENERAL) Desinencia de terminación que se usa cuando se describe cierto hecho; o pregunta, ordena o reclama algo. <narración>

어떤 사랑+이+ㄹ지 너+의 그 느낌+이.
사랑일지

어떤 (determinante) : 사람이나 사물의 특징, 내용, 성격, 성질, 모양 등이 무엇인지 물을 때 쓰는 말.
qué
Palabra que se usa para preguntar sobre la característica, contenido, carácter, cualidad, forma, etc. de alguien o de algo.

사랑 (sustantivo) : 상대에게 성적으로 매력을 느껴 열렬히 좋아하는 마음.
amor
Sentimiento de gustar ardientemente por sentir atracción sexual del otro.

이다 : 주어가 지시하는 대상의 속성이나 부류를 지정하는 뜻을 나타내는 서술격 조사.
No hay expresión equivalente
Posposición de caso atributivo, que se usa para designar el atributo o la clase del objeto al que se refiere el sujeto.

-ㄹ지 : 어떠한 추측에 대한 막연한 의문을 갖고 그것을 뒤에 오는 말이 나타내는 사실이나 판단과 관련시킬 때 쓰는 연결 어미.
No hay expresión equivalente
Desinencia conectora que se usa cuando se cuestiona vagamente sobre cierta conjetura y se relaciona con el hecho o el juicio que indica la palabra posterior.

너 (pronombre) : 듣는 사람이 친구나 아랫사람일 때, 그 사람을 가리키는 말.
tú, vos
Pronombre que designa al oyente cuando éste es de la misma edad o menor que el hablante.

의 : 앞의 말이 뒤의 말에 대하여 소유, 소속, 소재, 관계, 기원, 주체의 관계를 가짐을 나타내는 조사.
No hay expresión equivalente
Posposición que se usa para indicar que la palabra anterior tiene una relación de posesión, pertenencia, integración, conexión, procedencia, sujeto con la posterior.

그 (determinante) : 듣는 사람에게 가까이 있거나 듣는 사람이 생각하고 있는 대상을 가리킬 때 쓰는 말.
ese
Expresión con la que se designa a alguien o algo que está cerca del interlocutor, o señala lo que éste tiene en mente.

느낌 (sustantivo) : 몸이나 마음에서 일어나는 기분이나 감정.
sentimiento
Estado de ánimo o emoción producido por causas que impresionan el alma.

이 : 어떤 상태나 상황의 대상이나 동작의 주체를 나타내는 조사.
No hay expresión equivalente
Posposición que se usa para indicar el objeto de cierto estado o situación o el agente de un movimiento.

궁금하+여, 궁금하+여, 궁금하+여, 궁금하+여, 궁금하+여.
궁금해 궁금해 궁금해 궁금해 궁금해

궁금하다 (adjetivo) : 무엇이 무척 알고 싶다.
curioso
Con deseos de conocer o enterarse de algo.

-여 : (두루낮춤으로) 어떤 사실을 서술하거나 물음, 명령, 권유를 나타내는 종결 어미.
No hay expresión equivalente
(TRATAMIENTO DE MODESTIA GENERAL) Desinencia de terminación que se usa cuando se describe cierto hecho; o pregunta, ordena o reclama algo. <narración>

< 2 절(verso) >

감미롭(감미로우)+ㄴ 미소+로 [눈을 맞추]+면서
감미로운

감미롭다 (adjetivo) : 달콤한 느낌이 있다.
dulce, agradable, exquisito, deleitoso
Que inspira un sentimiento de dulzura.

-ㄴ : 앞의 말이 관형어의 기능을 하게 만들고 현재의 상태를 나타내는 어미.
No hay expresión equivalente
Desinencia que hace que la palabra antecedente ejerza la función de una palabra determinante, e indica el estado del presente.

미소 (sustantivo) : 소리 없이 빙긋이 웃는 웃음.
sonrisa
Risa leve y sin ruido.

로 : 어떤 일의 방법이나 방식을 나타내는 조사.
No hay expresión equivalente
Posposición que indica el método o la forma de cierto lugar.

눈을 맞추다 (modismo) : 서로 눈을 마주 보다.
mirarse el uno al otro
Mirarse a los ojos el uno al otro.

-면서 : 두 가지 이상의 동작이나 상태가 함께 일어남을 나타내는 연결 어미.
No hay expresión equivalente
Desinencia conectora que se usa cuando se contraponen más de dos acciones o estados.

고개+만 끄덕이+다 말없이 사라지+어.
사라져

고개 (sustantivo) : 목을 포함한 머리 부분.
No hay expresión equivalente
Cabeza y cuello.

만 : 다른 것은 제외하고 어느 것을 한정함을 나타내는 조사.
No hay expresión equivalente
Posposición que indica la limitación de cierta cosa tras excluir otra cosa.

끄덕이다 (verbo) : 머리를 가볍게 아래위로 움직이다.
moverse la cabeza
Mover la cabeza ligeramente de arriba abajo.

-다 : 어떤 행동이나 상태 등이 중단되고 다른 행동이나 상태로 바뀜을 나타내는 연결 어미.
No hay expresión equivalente
Desinencia conectora que se usa cuando se suspende cierta acción o estado y se convierte en otra acción o estado.

말없이 (adverbio) : 아무 말도 하지 않고.
en silencio, calladamente
Sin decir nada.

사라지다 (verbo) : 어떤 현상이나 물체의 자취 등이 없어지다.
desaparecerse, desvanecerse, esfumarse
Desaparecer cierto fenómeno, rastro de una cosa, etc.

-어 : (두루낮춤으로) 어떤 사실을 서술하거나 물음, 명령, 권유를 나타내는 종결 어미.
No hay expresión equivalente
(TRATAMIENTO DE MODESTIA GENERAL) Desinencia de terminación que se usa cuando se describe cierto hecho; o pregunta, ordena o reclama algo. <narración>

파도+처럼 밀려들(밀려드)+는 사랑+이 보이+어.
밀려드는 보여

파도 (sustantivo) : 바다에 이는 물결.
ola
Onda que se forma en la superficie del agua del mar.

처럼 : 모양이나 정도가 서로 비슷하거나 같음을 나타내는 조사.
como, al igual que, de modo que, de manera que
Posposición que representa igualdad o similitud de la forma o de un estado.

밀려들다 (verbo) : 한꺼번에 많이 몰려 들어오다.
afluir, precipitarse, levantarse, avanzarse
Entrar en tropel al mismo tiempo.

-는 : 앞의 말이 관형어의 기능을 하게 만들고 사건이나 동작이 현재 일어남을 나타내는 어미.
No hay expresión equivalente
Desinencia que hace que la palabra antecedente ejerza la función de un componente determinante, e indica que un suceso o una acción se produce en el presente.

사랑 (sustantivo) : 상대에게 성적으로 매력을 느껴 열렬히 좋아하는 마음.
amor
Sentimiento de gustar ardientemente por sentir atracción sexual del otro.

이 : 어떤 상태나 상황의 대상이나 동작의 주체를 나타내는 조사.
No hay expresión equivalente
Posposición que se usa para indicar el objeto de cierto estado o situación o el agente de un movimiento.

보이다 (verbo) : 눈으로 대상의 존재나 겉모습을 알게 되다.
verse, mirarse
Percibir por los ojos la existencia o la apariencia de un objeto.

-어 : (두루낮춤으로) 어떤 사실을 서술하거나 물음, 명령, 권유를 나타내는 종결 어미.
No hay expresión equivalente
(TRATAMIENTO DE MODESTIA GENERAL) Desinencia de terminación que se usa cuando se describe cierto hecho; o pregunta, ordena o reclama algo. <narración>

바람+처럼 스치+는 사랑+이 느끼+어지+어.
느껴져

바람 (sustantivo) : 기압의 변화 또는 사람이나 기계에 의해 일어나는 공기의 움직임.
viento
Movimiento del aire que surge debido a una persona o máquina o por un cambio en la presión atmosférica.

처럼 : 모양이나 정도가 서로 비슷하거나 같음을 나타내는 조사.
como, al igual que, de modo que, de manera que
Posposición que representa igualdad o similitud de la forma o de un estado.

스치다 (verbo) : 냄새, 바람, 소리 등이 약하게 잠시 느껴지다.
rozarse, percibirse, notarse, percatarse
Sentirse ligeramente por un rato olor, viento, ruido, etc.

-는 : 앞의 말이 관형어의 기능을 하게 만들고 사건이나 동작이 현재 일어남을 나타내는 어미.
No hay expresión equivalente
Desinencia que hace que la palabra antecedente ejerza la función de un componente determinante, e indica que un suceso o una acción se produce en el presente.

사랑 (sustantivo) : 상대에게 성적으로 매력을 느껴 열렬히 좋아하는 마음.
amor
Sentimiento de gustar ardientemente por sentir atracción sexual del otro.

이 : 어떤 상태나 상황의 대상이나 동작의 주체를 나타내는 조사.
No hay expresión equivalente
Posposición que se usa para indicar el objeto de cierto estado o situación o el agente de un movimiento.

느끼다 (verbo) : 마음속에서 어떤 감정을 경험하다.
sentir, percibir
Experimentar cierto sentimiento.

-어지다 : 앞에 오는 말이 나타내는 상태로 점점 되어 감을 나타내는 표현.
No hay expresión equivalente
Expresión que indica que cada vez se acerca más al estado que indica el comentario anterior.

-어 : (두루낮춤으로) 어떤 사실을 서술하거나 물음, 명령, 권유를 나타내는 종결 어미.
No hay expresión equivalente
(TRATAMIENTO DE MODESTIA GENERAL) Desinencia de terminación que se usa cuando se describe cierto hecho; o pregunta, ordena o reclama algo. <narración>

타오르+는 열정+이 꺼지+[지 않]+게

타오르다 (verbo) : 마음이 불같이 뜨거워지다.
arder
Calentarse el corazón como el fuego.

-는 : 앞의 말이 관형어의 기능을 하게 만들고 사건이나 동작이 현재 일어남을 나타내는 어미.
No hay expresión equivalente
Desinencia que hace que la palabra antecedente ejerza la función de un componente determinante, e indica que un suceso o una acción se produce en el presente.

열정 (sustantivo) : 어떤 일에 뜨거운 애정을 가지고 열심히 하는 마음.
pasión, fervor, ardor
Actitud de trabajar en algún asunto desempeñadamente con gran afecto.

이 : 어떤 상태나 상황의 대상이나 동작의 주체를 나타내는 조사.
No hay expresión equivalente
Posposición que se usa para indicar el objeto de cierto estado o situación o el agente de un movimiento.

꺼지다 (verbo) : 어떤 감정이 풀어지거나 사라지다.
desaparecerse, borrarse, alejarse, desvanecerse
Calmarse o desvanecerse algún sentimiento.

-지 않다 : 앞의 말이 나타내는 행위나 상태를 부정하는 뜻을 나타내는 표현.
No hay expresión equivalente
Expresión para negar la acción o la situación de lo que se mencionó anteriormente.

-게 : 앞의 말이 뒤에서 가리키는 일의 목적이나 결과, 방식, 정도 등이 됨을 나타내는 연결 어미.
No hay expresión equivalente
Desinencia conectora que se usa cuando la palabra anterior es el objetivo, resultado, método, grado, etc. que indica al posterior.

폭풍+이 되+어 나+에게 다가오+[아 주]+어.
내게 다가와 줘

폭풍 (sustantivo) : 매우 세차게 부는 바람.
tempestad, tormenta, tifón
Viento que sopla muy fuerte.

이 : 바뀌게 되는 대상이나 부정하는 대상임을 나타내는 조사.
No hay expresión equivalente
Posposición que se usa para indicar el objeto en que se convierte o se niega.

되다 (verbo) : 다른 것으로 바뀌거나 변하다.
transformarse
Cambiarse, convertirse una persona en otra.

-어 : 앞의 말이 뒤의 말보다 먼저 일어났거나 뒤의 말에 대한 방법이나 수단이 됨을 나타내는 연결 어미.
No hay expresión equivalente
Desinencia conectora que se usa cuando la palabra anterior se realiza antes de que la posterior, o es un método o medio de la palabra posterior.

나 (pronombre) : 말하는 사람이 친구나 아랫사람에게 자기를 가리키는 말.
yo
Pronombre que usa el hablante para referirse a sí mismo ante alguien de edad igual o menor.

에게 : 어떤 행동이 미치는 대상임을 나타내는 조사.
No hay expresión equivalente
Posposición que indica ser un objeto influyente de cierta acción.

다가오다 (verbo) : 어떤 대상이 있는 쪽으로 가까이 옮기어 오다.
acercarse
Moverse cerca de un objeto.

-아 주다 : 남을 위해 앞의 말이 나타내는 행동을 함을 나타내는 표현.
No hay expresión equivalente
Expresión que indica la realización de una acción que indica el comentario anterior para el bien del otro.

-어 : (두루낮춤으로) 어떤 사실을 서술하거나 물음, 명령, 권유를 나타내는 종결 어미.
No hay expresión equivalente
(TRATAMIENTO DE MODESTIA GENERAL) Desinencia de terminación que se usa cuando se describe cierto hecho; o pregunta, ordena o reclama algo. <orden>

어떤 사람+이+ㄴ지 궁금하+여.
사람인지 궁금해

어떤 (determinante) : 사람이나 사물의 특징, 내용, 성격, 성질, 모양 등이 무엇인지 물을 때 쓰는 말.
qué
Palabra que se usa para preguntar sobre la característica, contenido, carácter, cualidad, forma, etc. de alguien o de algo.

사람 (sustantivo) : 생각할 수 있으며 언어와 도구를 만들어 사용하고 사회를 이루어 사는 존재.
persona, hombre, ser humano
Existencia que puede pensar, inventa el lenguaje y la herramienta que utiliza y vive formando una sociedad.

이다 : 주어가 지시하는 대상의 속성이나 부류를 지정하는 뜻을 나타내는 서술격 조사.
No hay expresión equivalente
Posposición de caso atributivo, que se usa para designar el atributo o la clase del objeto al que se refiere el sujeto.

-ㄴ지 : 뒤에 오는 말의 내용에 대한 막연한 이유나 판단을 나타내는 연결 어미.
No hay expresión equivalente
Desinencia conectora que se usa cuando se indica una razón o un juicio vago sobre el contenido de la palabra posterior.

궁금하다 (adjetivo) : 무엇이 무척 알고 싶다.
curioso
Con deseos de conocer o enterarse de algo.

-여 : (두루낮춤으로) 어떤 사실을 서술하거나 물음, 명령, 권유를 나타내는 종결 어미.
No hay expresión equivalente
(TRATAMIENTO DE MODESTIA GENERAL) Desinencia de terminación que se usa cuando se describe cierto hecho; o pregunta, ordena o reclama algo. <narración>

너+의 그 향기+가 궁금하+여.
궁금해

너 (pronombre) : 듣는 사람이 친구나 아랫사람일 때, 그 사람을 가리키는 말.
tú, vos
Pronombre que designa al oyente cuando éste es de la misma edad o menor que el hablante.

의 : 앞의 말이 뒤의 말에 대하여 소유, 소속, 소재, 관계, 기원, 주체의 관계를 가짐을 나타내는 조사.
No hay expresión equivalente
Posposición que se usa para indicar que la palabra anterior tiene una relación de posesión, pertenencia, integración, conexión, procedencia, sujeto con la posterior.

그 (determinante) : 듣는 사람에게 가까이 있거나 듣는 사람이 생각하고 있는 대상을 가리킬 때 쓰는 말.
ese
Expresión con la que se designa a alguien o algo que está cerca del interlocutor, o señala lo que éste tiene en mente.

향기 (sustantivo) : 좋은 냄새.
aroma; fragancia
huele bien.

가 : 어떤 상태나 상황에 놓인 대상이나 동작의 주체를 나타내는 조사.
No hay expresión equivalente
Posposición que se usa para indicar el objeto de cierto estado o situación o el agente de un movimiento.

궁금하다 (adjetivo) : 무엇이 무척 알고 싶다.
curioso
Con deseos de conocer o enterarse de algo.

-여 : (두루낮춤으로) 어떤 사실을 서술하거나 물음, 명령, 권유를 나타내는 종결 어미.
No hay expresión equivalente
(TRATAMIENTO DE MODESTIA GENERAL) Desinencia de terminación que se usa cuando se describe cierto hecho; o pregunta, ordena o reclama algo. <narración>

어떤 사랑+이+ㄹ지 너+의 그 느낌+이.
사랑일지

어떤 (determinante) : 사람이나 사물의 특징, 내용, 성격, 성질, 모양 등이 무엇인지 물을 때 쓰는 말.
qué
Palabra que se usa para preguntar sobre la característica, contenido, carácter, cualidad, forma, etc. de alguien o de algo.

사랑 (sustantivo) : 상대에게 성적으로 매력을 느껴 열렬히 좋아하는 마음.
amor
Sentimiento de gustar ardientemente por sentir atracción sexual del otro.

이다 : 주어가 지시하는 대상의 속성이나 부류를 지정하는 뜻을 나타내는 서술격 조사.
No hay expresión equivalente
Posposición de caso atributivo, que se usa para designar el atributo o la clase del objeto al que se refiere el sujeto.

-ㄹ지 : 어떠한 추측에 대한 막연한 의문을 갖고 그것을 뒤에 오는 말이 나타내는 사실이나 판단과 관련시킬 때 쓰는 연결 어미.
No hay expresión equivalente
Desinencia conectora que se usa cuando se cuestiona vagamente sobre cierta conjetura y se relaciona con el hecho o el juicio que indica la palabra posterior.

너 (pronombre) : 듣는 사람이 친구나 아랫사람일 때, 그 사람을 가리키는 말.
tú, vos
Pronombre que designa al oyente cuando éste es de la misma edad o menor que el hablante.

의 : 앞의 말이 뒤의 말에 대하여 소유, 소속, 소재, 관계, 기원, 주체의 관계를 가짐을 나타내는 조사.
No hay expresión equivalente
Posposición que se usa para indicar que la palabra anterior tiene una relación de posesión, pertenencia, integración, conexión, procedencia, sujeto con la posterior.

그 (determinante) : 듣는 사람에게 가까이 있거나 듣는 사람이 생각하고 있는 대상을 가리킬 때 쓰는 말.
ese
Expresión con la que se designa a alguien o algo que está cerca del interlocutor, o señala lo que éste tiene en mente.

느낌 (sustantivo) : 몸이나 마음에서 일어나는 기분이나 감정.
sentimiento
Estado de ánimo o emoción producido por causas que impresionan el alma.

이 : 어떤 상태나 상황의 대상이나 동작의 주체를 나타내는 조사.
No hay expresión equivalente
Posposición que se usa para indicar el objeto de cierto estado o situación o el agente de un movimiento.

궁금하+여, 궁금하+여, 궁금하+여, 궁금하+여, 궁금하+여.
궁금해 궁금해 궁금해 궁금해 궁금해

궁금하다 (adjetivo) : 무엇이 무척 알고 싶다.
curioso
Con deseos de conocer o enterarse de algo.

-여 : (두루낮춤으로) 어떤 사실을 서술하거나 물음, 명령, 권유를 나타내는 종결 어미.
No hay expresión equivalente
(TRATAMIENTO DE MODESTIA GENERAL) Desinencia de terminación que se usa cuando se describe cierto hecho; o pregunta, ordena o reclama algo. <narración>

< 3 절(verso) >

바람+을 붙잡+[을 수 없]+더라도.

바람 (sustantivo) : 기압의 변화 또는 사람이나 기계에 의해 일어나는 공기의 움직임.
viento
Movimiento del aire que surge debido a una persona o máquina o por un cambio en la presión atmosférica.

을 : 동작이 직접적으로 영향을 미치는 대상을 나타내는 조사.
No hay expresión equivalente
Posposición que se usa para indicar el objeto que ha sido influido directamente por una acción.

붙잡다 (verbo) : 무엇을 놓치지 않도록 단단히 잡다.
agarrar, asir, coger
Coger fuertemente algo para no perderlo.

-을 수 없다 : 앞에 오는 말이 나타내는 일이 가능하지 않음을 나타내는 표현.
No hay expresión equivalente
Expresión que indica que es imposible de realizar lo que dice el comentario anterior.

-더라도 : 앞에 오는 말을 가정하거나 인정하지만 뒤에 오는 말에는 관계가 없거나 영향을 끼치지 않음을 나타내는 연결 어미.
No hay expresión equivalente
Desinencia conectora que se usa cuando se conjetura o se acepta el contenido anterior pero no se relaciona con el contenido posterior ni influye en él.

파도+가 비+에 젖+[지 않]+더라도.

파도 (sustantivo) : 바다에 이는 물결.
ola
Onda que se forma en la superficie del agua del mar.

가 : 어떤 상태나 상황에 놓인 대상이나 동작의 주체를 나타내는 조사.
No hay expresión equivalente
Posposición que se usa para indicar el objeto de cierto estado o situación o el agente de un movimiento.

비 (sustantivo) : 높은 곳에서 구름을 이루고 있던 수증기가 식어서 뭉쳐 떨어지는 물방울.
lluvia, precipitación
Gota de agua que cae por enfriarse el vapor que formaba una nube en un lugar alto.

에 : 앞말이 어떤 일의 원인임을 나타내는 조사.
No hay expresión equivalente
Posposición que se usa cuando la palabra anterior indica la causa de algo.

젖다 (verbo) : 액체가 스며들어 축축해지다.
mojarse
Humedecerse por introducirse un líquido.

-지 않다 : 앞의 말이 나타내는 행위나 상태를 부정하는 뜻을 나타내는 표현.
No hay expresión equivalente
Expresión para negar la acción o la situación de lo que se mencionó anteriormente.

-더라도 : 앞에 오는 말을 가정하거나 인정하지만 뒤에 오는 말에는 관계가 없거나 영향을 끼치지 않음을 나타내는 연결 어미.
No hay expresión equivalente
Desinencia conectora que se usa cuando se conjetura o se acepta el contenido anterior pero no se relaciona con el contenido posterior ni influye en él.

내일+은 가슴+이 아프+더라도.

내일 (sustantivo) : 오늘의 다음 날.
mañana
El día que sigue a hoy.

은 : 문장 속에서 어떤 대상이 화제임을 나타내는 조사.
No hay expresión equivalente
Posposición que se usa para indicar que cierto objeto es tópico en la oración.

가슴 (sustantivo) : 마음이나 느낌.
corazón
Referido a los estados de ánimo o del alma.

이 : 어떤 상태나 상황의 대상이나 동작의 주체를 나타내는 조사.
No hay expresión equivalente
Posposición que se usa para indicar el objeto de cierto estado o situación o el agente de un movimiento.

아프다 (adjetivo) : 슬픔이나 연민으로 마음에 괴로운 느낌이 있다.
doloroso, dolorido
Que siente dolor por tristeza o compasión.

-더라도 : 앞에 오는 말을 가정하거나 인정하지만 뒤에 오는 말에는 관계가 없거나 영향을 끼치지 않음을 나타내는 연결 어미.
No hay expresión equivalente
Desinencia conectora que se usa cuando se conjetura o se acepta el contenido anterior pero no se relaciona con el contenido posterior ni influye en él.

미련+과 후회+만 남+더라도.

미련 (sustantivo) : 잊어버리거나 그만두어야 할 것을 깨끗이 잊거나 포기하지 못하고 여전히 끌리는 마음.
obsesión, deseo obsesivo
Pasión del ánimo que se manifiesta en una atracción persistente por alguien o algo que sería mejor olvidar o a lo que debería renunciarse por completo.

과 : 앞과 뒤의 명사를 같은 자격으로 이어 줄 때 쓰는 조사.
No hay expresión equivalente
Posposición que se usa para unir el sustantivo que antecede y otro que sucede, en calidad equivalente entre sí.

후회 (sustantivo) : 이전에 자신이 한 일이 잘못임을 깨닫고 스스로 자신의 잘못을 꾸짖음.
remordimiento, arrepentimiento
Acción de darse cuenta de que lo que hizo estuvo mal, y culparse a sí mismo por haber cometido tal error.

만 : 다른 것은 제외하고 어느 것을 한정함을 나타내는 조사.
No hay expresión equivalente
Posposición que indica la limitación de cierta cosa tras excluir otra cosa.

남다 (verbo) : 잊히지 않다.
dejar, quedar, permanecer, acordar
No olvidarse.

-더라도 : 앞에 오는 말을 가정하거나 인정하지만 뒤에 오는 말에는 관계가 없거나 영향을 끼치지 않음을 나타내는 연결 어미.
No hay expresión equivalente
Desinencia conectora que se usa cuando se conjetura o se acepta el contenido anterior pero no se relaciona con el contenido posterior ni influye en él.

어떤 사람+이+ㄴ지 궁금하+여.
사람인지 궁금해

어떤 (determinante) : 사람이나 사물의 특징, 내용, 성격, 성질, 모양 등이 무엇인지 물을 때 쓰는 말.
qué
Palabra que se usa para preguntar sobre la característica, contenido, carácter, cualidad, forma, etc. de alguien o de algo.

사람 (sustantivo) : 생각할 수 있으며 언어와 도구를 만들어 사용하고 사회를 이루어 사는 존재.
persona, hombre, ser humano
Existencia que puede pensar, inventa el lenguaje y la herramienta que utiliza y vive formando una sociedad.

이다 : 주어가 지시하는 대상의 속성이나 부류를 지정하는 뜻을 나타내는 서술격 조사.
No hay expresión equivalente
Posposición de caso atributivo, que se usa para designar el atributo o la clase del objeto al que se refiere el sujeto.

-ㄴ지 : 뒤에 오는 말의 내용에 대한 막연한 이유나 판단을 나타내는 연결 어미.
No hay expresión equivalente
Desinencia conectora que se usa cuando se indica una razón o un juicio vago sobre el contenido de la palabra posterior.

궁금하다 (adjetivo) : 무엇이 무척 알고 싶다.
curioso
Con deseos de conocer o enterarse de algo.

-여 : (두루낮춤으로) 어떤 사실을 서술하거나 물음, 명령, 권유를 나타내는 종결 어미.
No hay expresión equivalente
(TRATAMIENTO DE MODESTIA GENERAL) Desinencia de terminación que se usa cuando se describe cierto hecho; o pregunta, ordena o reclama algo. <narración>

너+의 그 향기+가 궁금하+여.
궁금해

너 (pronombre) : 듣는 사람이 친구나 아랫사람일 때, 그 사람을 가리키는 말.
tú, vos
Pronombre que designa al oyente cuando éste es de la misma edad o menor que el hablante.

의 : 앞의 말이 뒤의 말에 대하여 소유, 소속, 소재, 관계, 기원, 주체의 관계를 가짐을 나타내는 조사.
No hay expresión equivalente
Posposición que se usa para indicar que la palabra anterior tiene una relación de posesión, pertenencia, integración, conexión, procedencia, sujeto con la posterior.

그 (determinante) : 듣는 사람에게 가까이 있거나 듣는 사람이 생각하고 있는 대상을 가리킬 때 쓰는 말.
ese
Expresión con la que se designa a alguien o algo que está cerca del interlocutor, o señala lo que éste tiene en mente.

향기 (sustantivo) : 좋은 냄새.
aroma; fragancia
huele bien.

가 : 어떤 상태나 상황에 놓인 대상이나 동작의 주체를 나타내는 조사.
No hay expresión equivalente
Posposición que se usa para indicar el objeto de cierto estado o situación o el agente de un movimiento.

궁금하다 (adjetivo) : 무엇이 무척 알고 싶다.
curioso
Con deseos de conocer o enterarse de algo.

-여 : (두루낮춤으로) 어떤 사실을 서술하거나 물음, 명령, 권유를 나타내는 종결 어미.
No hay expresión equivalente
(TRATAMIENTO DE MODESTIA GENERAL) Desinencia de terminación que se usa cuando se describe cierto hecho; o pregunta, ordena o reclama algo. <narración>

어떤 사랑+이+ㄹ지 너+의 그 느낌+이.
사랑일지

어떤 (determinante) : 사람이나 사물의 특징, 내용, 성격, 성질, 모양 등이 무엇인지 물을 때 쓰는 말.
qué
Palabra que se usa para preguntar sobre la característica, contenido, carácter, cualidad, forma, etc. de alguien o de algo.

사랑 (sustantivo) : 상대에게 성적으로 매력을 느껴 열렬히 좋아하는 마음.
amor
Sentimiento de gustar ardientemente por sentir atracción sexual del otro.

이다 : 주어가 지시하는 대상의 속성이나 부류를 지정하는 뜻을 나타내는 서술격 조사.
No hay expresión equivalente
Posposición de caso atributivo, que se usa para designar el atributo o la clase del objeto al que se refiere el sujeto.

-ㄹ지 : 어떠한 추측에 대한 막연한 의문을 갖고 그것을 뒤에 오는 말이 나타내는 사실이나 판단과 관련시킬 때 쓰는 연결 어미.
No hay expresión equivalente
Desinencia conectora que se usa cuando se cuestiona vagamente sobre cierta conjetura y se relaciona con el hecho o el juicio que indica la palabra posterior.

너 (pronombre) : 듣는 사람이 친구나 아랫사람일 때, 그 사람을 가리키는 말.
tú, vos
Pronombre que designa al oyente cuando éste es de la misma edad o menor que el hablante.

의 : 앞의 말이 뒤의 말에 대하여 소유, 소속, 소재, 관계, 기원, 주체의 관계를 가짐을 나타내는 조사.
No hay expresión equivalente
Posposición que se usa para indicar que la palabra anterior tiene una relación de posesión, pertenencia, integración, conexión, procedencia, sujeto con la posterior.

그 (determinante) : 듣는 사람에게 가까이 있거나 듣는 사람이 생각하고 있는 대상을 가리킬 때 쓰는 말.
ese
Expresión con la que se designa a alguien o algo que está cerca del interlocutor, o señala lo que éste tiene en mente.

느낌 (sustantivo) : 몸이나 마음에서 일어나는 기분이나 감정.
sentimiento
Estado de ánimo o emoción producido por causas que impresionan el alma.

이 : 어떤 상태나 상황의 대상이나 동작의 주체를 나타내는 조사.
No hay expresión equivalente
Posposición que se usa para indicar el objeto de cierto estado o situación o el agente de un movimiento.

궁금하+여, 궁금하+여, 궁금하+여, 궁금하+여, 궁금하+여.

궁금해 궁금해 궁금해 궁금해 궁금해

궁금하다 (adjetivo) : 무엇이 무척 알고 싶다.

curioso

Con deseos de conocer o enterarse de algo.

-여 : (두루낮춤으로) 어떤 사실을 서술하거나 물음, 명령, 권유를 나타내는 종결 어미.

No hay expresión equivalente

(TRATAMIENTO DE MODESTIA GENERAL) Desinencia de terminación que se usa cuando se describe cierto hecho; o pregunta, ordena o reclama algo. <narración>

< 참고 문헌 (referencia) >

고려대학교 한국어대사전, 고려대학교 민족문화연구원, 2009
우리말샘, 국립국어원, 2016
표준국어대사전, 국립국어원, 1999
한국어교육 문법 자료편, 한글파크, 2016
한국어 교육학 사전, 하우, 2014
한국어기초사전, 국립국어원, 2016
한국어 문법 총론 Ⅰ, 집문당, 2015

노래로 배우는 한국어 1 español(traducción)

발　행 | 2024년 6월 12일
저　자 | 주식회사 한글2119연구소
펴낸이 | 한건희
펴낸곳 | 주식회사 부크크
출판사등록 | 2014.07.15.(제2014-16호)
주　소 | 서울특별시 금천구 가산디지털1로 119 SK트윈타워 A동 305호
전　화 | 1670-8316
이메일 | info@bookk.co.kr

ISBN | 979-11-410-8921-4

www.bookk.co.kr